Kochkunst in Bildern

Band 5

KOCHKUNST IN BILDERN • 5

Das Plattenbuch der Internationalen Kochkunst-Ausstellung 1996
340 Farbabbildungen von Kreationen
mit Kurzbeschreibungen und den Namen der Verfertiger
69 Farbabbildungen der Nationalteams

The book on platters of the International Culinary Art Exhibition 1996
340 coloured pictures of the creations
with short descriptions and the names of the producers
69 coloured pictures from the national teams

Le livre des plateaux de l'Exposition Internationale de l'Hôtellerie et de la Restauration 1996
340 photos en couleur des créations
avec des descriptions courtes et des noms des producteurs
69 photos en couleur des équipes nationales

Herausgeber:

Verband der Köche Deutschlands e. V.
Frankfurt am Main

HUGO MATTHAES DRUCKEREI UND VERLAG GMBH & CO. KG

ISBN 3-87516-677-9

*Der Verband der Köche Deutschlands e. V. und der Hugo Matthaes Verlag in Stuttgart beschlossen die fünfte IKA-Dokumentation.
Die beispielhafte Zusammenarbeit aller Beteiligten ermöglichte die Gestaltung und Entstehung dieses Werkes.
Ihnen allen gebührt der Dank des Herausgebers:
den Autoren Norbert P. Gillmayr, Hansjoachim Mackes und Kurt Matheis, dem Fotografenteam Georg Gottbrath und Wolfgang Usbeck mit den Assistenten, die mit professionellem Engagement und persönlicher Begeisterung ihre Aufgabe bestens gelöst haben,
den Kollegen Peter Doll, Küchenmeister, Owen Osbourne, Jan-Goran Barth und Karsten Mieleh für ihren Einsatz zur richtigen Registrierung der Ausstellungsstücke.*

Fotos: Food-Photographie Wolfgang Usbeck, Frankfurt a. M.
Udo Rößling, Berlin (S. 86, Jugend-Nationalteam Schweden)

Auswahl der Abbildungen und deren Beschreibung:
Norbert P. Gillmayr, Küchendirektor, Schwalbach/Taunus; Hansjoachim Mackes, Küchenmeister, Stuttgart;
Kurt Matheis, Konditormeister und Patissier, Berchtesgaden.

Printed in Germany – Imprimé en Allemagne
Herstellung einschließlich der Reproduktionen: Hugo Matthaes Druckerei und Verlag GmbH & Co. KG Stuttgart.

Inhaltsübersicht

Table of contents

Table de matières

Vorwort zu „Kochkunst in Bildern"

Ich selbst habe Erfahrungen aus erster Hand sammeln können, zuerst als Teilnehmer an der „Olympiade der Köche", dann als Jurymitglied. Zusammen mit Tausenden anderer Küchenchefs, die ebenfalls an diesem Ereignis teilnahmen bzw. in Wettbewerb traten, grüße ich den Verband der Köche Deutschlands und beglückwünsche ihn zu diesem wundervollen Beitrag zur kulinarischen Kunst.

„Kochkunst in Bildern" ist sicherlich die schönste Sammlung kulinarischer Ideen, die für die Nachkommen unserer edlen Kunst zusammengestellt wurde. Sie fängt das fachmännische Können der weltbesten Küchenchefs ein, damit all die anderen daran teilhaben bzw. davon lernen können. Die IKA/Olympiade der Köche mit ihrer 100jährigen Geschichte und Tradition macht die IKA/Olympiade der Köche zum Höhepunkt für wettbewerbliche Leistung innerhalb der weltweiten Bruderschaft der Köche.

Der Stolz, gepaart mit Vergnügen, den man verspürt, wenn man diesem 5tägigen Wettstreit teilnimmt, spiegelt sich in höchstem Maße wider in Qualitätsarbeit. In den Einzel- und Mannschaftskonkurrenzen stellen Küchenchefs aus aller Herren Länder nicht nur ihre Ideen und Zutaten zur Schau, sondern in besonderem Maße ihre Kultur und Kunstfertigkeit.

Die „World Association of Cook's Societies" mit ihren 2 Millionen Mitgliedern in rund 60 Staaten ist parallel zur IKA/Olympiade der Köche gewachsen und betrachtet dieses Ereignis als Schaufenster unseres großartigen Berufs. Während der IKA/Olympiade der Köche zeichnen sich Kochtrends ab, Trends, die uns ins nächste Jahrtausend führen. Zahllose Köche werden sich von diesem Werk inspirieren lassen, sie werden ermutigt und mit Begeisterung darangehen, ihr Wissen und ihre Fertigkeiten zu vervollkommnen.

Im Geiste freundschaftlichen Wettstreits um Gold-, Silber- und Bronzemedaillen hat die IKA/Olympiade der Köche es verstanden, den höchsten Stand an Perfektion zu erreichen; und eben diese Vortrefflichkeit wird zweifelsohne die Belohnung sein für ein Streben, das uns Küchenchefs gemein ist: Glückseligkeit, Zufriedenheit und Wohlbefinden unserer Gäste.

Wir wünschen der IKA/Olympiade der Köche weitere hundert Jahre Erfolg in der Stadt Berlin, der idealen Gastgeberin für das wichtigste Ereignis im Terminplan eines Küchenchefs.

Dr. h. c. BILL GALLAGHER
PRESIDENT WORLD ASSOCIATION OF COOK'S SOCIETIES

FOREWORD FOR "ILLUSTRATED CULINARY ART"

Having had first-hand experience as a competitor, then as a judge I, along with thousands of other chefs who have competed and participated in this great event, salute the Verband der Köche Deutschlands for their vision in creating this wonderful tribute to culinary art.

Kochkunst in Bildern is without doubt the finest collection of culinary ideas that have been collated for the posterity of our noble profession, capturing the expertise of the finest chefs in the world for all to share and learn from. A century of history and tradition the places the IKA/Culinary Olympics as the pinnacle for competitive achievement within the fraternity of cooks worldwide.

The pride and pleasure that is felt when attending the five days of competition is reflected in the quality of workmanship at the highest peak. At individual and team level chefs from around the globe exhibit not only their ideas and ingredients but indeed their culture and artistry.

The World Association of Cook's Societies, with some sixty member nations and two million members, has grown in parallel with IKA/Culinary Olympics and considers this event as the shop window of our great profession. For it will be at IKA/Culinary Olympics that the cooking trends for the future will be set in motion, trends that will take us into the next millennium. Within the pages of this book will lie the inspiration to countless numbers of cooks who will read and be encouraged and enthused to foster their knowledge and skills.

It is in the spirit of friendly rivalry for gold, silver and bronze medals that IKA/Culinary Olympics has set the high-est standards of excellence. Excellence that will no doubt be the reward in our quest to provide that which we as chefs strive for – the happiness, satisfaction, and well-being of our guests.

May we wish another hundred years of IKA/Culinary Olympics success to the city of Berlin, the ideal host for the world's premier event in the chefs calender.

DR h. c. BILL GALLAGHER
PRESIDENT WORLD ASSOCIATION OF COOK'S SOCIETIES

Avant-propos à l'art culinaire en images

Étant donné mon expérience de toute première main, en tant que participant puis en tant que juge, je me permets de féliciter conjointement aux milliers d'autres chefs qui ont pris part ou ont collaboré à ce grand événement, la Fédération des Cuisiniers d'Allemagne pour son initiative, pour sa magnifique contribution à l'art culinaire.

L'art culinaire en images est sans aucun doute la plus belle collection des idées culinaires qui ait été composée par notre profession pour la postérité; elle englobe l'art des meilleurs cuisiniers du monde et le partage avec tous les autres, afin qu'ils puissent apprendre. Un siècle d'histoire et de tradition fait de l'IKA/Olympiades des cuisiniers le point culminant en matière de mise au concours des mérites parmi la fraternité mondiale des cuisiniers.

La fierté et le plaisir que l'on ressent lorsqu'on a participé aux cinq jours du concours, se reflète au plus haut point dans la qualité de l'œuvre. Les chefs du monde entier présentent tant individuellement qu'en équipe non seulement leurs idées et leurs réalisations, mais aussi leur culture et leur art.

La World Association of Cook Societies (l'association mondiale des sociétés de cuisiniers) a grandi parallèlement à IKA, compte 60 nations membres et considère cet événement comme la vitrine de notre grande profession. Car l'IKA/Olympiades des cuisiniers permet de mettre en mouvement les tendances de l'avenir, des tendances qui nous conduiront dans le prochain millénaire. Lorsqu'ils liront ce livre, un grand nombre de cuisiniers trouveront l'inspiration dans les pages qu'il contient et y puiseront l'encouragement nécessaire pour promouvoir leurs réalisations et leurs connaissances.

C'est dans cet esprit de rivalité amicale pour les médailles d'or, d'argent et de bronze que l'IKA/Olympiades des cuisiniers a posé les plus hauts jalons de l'excellence. Une excellence qui sans aucun doute sera la récompense dans notre quête de bonheur, de satisfaction et de bien-être des clients, en d'autres termes l'objectif vers lequel tend tout chef cuisinier.

Nous souhaitons à l'IKA/Olympiades des cuisiniers des centaines d'années de succès à Berlin, qui a accueilli de façon remarquable l'événement le plus important dans l'agenda des chefs.

Dr. h. c. Bill Gallagher
Président de la World Association of Cook's Societies

Vorwort

Mit „Lust, Liebe und Leidenschaft: Kochkunst". Nach diesem Motto feierte die IKA/Olympiade der Köche ihren erfolgreichen Umzug nach Berlin. Die Stimmung in den Berliner Messehallen hätte nicht besser sein können. Das 19. kulinarische Großereignis dieser Art mitzuerleben, war ein sinnliches Vergnügen. Rund 1100 Köchinnen und Köche aus 35 Nationen zeigten in den Restaurants und/oder auf den Plattenschauen fünf Tage ihr Können.

Die ungebrochene Resonanz unseres Berufsstandes, an der IKA/Olympiade der Köche teilzunehmen, ist für den Organisator und Träger, den Verband der Köche Deutschlands e. V., das sichtbare Zeichen, daß die Kochkunst lebt. Strapazen auf sich zu nehmen, wie monatelanges Üben, geringe Freizeit und wenig Familienleben, um am „olympischen Feuer" zu stehen, eine Medaille und vielleicht einen Titel zu erringen, dafür bedarf es viel Enthusiasmus für den Beruf.

Die Vielfalt der Exponate, die Kreativität der Aussteller und der einmalige Überblick über Trends und Formen der Küchen aus den fünf Kontinenten sind der Lohn für eine Teilnahme und den Besucher der IKA/Olympiade der Köche.

Die Leidenschaft für die Kochkunst, die während der Wettbewerbe entfacht wird, soll über die Zeit und über Berlin hinaus bestehen bleiben.

Wie auch schon die letzten vier Kochkunstausstellungen möchte der VKD dem Wunsch nach einem weiteren Nachschlageband nachkommen.

„Kochkunst in Bildern, Band 5" zeigt die neuesten Standards in der internationalen Küchenwelt, ebenso wie für die Gemeinschafts- und Truppenverpflegung sowie für eine schmackhafte alternative Ernährung. Die Anrichteweise, der Geschmack und die Bestandteile von Speisen ändern sich ebenso schnell wie die Mode. Hinzu kommt, daß die Köchin oder der Koch sensibel genug sein sollte, seine Kreationen und Ideen unter den Aspekten enger finanzieller Budgets und des steigenden ökologischen Bewußtseins in der Öffentlichkeit Rechnung zu tragen.

Wer die Erstellung eines reinen Kunstwerkes in der Disziplin Plattenschau anstrebt, läuft dem Trend weit hinterher.

Durch die umfassende Dokumentation der letzten Kochkunstausstellungen zeigt sich dem aufmerksamen Betrachter der vorliegenden Bände realitätsnaher Genuß. Die Fotografien spiegeln die besten und richtungweisenden Rezepte der IKA/Olympiade der Köche 1996 wider.

Die Küchenmeister Norbert Gillmayr, Kurt Matheis und Hansjoachim Mackes haben zusammen mit dem Fotografen Georg Gottbrath beispielhafte und herausragende Objekte ausgewählt.

Dieses Buch zeichnet sich durch den Sachverstand der drei Küchenprofis aus, und die Fotografien sind zudem ein Leckerbissen besonderer Art.

Wir, der Verband der Köche Deutschlands e. V., freuen uns, in vier Jahren viele Kolleginnen und Kollegen in Berlin wieder willkommen zu heißen.

Das vorliegende Buch macht Lust auf Kochkunst und trägt unserem Berufsstand und dem Stellenwert der IKA/Olympiade der Köche 1996 Rechnung.

Einen herzlichen Dank für diesen kulinarischen Beitrag allen Beteiligten des fünften Bandes „Kochkunst in Bildern".

Dr. h. c. Siegfried Schaber
Präsident des Verbandes der Köche Deutschlands e.V.
Beatrix Jansen
Geschäftsführerin des Verbandes der Köche Deutschlands e.V.

Foreword

"Enthusiasm, love and passion: culinary art." Accompanied by this motto, the IKA/Culinary Olympics celebrated their successful move to Berlin. And the atmosphere at Berlin's exhibition centre could not have been better. This 19th major culinary event was a sensual delight for everyone involved. For five whole days, some 1100 chefs and cooks from 35 nations demonstrated their skills in the restaurants or as part of the exhibitions.

The continuing eagerness of our profession to take part in the IKA/Culinary Olympics is a clear indication for the German Chef's Association, organiser and sponsor of the event, that culinary art is very much alive. The strain of practising for months on end, the lack of free time and a severely curtailed family life, all willingly undertaken for the sake of standing by the "Olympic flame", the hope of winning a medal and perhaps even a title, all of this is indisputable proof of the competitor's enthusiasm for his profession.

But the rewards for competing in or visiting the IKA/Culinary Olympics are immense: the great variety of exhibits, the creativity of the entrants and the unique survey the event provides of trends and forms of cooking from all five continents.

And the passion for cooking that is aroused during the competitions will hopefully stay alive long after the event and far beyond the bounds of Berlin.

As in the last four culinary exhibitions, the German Chef's Association would like to satisfy the demand for a further reference work on the event.

"Illustrated Cuisine, Volume 5" shows the latest standards in the world of international cuisine in a variety of sectors, ranging from communal catering to the armed forces right through to tasty, alternative forms of nutrition. In the culinary world, serving styles, tastes and ingredients are just as short-lived as in the world of fashion. When devising his culinary creations and ideas, the chef or cook must also be sensitive enough to take into account tight financial budgets and increasing public awareness of ecological issues.

Anyone striving to create a pure work of art in the exhibition platter category is lagging far behind current trends.

A careful scrutiny of the comprehensive documentation of the past culinary exhibitions presented in the previous volumes will reveal that these culinary delights are by no means far removed from reality. The photographs reflect the best and most trendsetting recipes of the 1996 IKA/Culinary Olympics.

Master chefs Norbert Gillmayr, Kurt Matheis and Hansjoachim Mackes have joined forces with photographer Georg Gottbrath to select exemplary and outstanding exhibits.

The expertise of these three professionals is evident throughout the book, while the photographs are a very special culinary treat.

We, the German Chef's Association, look forward to welcoming many of our colleagues to Berlin once again in another four years.

This book is sure to whet your appetite for culinary art and does justice to our profession and the importance of the 1996 IKA/Culinary Olympics.

Our heartfelt thanks for this culinary contribution go to everyone involved in this fifth volume of "Illustrated Cuisine".

Dr. h. c. Siegfried Schaber
President of the German Chef's Association
Beatrix Jansen
Managing Director of the German Chef's Association

Avant-propos

«L'art culinaire avec joie, amour, et passion», c'est sur ce slogan que l'IKA/Olympiades des cuisiniers a fêté le succès de leur transfert à Berlin. L'ambiance dans les halls du Salon de Berlin n'aurait pu être meilleure. Vivre la 19ᵉ grande manifestation culinaire de cette nature a été un véritable plaisir. Mille cent cuisinières et cuisiniers environ provenant de 35 nations sont venus nous faire pendant 5 jours la démonstration de leurs talents dans les restaurants et lors de présentations de plats.

Notre participation à l'IKA/Olympiades des cuisiniers, qui a connu un tel retentissement dans notre profession, est bien le signe tangible pour les organisateurs et les responsables, pour le VKD (Fédération des Cuisiniers d'Allemagne), que l'art culinaire vit. Car il faut être animé d'un enthousiasme débordant envers son métier pour s'astreindre à des efforts qui ont exigé des mois de travail et d'exercice, qui ont pris sur le temps des loisirs et la vie de famille afin «d'être au feu des olympiades», de remporter une médaille, voire un titre.

Mais pour les participants et les visiteurs de cette IKA/Olympiades des cuisiniers, la récompense était au rendez-vous: richesse et variété des pièces exposées, créativité des exposants, aperçu des tendances et des aspects des différentes cuisines des 5 continents.

La passion pour l'art culinaire, qui est démultipliée pendant les concours, doit se maintenir de plus, elle doit survivre à Berlin.

Comme elle l'a déjà fait auparavant pour les quatre derniers salons de l'art culinaire, le VKD aimerait fixer cet événement dans un volume supplémentaire.

«L'Art culinaire en images, Volume 5» montre les standards les plus récents dans le monde international de la cuisine qu'il s'agisse de restauration collective, de restauration destinée aux troupes ou bien de toute autre alimentation savoureuse. La préparation des plats, leur goût et les ingrédients qui les composent changent aussi vite que la mode. Il ne faut pas manquer de souligner par ailleurs que le cuisinier doit également faire entrer ses créations et ses idées dans le cadre étroit d'un budget et tenir compte de l'aspect écologique qui est de plus en plus marqué.

Celui qui désire faire œuvre d'art en matière de présentation de plat se retrouve loin derrière la tendance dominante.

La documentation étendue qui nous a été fournie par les derniers salons sur l'art culinaire a fait naître un plaisir quasi réel chez le lecteur attentif qui s'est penché sur les volumes déjà existants. Les photographies reflètent les meilleures recettes prometteuses de l'IKA/Olympiades des cuisiniers 1996.

La sélection opérée par les maîtres-queux que sont Norbert Gillmayr, Kurt Matheis et Hansjoachim Mackes ainsi que par le photographe Georg Gottbrath nous a permis de vous présenter des sujets remarquables et exemplaires.

Ce livre se distingue par la compétence des personnes qui ont contribué à son élaboration, à savoir trois professionnels de l'art culinaire et la qualité des photographies qui en font véritablement une friandise particulière.

Nous, le VKD, nous réjouissons de pouvoir souhaiter la bienvenue à de nombreux collègues dans 4 ans à Berlin.

Le présent livre donne du goût à l'art culinaire; il fait honneur à notre profession tout en reconnaissant la place de l'IKA/Olympiades des cuisiniers 1996.

Nous adressons un remerciement cordial à toutes les personnes qui ont participé à l'élaboration de ce 5ᵉ volume de «L'art culinaire en images».

Dr. h. c. Siegfried Schaber
Président de la Fédération des Cuisiniers d'Allemagne
Beatrix Jansen
Directrice de la Fédération des Cuisiniers d'Allemagne

Mitgliedsverbände des Weltbundes der Kochverbände

Argentina/Argentine/Argentinien
Professional Center and Brotherhood of Kitchen Workers Association #5968
President Eduardo Aguayo
Rivadavia 1255 – 4th Fl., Room 423
ARG-1033 Buenos Aires

Australia/Australie/Australien
Australian Culinary Federation
President N. N.
Level 1, 121 Alexander St., Crow Nest NSW
AUS-Sydney 2065

Austria/Autriche/Österreich
Verband der Köche Österreichs
President Karl Ruppert
Philippovichgasse 1–3/Stg. XI
A-1190 Wien

Azerbaijan/Azerbaïdjan/Aserbaidschan
The Azerbaijan National Culinary Association
President Takhir Idris oglu Amiraslanov
370031 Tramvainaya St.
Azerbaijan Republic-23/41 Baku

Belgium/Belgique/Belgien
Association et Groupement Professionell des cuisiniers de Belgique/Vatel Club
President Julien Veerersch
107 Brusselstraat
B-1702 Groot-Bijgaarden

Botswana/Botswana/Botsuana
Botswana Chefs and Caterers Circle
Chairman Alan Watson
President Hotel
P.O. Box 200
Gaborone, Botswana

Canada/Canada/Kanada
Canadian Federation of Chefs & Cooks
President Julius Pokomandy
738 A Bank Street, Suite 202
Ottawa, Ontario
K1S 3V4 Canada

Chile/Chili/Chile
Asociacion Chilena de Gastronomia
President Juan Pablo Moscoso
La Concepcion No 65, Oficina 901
Providencia Santiago

People's Republic of China/ République Populaire de Chine/ Volksrepublik China
China Cuisine Association
President Zhang Shiyao
Building of Ministery of Commerce
No 45 Fuxingmennei St., P.R.C. Xidan
PRC-100801 Beijing

Colombia/Colombie/Kolumbien
Asociación de Cocineros de Colombia
President Ricardo Blanco M.
Cra. 10 # 17 – 67/95
Oficina 311/Santafé de Bogota
Colombia-South America

Cuba/Cuba/Kuba
Asociación Culinaria de la Républica de Cuba
President José Luis Santana Guedes
Obispo, 302 Esq. Aquidar
Cuba-Habana, Vieja

Cyprus/Chypre/Zypern
Cyprus Chef's Association
President Panicos Hadjisymeou
P.O. Box
Cyprus-7699 Nicosia

Czech Republic/République Tchèque/ Tschechische Republik
Association of Chefs and Confectionners of Czech Republic/AKC – CR
President Julius Dubovsky
Václavské nám. 17/pasáz Práce, III. schodiste 3. patro
CR-Praha 1, 11000

Denmark/Danemark/Dänemark
Kokkencheffernes Forening
c/o Horefa
President Jann Christensen
Vodroffsvey 46
DK-1900 Frederiksberg

Egypt/Égypte/Ägypten
Egypt Chef's Association
President Markus J. Iten
Cairo International Airport/P.O. Box 2741
Egypt-El-Horria Heliopolis

United Arab Emirates/Émirats Arabes Unis/ Vereinigte Arabische Emirate
The Emirates Culinary Guild
President Michael Lee
P.O. Box 11803
UAE-Dubai

Finland/Finlande/Finnland
Finnish Association of Executive Chefs
President Eero Makela
Uudenmaankatu 34 A8
SF-00120 Helsinki

France/France/Frankreich
Sociéte Mutualiste des Cuisiniers de France
President Raoul Gaia
45, rue Saint Roch
F-75005 Paris

Germany/Allemagne/Deutschland
Verband der Köche Deutschland
President Siegfried Schaber
Steinlestraße 32
D-60596 Frankfurt am Main

Great Britain/Grande-Bretagne/Großbritannien
Chef's and Cook's Circle
President Brian Cotterill
P.O. Box 239
GB-London N14 7NT

Greece/Grèce/Griechenland
Chef's Club of Greece
President Nikolas Sarantos
89-93 Sygrou Ave.
GR-11754 Athens

Hong Kong/Hong-kong/Hongkong
Hong Kong Chefs Association
President Fritz Gross
P.O. Box 91614
Tsimshatsui Post Office
Kowloon
Hong Kong

Hungary/Hongrie/Ungarn
The Hungarian Cook's Society
President Karoly Unger
Rakoczi ut 58
H-1074 Budapest

Iceland/Islande/Island
Icelandic Chef's Association
President Jakob H. Magnusson
Ha Fnarstraeti 15
IS-101 Reykjavik

Indonesia/Indonésie/Indonesien
Association of Culinary Professionals Indonesia
President Rolf Jaeggi
Jkt. Hilton Int. Hotel
P.O. Box 3315
INN-Jakarta 10002

Ireland/Irlande/Irland
Panel of Chefs of Ireland
President Gerry Talbot
Regional Technical College
Galway
Ireland

Israel/Israël/Israel
Cercle des Chefs de Cuisine d'Israël I.C.C.
President Roberg Ilan
P.O. Box 50152
Tel Aviv 61500
Israel

Italy/Italie/Italien
Federazione Italiana Cuochi
President N. N.
Via Pergolesi n. 29
I-20124 Milano

Japan/Japan/Japan
All Japan Cook's Association
Chairman Shiro Deguchi
3-6-22 Shibahoen, Minato-Ku
JPN-Tokyo

D.P.R. Korea/République de la Corée/ Demokratische Volksrepublik Korea
Cook's Association Democratic People's Republic of Korea
President Ri Chang Ho
Rakwon Street 200-510
D.P.R. Korea-Bottongyang District

South Korea/Corée du Sud/Südkorea
Korean Center Cook's Association
President Choi, Young-Ki
7-7 Songpa-Dong, Songpa-Gu
South Korea-Seoul 138-170

Luxembourg/Luxembourg/Luxemburg
Vatel Club
President Germain Gretsch
47, route de Mondorf
L-5552 Remich

Malaysia/Malaysia/Malaysia
Chef's Association of Malaysia
c/o Holiday Inn on the Park
President Terence Lim
P.O. Box 10983, Jalan Pinang
MAL-50731 Kuala Lumpur

Malta/Malte/Malta
The Malta Cookery & Food Association
Chairman Michael Cauchi MCFA
c/o Institute of Tourism Studies
St. Georges Bay
St. Julians STJ 02
Malta

Mauritius/Maurice/Mauritius
Les Cuisiniers Mauriciens
Hotel & Tourism Training Centre
President Barry Andrews
Les Casernes
Curepipe
République de Mauritius

Mexico/Mexique/Mexiko
Vatel Club de Mexico A.C.
President Olivier Lombard
Nueva York 130 - Apto. 303
MEX-03810 Mexico D.F.

Monaco/Monaco/Monaco
Le Grand Cordon d'Or de la Cuisine
President Marcel Athimond
Villa Serena 8bis, Avenue de la Costa
MC-98000 Monte Carlo

Namibia/Namibie/Namibia
Namibian Chef's Association
Chairman Steve Isted
P.O. Box 87
Namibia-Swakopmund

Netherlands/Pays-Bas/Niederlande
Netherland Club voor Chefskoks
President Johann Geervliet
Goorstraat 18
5666 EC Geldrop

New Zealand/Nouvelle-Zélande/Neuseeland
New Zealand Master Chef's Associaton Inc.
President Murray Dick
P.O. Box 47-244
NZ-Ponsonby, Auckland

Norway/Norvège/Norwegen
Norges Kokkemesteres Landsforening
Administration Office
President Svein Magnus Gjoenvik
P.O. Box 2536, Ullandhaug
N-4004 Stavanger

Philippines/Philippines/Philippinen
Les Toques Blanches
President Othmar Frei
P.O. Box 3211, Makati C.P.O. 1272
7431 Yakal Street, San Antonio Village,
Makati, Metro Manila
Philippines

Poland/Pologne/Polen
Stowarzyszenie Kucharzy I Cukierrikow
President Leszek Hampel
CPC Amino Sp. z.o.o.
ul. Baltycka 43,
60-960 Poznan/Poland

Portugal/Portugal/Portugal
Associaçao dos cozinheiros e pasteleiros de Portugal
President Fausto L. Airoldi
Apartado 2407
P-1111 Lisboa

Romania/Roumanie/Rumänien
Association of Culinarians of Romania
Secretary General Dumitru Burtea
Str. Blănari nr. 21
R-Bucharest III

Russia/Russie/Rußland
Russian Interregional Culinary Association
President Natalya Nomofilova
Berezhkouskaya NAB6
Russia-121864 Moscow

Saudi Arabia/Arabie Saoudite/Saudi-Arabien
Les Toques Blanches
President Julien L. Tornambe
Pattis France, P.O. Box 172
SAU-Dammam 31411

Singapore/Singapour/Singapur
Singapore Chef's Association
President Otto Weibel
P.O. Box 926, Raffles City
Singapore 9117

Slovenia/Slovénie/Slowenien
Slovenai Chef's Association
President Janez Lencek
Zdruzenje za turizem in gostinstvo
Slovenia-61000 Ljubljana, Slovenska 54

Spain/Espagne/Spanien
Federación de Asociaciónes de Cocineros y
Reposteros de España
President Norberto Buenache Moratilla
c/Mayor, 46–48
E-28013 Madrid

South Africa/Afrique du Sud/Südafrika
South African Chef's Association
Chairman Bill Gallagher
P.O. Box 2681
SA-Parklands 2121

Sri Lanka/Sri Lanka/Sri Lanka
Chef's Guild of Sri Lanca
c/o Ceylon Hotel School
President Gerard Mendis
Takahashi Building, 34 Narahenpita Rd.
SRI-Nawala

Sweden/Suède/Schweiz
Sveriges Kökschefers Förening
President Sven-Ake Larsson
P.O. Box 7720
S-10395 Stockholm

Switzerland/Suisse/Schweiz
Société suisse des cuisiniers
President Vincent Bossotto
P.O. Box 4870
CH-6002 Luzern

Thailand/Thaïlande/Thailand
Thailand Chef's Association
President Marco Brueschweiler
Muban Nobel Park #119
Sukhabiban 6/Bangplee
Thailand-10540 Samut Prakarn

U.S.A./États-Unis/USA
American Culinary Federation
President Raimund Pitz
P.O. Box 3466
U.S.A.-St. Augustine, Florida 32085-3466

Zimbabwe/Zimbabwe/Simbabwe
Zimbabwe Chef's Association
President Glen Stuchbury
P.O. Box HG 543, Highlands
Zimbabwe-Harare

Aufgaben der internationalen Juroren

Jurieren ist ein Ehrenamt und verpflichtet zu fachlicher Beurteilung nach bestem Wissen und Gewissen. Dabei muß der Juror immer objektiv und neutral bleiben.

Die wieder neu überarbeiteten Richtlinien wurden in einem Pflichtseminar näher erläutert, damit eine entsprechende Anwendung gewährleistet ist. Dazu einige Beispiele:

Wie muß der Juror prüfen?

Der Juror muß sich bei der Beurteilung des Objekts in die Vorstellung des Verfertigers hineindenken. Was will er mit seiner Arbeit zeigen? Anderen Kulturkreisen gerecht werden. Dafür muß man sich die notwendige Zeit nehmen und die entsprechende Konzentration.

Sind es realistische Arbeiten, praxisgerecht und nachvollziehbar, moderne Kochkunst, oder ist es reine Show ohne kulinarischen Sinn, nur um der Jury möglichst viele Punkte zu entlocken? Auswüchsen muß der Juror mit der entsprechenden Punktwertung entgegentreten.

Was muß der Juror prüfen?

Sind die Anforderungen erfüllt, Anzahl und Menge komplett? Hat jeder Wettbewerbsteilnehmer dieselben Arbeitsbedingungen? Es wurden erstmals in der Kalten-Platten-Schau Degustationen mit Erfolg durchgeführt.

Wie werden Punkte vergeben?

Wie kommt man bei der Bewertung auf eine möglichst gerechte Punktzahl. Es wird zunächst von 40 vollen Punkten ausgegangen. Große Fehler oder kleine Fehler werden dann entsprechend Punkt um Punkt abgezogen. Was bleibt, ergibt letztendlich die Wertung. Die Wertung muß in der Jury-Gruppe offengelegt werden, und der Juror muß seine Wertung begründen können.

Wenn die Jury ihre Arbeit beendet hat, sollte sie sich auf Wunsch von interessierten Verfertigern zur Verfügung stellen, um mit ihnen über ihre Arbeiten ein Fachgespräch zu führen.

Hierbei soll das Positive oder Negative der gezeigten Objekte angesprochen werden, um somit dem Verfertiger die Möglichkeit zu geben, seine Kenntnisse zu erweitern.

Die Jury hat durch ihre hervorragende fachliche und faire Arbeit einen wesentlichen Anteil am großartigen Verlauf dieser ersten I. K. A. – Olympiade der Köche 1996 – in Berlin beigetragen.

Gerhard Bauer
Präsident der internationalen Jury

Duties of the International Jurors

The work of a juror is an honorary office and obliges the juror to exercise competent judgement to the best of his knowledge and belief. In doing so, the juror must always remain objective and unbiased.

The revised regulations were explained in detail in the course of a compulsory seminar, to ensure that they were applied correctly. The following are just some examples:

How does the juror have to judge the entries?

When judging an exhibit, the juror has to attempt to see it from the point of view of its creator. What is he trying to demonstrate? Does it pay due account to other cultures? To view each entry in this way takes time and calls for concentration.

Are the works realistic, practical and suitable for copying? Is it a modern creation, is it purely a show-piece without any culinary sense, but intended merely to coax as many marks as possible from the jury? The juror has to respond to such excesses by marking the exhibit accordingly.

What does the juror have to judge?

Are the requirements satisfied, in the complete quantities and numbers? Does each entrant have the same working conditions? This year, tasting was successfully carried out in the cold platter exhibition for the first time.

How are the marks awarded:

How can a juror award marks as fairly as possible? Marking begins on the basis of a full score of 40. Marks are then deducted according to major mistakes or minor faults. The remaining sum is then the final mark. This is disclosed to the group of jurors, and the juror concerned must be able to give reasons for the mark he has awarded.

After the jury has completed its work, it should be willing to talk to any interested entrant who wishes to discuss his work.

In that respect, they should point out both the positive and negative aspects of the works, so that the entrant has the chance to enlarge his knowledge and skills.

Thanks to its excellent professional and fair work, the jury made a major contribution to the splendid success of this first IKA/Culinary Olympics in Berlin.

Gerhard Bauer
President of the International Jury

Mission impartie au jury international

Être membre du jury est une fonction honorifique qui oblige à donner en son fâme et conscience une appréciation sur le plan professionnel. A cette occasion le membre du jury doit toujours rester objectif et neutre.

Les directives, qui font l'objet de remaniements constants, sont explicitées plus en détail lors d'un séminaire obligatoire, afin de garantir leur bonne application. Citons à cet égard quelques exemples:

Comment doit juger le membre du jury?

Le membre du jury doit se mettre dans la peau du préparateur lorsqu'il juge un plat et se demander ce qu'le préparateur il a voulu montrer avec son travail ? A-t-il voulu par exemple se conformer à d'autres civilisations?

Il lui faut dans ce cas prendre le temps nécessaire et la concentration voulue.

Il lui faut aussi se demander si ces préparations sont réalistes, pratiques, exécutables, s'il s'agit d'un art culinaire moderne, d'une pure démonstration, n'ayant pas de sens véritablement culinaire mais exécutée simplement en vue d'obtenir du jury le plus grand nombre possible de points. Le membre du jury doit s'opposer aux excès en évaluant de façon correspondante les points.

Que doit examiner le membre du jury?

Les exigences, sont-elles remplies? Le nombre et la quantité sont-ils bien au complet? Chacun des concurrents, bénéficie-t-il des mêmes conditions de travail? On a exécuté pour la première fois avec succès des dégustations de plat froid.

Comment sont attribués les points?

Comment arrive-t-on au nombre de points le plus équitable lorsqu'on procède à l'évaluation? On part tout d'abord d'un nombre de 40 points entiers. Les fautes graves ou les petites fautes sont ensuite défalquées point par point. Le nombre de points restant constitue la note finale. L'appréciation doit être transparente dans le jury et le membre du jury doit pouvoir justifier son appréciation.

Lorsque le jury a terminé son travail, il doit se mettre à la disposition des exécutants, afin de pouvoir s'entretenir avec eux de leurs travaux sur le plan professionnel.

Il est nécessaire à cette occasion d'aborder l'aspect positif et négatif des préparations réalisées, afin de pouvoir ainsi donner à l'exécutant la possibilité d'enrichir ses connaissances.

Grâce à son travail remarquable sur le plan professionnel et à sa grande loyauté, le jury a contribué pour une grande part au bon déroulement de ce première IKA/Olympiades des cuisiniers 1996 à Berlin.

Gerhard Bauer
Président du jury international

Internationale Jury der Nationalmannschaften

Oberjuror des internationalen Preisgerichts: Gerhard Bauer
Oberjuror des nationalen Preisgerichts: Heinrich Koch

Kategorie A / B:

Vorsitz: Matthias Schantin (D)
Fritz Sonnenschmidt (USA)
Aloyse Jacoby (L)
Josef Stalder (CH)
Wilfried Sock (A)
Rick Stephen (AUS)
Hubert Scheck CDN)

Kategorie R:

Vorsitz: Gerhard Dammert (D)
Ferdinand Metz (USA)
Otto Weibel (SGP)
Heinz Brunner (ZA)
Fred Zimmermann (CDN)
Georges Knecht (CH)
Mitsuru Hayano (J)

Kategorie C:

Vorsitz: Kurt Schindler (D)
Joseph Caviezel (SGP)
Regina Wanzenried (CH)
Camille Schumacher (L)
Gilles Renusson USA

Internationale Jury der Regionalteams

Kategorie A:

Vorsitz: Bernhard Wegner (D)
Helmut Stadlbauer (A)
Erhard Gall (CH)
Stefan Herzog (HK)
Georgio Nardelli (I)

Kategorie B:

Vorsitz: Manfred Staendeke (D)
Ilan Roberg (IL)
Peter Knipp (SGP)
Kurt Weid (S)
Karl Ruppert (A)

Kategorie C:

Vorsitz: Hans Hertel (D)
Ewald Notter (USA)
Gerard Dubois (HK)

Internationale Jury der Einzelaussteller

Kategorie A + B:

Dieter Janetzek (D)
Wolfgang Walter (D)
Wolfgang Markloff (D)

Kategorie A:

Norbert Girnth (D)
Josef Hottenträger (D)
Klaus Böhler (D)

Kategorie A + B:

Horst Kucharicky (D)
Jochen Gehler (D)
Peter Trachsel (CH)

Kategorie C:

Walter Sauerbrei (D)
Karl Schuhmacher (A)
Werner Paulik (D)

Internationale Jury der Jugendnationalmannschaft

Juryvorsitz:

Reinhold Metz (D)

Jury A:

Jan Gundlach (RP)
Jakob Magnusson (IS)
Gerhard Tüttelmann (D)

Jury B:
Winfried Brugger (HK)
Armin Fuchs (CH)
Werner Schunter (D)

Trainée:

Moshe Katz (IL)

Jury des Jugendregionalteams

Thea Nothnagel (D)
Wilfried Braun (D)
Gerhard Körner (D)

Jury der Gemeinschaftsverpflegung

Dieter Radtke (D)
Jürgen Koepke (D)
Hartmut Woesner (D)

Jury der Diät/Alternativkost

K. W. Meyer (D)
Ludwig Gäng (D)

Richtlinien für Aussteller/Teilnehmer und Jury

- Die Objekte dürfen von der Jury angeschnitten werden.
- Die richtige Benennung der Ausstellungsstücke wird zur Pflicht gemacht.
- Die Platte muß dem Gericht und der Personenzahl angemessen sein.
- Eine festliche Platte sollte mindestens aus drei Hauptstücken sowie aus drei dazu passenden Garnituren bestehen.
- Platten nicht überladen, Beilagen können separat angerichtet werden.
- Warm gedachte Gerichte nicht auf Büfettplatten anrichten.
- Bei warm gedachten Gerichten Teller und Platten nicht mit Gelee ausgießen.
- Alles Nichteßbare vermeiden, Sockel und ähnliches (Croûtons sind keine Sockel).
- Papierunterlagen nur für die im Fettbad gebackenen Speisen, keine Papiermanschetten verwenden.
- Das Belegen der Teller- und Plattenränder wirkt unhygienisch.
- Richtige Grundzubereitung, der heutigen modernen Kochkunst entsprechend.
- Die Speisen sollen einen natürlichen, appetitlichen Anblick bieten.
- Beilagen und Zutaten müssen mit dem Hauptstück in Menge, Geschmack und Farbe harmonieren und sollen den Erkenntnissen der modernen Ernährungslehre entsprechen.
- Zweckmäßige, kulinarisch einwandfreie, bekömmliche Zubereitung.
- Die Portionen sollen ca. der Hälfte eines À-la-carte-Gerichtes entsprechen.
- Bei Verwendung von Schlagrahm, Cremes usw. ist künstliche Bindung erlaubt.
- Nicht exakt geschnittenes oder tourniertes Gemüse zieht Fehlpunkte nach sich.
- Fleisch- und Gemüsesäfte dürfen die Platte nicht unansehnlich machen.
- Bei Fleisch – falls Früchte verwendet werden – nur mit kleinen Früchten, dünnen Fruchtscheiben usw. garnieren.
- Sauberer richtiger Schnitt des Fleisches, Fleisch auf englische Art ist à point zu braten, das heißt rosa, damit beim Gelieren kein roter Fleischsaft ausgezogen werden kann.
- Fleischtranchen sind nicht, wie sie beim Schnitt fallen, sondern mit der Schnittseite zum Betrachter anzuordnen.
- Warme Gerichte, kalt ausgestellt, sollten zwecks Frischhaltung mit Gelee überglänzt werden.
- Gelee darf mehr als üblich Gelatine zugesetzt werden.
- Für Fisch wasserklares Fischgelee, für Schlachtfleisch, Wild und Geflügel Fleischgelee verwenden.
- Der besseren Haltbarkeit wegen sollen die Beilagen/Garnituren nicht ganz weich gekocht, dafür aber mit Gelee überglänzt werden.
- Geleetränen an Fleisch und Beilagen sind zu entfernen.
- Eier nur auf Glas, Porzellan oder Geleespiegel anrichten.
- Sauberes Anrichten, vorbildliche Anordnung, um ein zweckmäßiges Servieren zu ermöglichen.
- Die Jury wird den Gewohnheiten und Gepflogenheiten der Köche der beteiligten Länder Rechnung tragen.

Neue Richtlinien zur Bewertung von Kategorie C

Thema

Erste Voraussetzung für eine optimale Bewertung ist, daß die anfallenden Arbeitsproben komplett auf das Thema abgestimmt sind. Nur so ist es möglich, die Höchstpunktzahl zu erreichen.

Schaustücke

Das Schaustück „Festliche Süßspeise" (themenbezogen) sollte in angemessener Größe zum Dessert sein und möglichst mit auf der Platte angerichtet werden. Für die Erstellung der Schaustücke sollten nur natürliche Rohstoffe verwendet werden, z. B. Zucker, Karamel, Kuvertüre, Krokant, Marzipan usw.

Wenige Ausnahmen können mit Hilfsmitteln versehen werden, z. B. Draht für den Henkel beim Zuckerkorb oder bei Blütengestecken Gelatinezucker, grundsätzlich sollten sie aber soweit wie möglich vermieden werden. Auf keinen Fall darf Styropor ausgeschnitten und dann mit Kuvertüre angespritzt werden, auch nicht für Aufbauten. Hier erfolgen große Punktabzüge.

Schaustücke für Teegebäck, Pralinen, Petits fours, Käsefours, Friandises und Snacks unterliegen den gleichen Bedingungen wie Süßspeisenplatten, nur sollten sie in der Wertigkeit mehr zum Produkt stehen, so z. B.:

Pralinen: Schaustücke aus Kuvertüre oder Krokant
Käsefours, Snacks: Schaustücke aus Salzteig, Nudelteig, Brotteig usw.
Petits fours, Friandises: Schaustücke aus Kuvertüre, Karamel, Gelatinezucker
Teegebäck: Krokant, Marzipan

Desserts

1. Cremes
z. B. Bayrische Creme sollte vom Originalrezept nicht abweichen, sondern durch Zugabe von mehr Gelatine und Zucker stabiler und haltbarer gemacht werden. Eventuell das Dessert abglänzen, z. B. mit Weingelee u. a.

2. Mousse
Crememousse (Schokolade) oder Fruchtmousse sollte nicht vom Originalrezept abweichen, sondern durch Zugabe von mehr Schokolade, Zucker, Gelatine, etwas Carrageen, haltbar gemacht werden.

Auf keinen Fall dürfen Rezepte, die nur aus Zucker, Milch, Farbe und Gelatine hergestellt sind, für diese beiden Arten verwendet werden. Ansonsten erfolgen hohe Punktabzüge.

3. Warme Desserts (Soufflés und Puddings)
Für die Imitation von Soufflé und Pudding sollte man für den Fachbesucher ein Optimales an Darstellung erreichen. Das Originalrezept sollte dabei durch Zugabe von mehr Zucker, Nüssen, Mandeln, Biskuitbrösel, Cremepulver stabiler und haltbarer gemacht werden. Auch etwas Carrageen hilft dabei.

Gebackenes

(z. B. Apfelbeignets)
Die Früchte vorbehandeln, z. B. trocknen oder kandieren, den Bier- oder Weinteig durch mehr Zucker und Mehl stabiler und haltbarer machen.

Auf keinen Fall sollten warme Desserts, kalt dargestellt, total vom Original abweichen.

4. Kalte Desserts (Eis, Sorbet, Parfait)
Für die Imitation von Eis sollte man für den Fachbesucher ein Optimales an Darstellung erreichen. Es sollte möglichst Gelatinezucker vermieden werden. Empfohlen wird eine Grundcreme auf Milch-, Zucker-, Eier- und Fettbasis. Für Creme-Eis sollten Eier und Fettcreme verwendet werden. Sorbets sollten ohne Eier, mit Hartfett (Biskin) hergestellt werden.

Rezept: 500 g Milch + 500 g Zucker aufkochen, 1000 g Fett schaumig schlagen.
Die Zugabe von Geschmackstoffen (z. B. Erdbeer) erfolgt auf natürliche Art. Restliche Zutaten sollten vom Original nicht abweichen.

5. Gelees
Terrinen aus Gelee sollten nicht vom Originalrezept abweichen. Durch Zugabe von mehr Gelatine und Zucker können sie haltbarer gemacht werden.

Eingelegte Früchte sollten besser vorher mit Zucker behandelt sein. Auf keinen Fall darf nur Wasser, Zucker, Farbe und Gelatine verwendet werden. Dies zieht hohe Punktabzüge nach sich.

6. *Soßen*

a) Schaumsoßen (Sabayon)
Schaumsoßen sollten auch so aussehen. Durch Zugabe von mehr Zucker und Emulgatoren wie Lezithine und Glyzerin erhalten sie mehr Haltbarkeit, durch Zugabe von Carrageen mehr Stabilität.

b) Fruchtsoßen

In der Fruchtsoße muß mindestens 1/3 des Fruchtmarks enthalten sein. Die Zugabe von Glykose, Glyzerin, Gelatine usw. macht die Soße für längere Zeit ansehnlich. Auf keinen Fall dürfen Soßen ohne Fruchtmark präsentiert werden. Hier erfolgen erhebliche Punktabzüge.

c) Cremesoßen

Diese sollten ebenfalls nicht vom Original abweichen, sondern durch Zugabe von mehr Zucker, Gelatine, Glyzerin, Glykose und Carrageen mehr Haltbarkeit und Stabilität erhalten.

7. Pralinen

Pralinen müssen, um die Höchstpunktzahl zu erreichen, aufdressierte, aufgestrichene und geschnittene Pralinen und nicht nur Formenpralinen sein.

8. Petits fours

Es müssen 5 Sorten mit verschiedenem Geschmack gefüllt sein.

Teegebäck

Das Teegebäck muß aus 5 verschiedenen Teigen hergestellt sein.

Käsefours

5 verschiedene Käsefours beinhalten Mürbeteig, Brühmasse, Blätterteig. Die Füllungen sollten vom Originalrezept nicht abweichen, sondern durch Zugabe von mehr Fett gehärtet werden.

Alle frischen Garnituren sollten vorher mit Aspik abgeglänzt sein.

9. Vier verschiedene Kleintorten zum Thema

Diese Torten müssen zum Thema erkennbar ausgarniert und ein Stück von der Torte muß ausgeschnitten sein. Die Füllung und der Biskuit dürfen nicht vom Originalrezept abweichen. Dies ist nur bei Eistorten erlaubt. Hier sollte die gleiche Anwendung gelten wie bei Eisdesserts. Als Garnierung darf nur eßbare Ware verwendet werden, so z. B. kein Gelatinezucker usw.

Bei Nichtbeachtung dieser Richtlinien erfolgt Punktabzug.

Die für die IKA 1996 gültigen Richtlinien sind in Anlehnung an die WACS-Richtlinien entstanden.

Tips und Ratschläge, welche zu beachten sind:

Der Haltbarkeit wegen sollten die Lebensmittel sorgfältig mit Gelee überzogen werden.

Alle Ausstellungsobjekte sind sowohl auf dem Ausstellungstisch als auch auf dem Anmeldeformular ordnungsgemäß zu kennzeichnen. Bitte überprüfen Sie selbst noch einmal vor Ort, daß jedem Objekt die richtige Beschriftungskarte zugeordnet wurde.

Die Tischdekoration ist zwar nicht Bestandteil der zu beurteilenden Objekte, aber ein geschmackvoll gestalteter und attraktiver Tisch trägt dennoch zu dem guten Eindruck bei, den ein Aussteller machen möchte.

Abschließend ist zu sagen, daß eine pünktliche Bereitstellung aller Ausstellungsobjekte zur vereinbarten Zeit eine absolute Notwendigkeit darstellt.

Wesentliche Punkte, die zu vermeiden sind:

- Die Verwendung von nichteßbaren Materialien.
- Das Überladen der Platten und Teller.
- Die Herstellung von Skulpturen mit Hilfe von Formen.
- Ausstellen eines bereits bewerteten Objektes.
- Zusätzliche Kennzeichnung des Ausstellungsobjektes durch Werbung vor der Bewertung.
- Die Verwendung von Kunststoffornamenten, Blumen etc.
- Die Verwendung von angelaufenem Silbergeschirr.
- Unpassendes Geschirr (nicht servicegerecht).

Erlaubtes Geschirrmaterial, Platten

Kalte Speisen auf:
Silberplatten, Silbertabletts, Spiegel, Edelstahlgeschirr, poliertem Holz, Porzellan, Glasbehälter.

Warme Speisen auf:
Silbergeschirr, Silberplatten, Platten aus Edelstahl, beschichtetem Kupfergeschirr, Steingutgeschirr (backofenfest), Tafelgeschirr aus Porzellan.

Guidelines for Exhibitors/Participants and for the Jury

- the jury is allowed to cut the entries
- the exhibits have to be designated correctly
- the platter has to be appropriate to the dish and the number of persons
- a festive platter should consist of at least 3 main pieces and 3 matching garnishes
- the platters should not be overloaded, side-dishes may be plated separately
- food prepared hot, but displayed cold, should not be placed on buffet platters
- platters and plates of dishes, which are prepared hot but displayed cold, should not be filled with jelly
- all non-edible items, such as socles or any similar things, should be avoided (croûtons, however, are not regarded as such)
- paper should only be used under food that has been deep-fried. Papersleeves should not be used.
- covered plate and platter rims have an unhygienic appearance
- correct basic preparation of food according to today's modern culinary art
- the food should provide a natural and appetising look
- side-dishes and ingredients have to harmonise with the main-piece in respect of quantity, taste, and colour and should conform to the knowledge of modern dietetics
- an effective, culinary perfectly, and digestible preparation
- the portion should fulfil approx. half of an à-la-carte menu
- artificial binders may be used for creams, etc.
- vegetables, which are not exactly cut or formed into shapes lead to a reduction of points
- meat and vegetable juice may not make the platters unappetising
- meat – if fruits will be used – should only be decorated with small fruits, thin fruit-slices, etc.
- clean and correct cutting of meat; meat, which is prepared in the English manner, has to be roasted à la point, that means rosy pink, so that no red meat juice can flow out, while the meat is coated with jelly
- meat slices should not be arranged as they fall after cutting, they should be arranged with their cut side to the spectator
- dishes prepared hot, displayed cold, should be glazed with jelly to keep them fresh
- more gelatine can be used for the jelly than usual
- water-clear fish-jelly should be used for fish; for butcher's meat, game, and poultry meat-jelly should be used
- to keep side-dishes/garnishes longer, they should not be cooked completely soft, but glazed with jelly instead
- jelly-tears on meat and side-dishes have to be removed
- eggs should be arranged only on glass, porcelain, or on a jelly-mirror
- clean and exact arrangement, exemplary plating in order to make a practical service possible
- the jury will take account of the culinary customs and practices of the participating nations

New Guidelines for the Judgement of Category C

THEME

To achieve an optimal score, it is important at first that all entries completely pass the chosen theme, so that it is possible to attain maximal points.

SHOWPIECES

The showpieces "Festive Desserts" (passing to theme) should be in proportion to the size of dessert and placed on the same platter if possible. Only natural raw materials should be used for making a showpiece, e. g. sugar, caramel, chocolate, cracknel, marzipan, etc.

A few exceptions of non-edible materials are permitted, such as wire for the handle of a basket made from pulled sugar or the stems of gum paste or pastillage flowers. Basically, however, non-food materials should be avoided as much as possible. It is not permitted to cut styrofoam (polystyrene) and spray it with couverture, this also applies to base structures. A high number of points will be deducted, if this is found to be the case.

Showpieces for sweet biscuits, chocolates (candies), petits fours, cheese fours, friandises, and snacks allow the same requirements to the product presented, e. g.

Cheese fours, snacks: showpieces made from salt dough, pasta dough, bread dough, etc.
Petits fours, friandises: showpieces made from couverture, caramel, gelatine sugar
Sweet biscuits: cracknel, marzipan
Chocolate (candies): showpieces made from couverture or cracknel

DESSERTS

1. Creams
For example Bavarian Cream should not deviate from the original recipe, but made more stable and longer-lasting by adding gelatine and sugar. If necessary, the dessert can be glazed with wine jelly or other materials, etc.

2. Mousse
Cream mousse (chocolate) or fruit mousse should not deviate from the original recipe, but should be made longer-lasting and more stable by adding chocolate, sugar, gelatine or carrageen (stabiliser).

Under no circumstances recipes, comprising only of sugar, milk, colour and gelatine, will be permitted. A high number of points will be deducted, if this is found to be the case.

3. Warm Desserts
Soufflés and puddings
For the professional observer an optimal representation of a soufflé or a pudding should be achieved. They can be given more stability and made longer-lasting by adding more sugar, nuts, almonds, cake crumbs, or cream powder to the original recipe. Carrageen also helps.

Deep fried goods (e. g. Apple fritters)
Take prepared fruit, e. g. dried or candied, the batter can be stabilized and made to last longer by adding more sugar and flour.

Under no circumstances desserts prepared warm, displayed cold should differ totally from the original presentation and recipe.

4. Frozen desserts (ice-cream, sorbet, parfait)
For the professional observer an optimal representation of ice-cream should be achieved. If possible, avoid using gelatine sugar (gum paste). A basic cream made from milk, sugar, eggs, and vegetable fat is recommended. For example: for ice-cream, eggs, and vegetable fat cream should be used. Sorbets and lightly-coloured parfaits should be made without eggs, but with a hard vegetable fat.

Recipe: bring 500 g milk and 500 g sugar plus 2 whole eggs to the boil, allow to cool and beat together with 1000 g vegetable fat until foamy.

Natural aromas (e.g. strawberry) should be used. The remaining ingredients should not deviate from the original recipe.

5. Jellies
Tureens made from jelly should not deviate from the original recipe. They can be made to last longer by adding more gelatine and sugar. Soaked fruits are better, if treated with sugar first. Under no circumstances should only water, sugar, colour, and gelatine be used. A high number of points will be deducted, if this is found to be the case.

6. Sauces
a) Foaming sauces (sabayon) a foaming sauce should look like a foaming sauce. By adding more sugar and emulsifier such as lecithin and glycerine the sauce will last longer. Stability is also achieved by adding carrageen.

b) fruit sauces
the sauce should be made up of at least 1/3 of fruit puree. The addition of glucose, glycerine, gelatine, etc. helps the sauce retain a good appearance for a longer period. Under no circumstances it is permitted to present a sauce without fruit puree. A high number of points will be deducted, if this is found to be the case.

c) cream sauces
these should also not deviate from the original recipe, but made more stable and longer-lasting by adding more sugar, gelatine, glycerine, glucose or carrageen.

7. Chocolates
Chocolates will achieve the maximum points, if they include piped, spread, and cut centres and are not only modeled chocolates.

8. Petits Fours
must be 5 types filled with different fillings.

Sweet biscuits
sweet biscuits have to be made from 5 different types of pastry dough

Cheese Fours
5 types including short crust pastry, choux paste, puff pastry. The fillings should not deviate from the original recipe, but should be made finer with the addition of vegetable fat. All fresh decorations should be glazed up with aspic ahead of time.

9. Four types of small cakes passing to theme
These cakes have to be recognisable decorated according to the theme chosen and one slice of the cake has to be cut. The filling and sponge may not deviate from the original recipe. This is only allowed, if the cakes are made from ice-cream. In this case, the same recommendations apply as frozen desserts. Only edible materials should be used to decorate, for example no gum paste is allowed, etc.

If these guidelines are disregarded, points will be deducted.

The guidelines, which are valid for the IKA 1996, have been developed in following the WACS-guidelines.

Tips and Pieces of Advise which have to be regarded:

The food should be glazed with jelly in order to keep it well.

All entries have to be marked correctly on the display table as well as on the registration form. Please, make yourself sure when displaying your entries that each entry has the right label.

The decoration on the table is not part of the entries' judgement, but a tastefully decorated and attractive table contributes to the good impression, which the exhibitor would like to make.

Finally it should be mentioned that a punctual preparation of all entries at the appointed time is absolutely necessary.

Essential things, which you should avoid:
- use of inedible materials
- overloading of platters
- molded sculptures
- entering of already judged exhibits
- additional labelling of the exhibits by advertisement prior to the judgement
- use of plastic ornaments, flowers, etc.
- use of tarnished silver-dishes
- unsuitable dishes (not suitable for the service)

Permitted display surfaces, platters

Cold food on:
silver platters, silver trays, mirrors, highgrade steel tableware, glazed wood, porcelain, show-cases.

Warm food on:
silver, silver platters, high-grade steel platters, lined copper dishes, earthenware dishes (ovenproof), porcelain tableware.

Directives pour des exposants/participiants et des jurés

- les objets doivent être entamés par les jurés.
- les œuvres exposées devront porter leur dénomination exacte
- la grandeur du plat doit correspondre aux mets et à la nombre des personnes
- un plat de fête, qu'il faut avoir au moins 3 plats de résistance avec des garnitures appropriés
- évitez de surcharger les plats; les garnitures pourront être dressées àpart
- il ne faudra pas servir les plats chauds, présentés froids, sur des plats de buffet
- pour les plats chauds, présentés froids, il ne faudra pas couler du gelée dans les plats et des assiettes
- évitez les socles et tout ce qui n'est pas mangeable (les croûtons ne sont pas des socles)
- il ne faut utiliser des napperons en papier que pour les mets frits. Ne pas utilisez de manchons en papier
- il faut éviter de recouvrir le bord des assiettes et des plats, cela fait une impression peu hygiénique
- préparation de base correcte, conforme à l'art culinaire moderne.
- les mets doivent offre un aspect naturel et appétissant
- les ingrédients et les garnitures doivent s'harmoniser avec l'élément principal en ici qui concerne la quantité, la saveur et la couleur et avoir une valeur nutritive conforme aux enseignements de la diétetique moderne
- préparation appropriée, irréprochable sur le plan culinaire, preparation digestible
- la quantité des portions doit corresponder à la moitié d'une portion à la carte
- l'utilisation de liants artificiels est autorisée pour la chantilly, les crèmes etc.
- des légumes, qui ne sont pas tranchés ou tournés exactement entraîneront une diminution des points
- les jus de viande et de légumes ne devront pas faire le plat insignifiant
- dans le cas où vous voudriez garnir vos viandes avec des fruits, n'utilisez que des petits fruits ou de fines rondelles de fruits
- les viandes devront être tranchées proprement et avec d'exactitude. La viande rouge devra être cuite à point, c.a.d. dans le milieu, de manière à ce que les jus de viande rouge ne peut être tiré en geléant.
- les tranches de viande ne devront pas être présentées comme elles tombent à la coupe, mais être disposées avec la surface de la coupe face au spectateur
- les mets chauds et exposés froids devront être recouverts d'une couche degelée afin de leur conserver leur fraîcheur
- la gelée peut contenir une quantité de gélatine plus de la normale
- il faudra employer pour le poisson une gelée claire de poisson, pour la viande rouge, le gibier et la volaille une gelée de viande
- afin que les garnitures se conservent mieux, ils doivent être recouverts avec d'une couche de gelée
- enlevez soigneusement les larmes de gelée sur la viande et les garnitures, car elles font mauvaise impression
- ne servir les œufs que sur du verre, de la porcelaine ou des miroirs de gelée
- dressage soigné et précis, arrangement exemplaire pour faciliter le service
- les jurés tiendront compte des pratiques et coutumes des pays participés

Nouveaux critères de judgement de la categorie C

THÈME

La première condition pour obtenir des notes optimales est que les travaux exécutes doivent correspondre complètement au thème choisi. Uniquement suivant ces critères on peut obtenir le maximum points.

PIÈCES D'EXPOSITION

La grandeur de la pièce d'exposition du «Dessert de fête» (suivant le thème) doit correspondre au dessert exposé et devrait se trouver de préférence sur le plateau d'exposition. La préparation des pièces d'exposition se fait uniquement à bas de matières premières naturelles, p. ex. sucre, caramel, couverture, massepain, croquant, etc.

À l'exception de quelques sujets, qui peuvent être muni d'un soutien, p. ex. un fil de fer pour l'anse du panier en sucre tire ou bine du pastillage pour les arrangements de fleurs. En principe on cherche à éviter si possible ces aides. Dans aucun cas il est autorisé d'utiliser de la polystyrène découpée et peinte au chocolat, même pas pour les montages. De grandes partes de points en seront la suite.

Les pièces d'exposition pour petits-fours, pralinés, petits-fours glacés, petits-fours salés, friandises et snacks sont juges suivant les mêmes critères que le dessert de fête, ils devraient plutôt correspondre au produit exposé comme p. ex.:

pralinés: pièces d'exposition en chocolat ou en croquant
petits-fours fromage/snacks: pièces d'exposition en pâte salée, pâte à nouilles, pâte à pain, etc.
petits-fours, friandises: pièces d'exposition en couverture, caramel, sucre
biscuits: pièces d'exposition en croquant, massepain

DESSERTS

1. Crèmes
Les crèmes, comme p. ex. la crème bavaroise, ne doivent pas différer de la recette originale, mais peuvent être stabilisées et conservées par un supplément de gélatine et de sucre. Si nécessaire napper ou glacer le dessert à la gelée claire (p. ex. gelée au vin).

2. Mousse
Toutes les mousses – mousses au chocolat comme mousse aux fruits – doivent être préparées suivant la recette originale, pour la conservation et la stabilisation on utilise plutôt d'un supplément de sucre, de chocolat, de gélatine, ou autres produits liants comme la carraghen.

Dans aucun cas il est autorisé d'utiliser des recettes contenant que du lait, du sucre, de la couleur et de la gélatine pour ces deux sortes de crèmes. Sinon une grave déduction dans la cotation en sera la suite.

3. Dessert chauds
Soufflés et Puddings
Pour la bonne présentation d'un soufflé ou pudding on doit employer l'imitation la plus naturelle possible. La recette de base peut être stabilisée et conservée par adjonction de sucre, noisettes, amandes, déchets biscuits et de poudre à crème. De même la carraghen peut rendre de grands services.

Produits cuits
(p. ex. beignets aux pommes)
Les fruits sont prêtresses, p. ex. sèches ou candis. La pâte à beignets à la bière ou au vin est à stabiliser par un supplément de sucre et de farine.

Dans aucun cas les desserts chauds, présentés à froid, doivent varier complètement de l'original.

4. Dessert froids (glace, sorbet, parfait glace)
Pour la parfaite présentation de glaces on doit utiliser l'imitation la plus naturelle possible. Si possible pas de reproductions en pastillage. On conseille une crème à bas de lait, sucre, œufs et matières grasses, p. ex. pour la crème glacée on se sert d'une crème à base d'œufs et de matières grasses. Pour les sorbets et parfaits clairs on utilise plutôt des préparations sans œufs à base de végétarien.

Recette: 500 g de lait + 500 g de sucre + 2 œufs entiers. Faire cuire et laisser refroidir, ensuite monter l'appareil avec 1000 g de matières grasses.

L'addition des arômes (p. ex. fraises) se fait de façon naturelle. D'autres ingrédients doivent être conforme à la façon à la recette.

5. Gelées
Les terrines en gelée ne doivent pas varier de la recette originale. Avec un supplément de gélatine et de sucre on les rend plus stables et conservables.

Les fruits incorporés sont à traiter au sucre avant d'être travaillés. Dans aucun cas on ne doit utiliser qu'un mélange d'eau, de sucre, de couleur et de gélatine. Une grosse déduction de points en sera la suite.

6. Sauces

a) Sauces mousse (sabayon)
On doit reconnaître l'aspect des sabayons. Avec un supplément de sucre et de produits émulsionnants comme la lécithine et la glycérine on augmente le temps de conservation, l'addition de produits liants comme la carraghen donne plus de stabilité.

b) Sauces aux fruits (coulis)
Le coulis doit contenir au moins ⅓ de pulpes de fruit. Une addition de glucose, de glycérine, de gélatine donne aux sauces une belle apparence de longue durée. Dans aucun cas on doit présenter des coulis sans pulpes de fruits. Une déduction de pointes considérable en sera la suite.

c) Sauces crème
Ceux-ci doivent varier non plus de la recette originale. De même on obtient plus de stabilité et une meilleure conservation en ajoutant plus de sucre, de gélatine, de glycérine, de glucose et de carraghen.

7. Pralinés
Pour obtenir le maximum des point il faut que le mélange de pralinés contienne des pralinés dressés, des pralinés chablonnés, des pralinés coupés et non seulement des pralinés moulés en formes.

8. Petits-fours
dont il faut présenter 5 sortes avec des farces différentes.

Biscuits
Des biscuits doivent être fabriqués de 5 pâtes différentes.

Petits fours salés (fromage)
Les 5 sortes différentes présentées sont à prépare de pâte sablée, pâte à choux et de feuilletage. Les crèmes à fourrer doivent correspondre à la recette originale, une adjonction de végétaline leur donne du corps et stabilise.

Toutes garnitures de natures fraîches sont à napper.

9. Quatre petites tourtes (gâteaux)
sur le thème indique *l'avance à la gelée.*

Ces tourtes/gâteaux garnis suivant le thème choisi sont à présenter avec une tranche découpée. Le biscuit et la crème ne doivent pas varier de la recette originale; à l'exception des tourtes glacées. Ceux-ci sont à traiter de même façon que les desserts glacés. Comme garnitures/décor il faut uniquement utiliser des matières mangeables, donc pas de pastillage, etc.

Le non-respect de ces directives entraînera une déduction des points.

Les directives en vigueur pour la IKA 1996 sont issues suivantes l'exemple des directives de conduite de la WACS.

Conseils et suggestions, aspects importants qu'il faut respecter:

Afin que les aliments se conservent mieux, il est conseil, de les recouvrir soigneusement d'une couche de gelée.

Tous les participants doivent indiquer clairement le nom des plats sur la table d'exposition et sur le formulaire d'inscription. Il est conseil, de contrôler une nouvelle fois sur place, que chaque écriteau a bien été, attribue à la pièce correspondante.

Bien que les décorations de table comme telles ne soient pas jugées, une table bien présentée et attrayante ajoute à l'image de qualité qu'un concurrent tente de projeter.

Enfin, il faut dire qu'une présentation ponctuelle des exposés au temps accordé est une nécessité absolue.

Points essentiels, qui doivent être évités:

- utiliser des ingrédients non comestibles
- surcharger les plats
- mouler les sculptures
- présenter un exposé, qui est déjà jugé
- identifier la pièce avant le jugement
- marquage de l'exposé par publicité additionnelle avant le jugement
- utiliser des ornements ou des fleurs en plastique
- utiliser de l'argenterie ternie
- utiliser des vaisselles non-appropriées (non-appropriées pour le service)

Vaisselles et plats autorisés

Mets froids sur:

plateaux et platsen argents, miroirs, plats en acier inoxydable, bois polis, porcelaine, contenants en verre

Mets chauds sur:

vaisselle en argent, plats en argent, plats en acier inoxydable, plats en cuivre, plats en terre cuite (allant au four), plats de dîner en porcelaine

Wettbewerbsbedingungen IKA 1996 für Nationalmannschaften

Nur die nationalen Verbände, die dem Weltbund der Kochverbände angehören, können pro Nation ein Nationalteam am Wettbewerb teilnehmen lassen.

Teamzusammenstellung

1 Teamchef
3 Köche
1 Pâtissier
1 Ersatzmitglied

Der Teamchef darf in allen Bereichen mitarbeiten. Das Ersatzmitglied darf in der warmen Küche annoncieren.

Das Nationalteam erstellt folgendes Programm an 2 Tagen:

1 Tag Kalte-Platten-Schau
Kategorie A, B, C

1 Tag Restaurant der Nationen
Kategorie R, 110 Menüs

Die Einteilung der Nationalteams erfolgt durch die IKA-Organisation.

Kategorie A – Kochkunst

- 1 kalte festliche Platte für 8 Personen
- 1 kalte festliche Platte für 8 Personen
- 6 verschiedene komplette Vorspeisen, einzeln angerichtet für 1 Person

Von den 6 verschiedenen Vorspeisen muß eine Vorspeise doppelt (2x) hergestellt sein und ist zur Degustation für die Jury bestimmt.

In der Kategorie A muß zusätzlich zum Programm jeweils auf einem Teller für 1 Person demonstriert werden, von der festlichen Platte zum Teller, so daß optische Wirkung und Größen-/Mengenverhältnisse deutlich sichtbar werden.

Präsentation/Innovation *0–10 Punkte*
beinhaltet appetitliche, geschmackvolle, elegante Darbietung, moderner Stil.

Zusammenstellung *0–10 Punkte*
in Farbe und Geschmack harmonierend, zweckmäßig, bekömmlich.

Korrekte fachliche Zubereitung *0–10 Punkte*
richtige Grundzubereitungen, der heutigen modernen Kochkunst entsprechend.

Anrichteart/Servieren *0–10 Punkte*
sauberes Anrichten, vorbildliche Anordnung, um ein zweckmäßiges Servieren zu ermöglichen.

Zahl der möglichen Punkte für die Wertung *40 Punkte*

Bei 3 Wertungen sind insgesamt 120 Punkte möglich.

Es werden keine halben Punkte gegeben.

Kategorie B – Kochkunst

- 1 Restaurationsplatte bzw. Gericht für 2 Personen, warm gedacht, kalt präsentiert
- 1 Menü (typisches Nationalgericht) für 1 Person, bestehend aus 3 Gängen, einschließlich einer Süßspeise, warm gedacht, kalt präsentiert
- 1 Gourmet-Menü für 1 Person, bestehend aus 5 Gängen, einschließlich einer Süßspeise, warm gedacht, kalt präsentiert.

Präsentation/Innovation *0–10 Punkte*
beinhaltet appetitliche, geschmackvolle, elegante Darbietung, moderner Stil.

Zusammenstellung *0–10 Punkte*
eine ausgewogene Ernährung im richtigen Verhältnis von Vitaminen, Kohlehydraten, Eiweiß, Fett und Ballaststoffen zueinander, in Farbe und Geschmack harmonierend, zweckmäßig, bekömmlich.

Korrekte fachliche Zubereitung *0–10 Punkte*
richtige Grundzubereitungen, der heutigen modernen Kochkunst entsprechend.

Anrichteart/Servieren *0–10 Punkte*
sauberes Anrichten, keine gekünstelten Garnituren, keine zeitraubende Anrichteweise, vorbildliche Anordnung, um ein zweckmäßiges Servieren zu ermöglichen.

Zahl der möglichen Punkte für die Wertung *40 Punkte*

Bei 3 Wertungen sind insgesamt 120 Punkte möglich.

Es werden keine halben Punkte gegeben.

Kategorie C

Pâtisserie/Feinbäckerei

- 1 Dessertplatte für 6 Personen bei freier Themenauswahl (Hochzeit, Geburtstag etc.)
- 1 Platte mit Teegebäck oder Pralinen oder Petits fours oder Käsefours oder Friandises 5 verschiedene Sorten für 8 bis 10 Personen mit Dekorationsstück.
- 6 verschiedene warm gedachte oder kalte Süßspeisen für 1 Person, einzeln angerichtet.

Von den 6 verschiedenen Süßspeisen für 1 Person muß eine Süßspeise doppelt (2x) hergestellt sein, zur Degustation für die Jury. Diese Süßspeise muß der Jury direkt übergeben werden.

Alle ausgestellten Objekte müssen aus eßbarem Material sein.

Präsentation/Innovation *0–10 Punkte*
beinhaltet appetitliche, geschmackvolle, elegante Darbietung, moderner Stil.

Zusammenstellung *0–10 Punkte*
geschmacklich und farblich harmonierend, zweckmäßig, bekömmlich.

Korrekte fachliche Zubereitung *0–10 Punkte*
richtige Grundzubereitungen, der heutigen modernen Pâtisserie entsprechend.

Anrichteart/Servieren *0–10 Punkte*
sauberes Anrichten, vorbildliche Anordnung, um ein zweckmäßiges Servieren zu ermöglichen.

Zahl der möglichen Punkte
für die Wertung *40 Punkte*

Bei 3 Wertungen sind insgesamt 120 Punkte möglich.

Kategorie R

Restaurant der Nationen

Hier werden die teilnehmenden Nationalteams Spezialitäten ihres Landes herstellen. Jedes Nationalteam hat die folgende Aufgabe:

110 Menüs, bestehend aus:

110x warme Vorspeise, Fisch oder Krustentiere oder Geflügel mit Beilage als Tellerservice
110x Hauptgang von Schlachtfleisch oder Wild mit Beilage als Tellerservice
110x Süßspeise als Tellerservice

Bitte 2 komplette Menüvorschläge in der Landessprache, in deutscher und englischer Sprache mit genauer Rezeptur/Herstellungsanweisung für 110 Portionen einreichen.

Mise en place und Sauberkeit *0–10 Punkte*
Bereitstellung der Materialien, um ein reibungsloses Arbeiten während des Service zu erreichen. Zeitgerechte Arbeitseinteilung und pünktliche Fertigstellung. Saubere, ordentliche Arbeitsweise während des Wettbewerbs wird ebenso bewertet wie der Zustand nach dem Verlassen der Küche.

Korrekte fachliche Zubereitung *0–30 Punkte*
richtige Grundzubereitung, der heutigen modernen Kochkunst und Ernährungslehre entsprechend.

Anrichteart und
Präsentation/Innovation *0–10 Punkte*
sauberes Anrichten, keine gekünstelten Garnituren, keine zeitraubende Anrichteweise, vorbildliche Anordnung für ein appetitliches Aussehen.

Geschmack *0–30 Punkte*
der typische Eigengeschmack der Lebensmittel soll erhalten bleiben. Das Gericht soll den typischen Geschmack bei ausreichender Würzung aufweisen. Ebenso soll durch eine entsprechende Zusammenstellung der Lebensmittel ein besonderes Geschmackserlebnis hervorgerufen werden.

Dies bedeutet, daß für jeden Menügang bis zu 80 Punkte erzielt werden können. Daraus ergibt sich 3 x 80 = 240 Punkte insgesamt.

Es werden keine halben Punkte gegeben.

Punktevergabe für jeweils eine Kategorie in A, B oder C

Es gibt für die

1. Wertung	von 0–40 der möglichen Punkte
2. Wertung	von 0–40 der möglichen Punkte
3. Wertung	von 0–40 der möglichen Punkte
insgesamt	bis 120 der möglichen Punkte

Punktetabelle für Medaillen in der Kategorie A, B, C

72– 83 Punkte	Diplom
84– 95 Punkte	Bronzemedaille mit Diplom
96–107 Punkte	Silbermedaille mit Diplom
108–120 Punkte	Goldmedaille mit Diplom

Punktevergabe für Kategorie R: Restaurant der Nationen

für die Vorspeise	0 bis 80 Punkte
für den Hauptgang	0 bis 80 Punkte
für das Dessert	0 bis 80 Punkte

Es sind insgesamt bis 240 Punkte zu erzielen.

Punktetabelle für Medaillen Kategorie R:
Restaurant der Nationen

144–167 Punkte	Diplom
168–191 Punkte	Bronzemedaille mit Diplom
192–215 Punkte	Silbermedaille mit Diplom
216–240 Punkte	Goldmedaille mit Diplom

Auszeichnung für Nationalteams

Im Wettkampf um den Olympiasieger der Köche 1996 in Berlin

Das Nationalteam, das in den einzelnen Kategorien A, B, C oder R die meisten Punkte erreicht hat, ist Olympiasieger in der jeweiligen Kategorie.

Platz 2	erhält	die **Olympia-Silbermedaille**
Platz 3	erhält	die **Olympia-Bronzemedaille**

Das Nationalteam, das aus allen Kategorien von A, B, C, R die höchste Punktzahl erreicht hat, ist *„Olympiasieger der Köche 1996".*

Wettbewerbsbedingungen IKA 1996 für Jugendnationalmannschaften

Nur die nationalen Verbände, die dem Weltbund der Kochverbände angehören, können pro Nation ein Jugendnationalteam am Wettbewerb teilnehmen lassen.

Teamzusammenstellung

Die Mannschaft besteht aus vier Teilnehmern und einem Betreuer. Ein Ersatzteilnehmer kann gemeldet werden.

Die Teilnehmer sind Auszubildende, Commis de cuisine, Kochschüler oder Studenten im Berufsfeld Koch.

Die Teilnehmer dürfen nicht älter als 23 Jahre sein (Stichtag ist der 1. 9. 1996). Sie dürfen nicht vor dem 1. 9. 1973 geboren sein.

Die Jury nimmt eine Paß- bzw. Ausweiskontrolle vor.

Der Betreuer ist verantwortlich für die Mannschaft. Er darf in der warmen Küche während der Servicezeit annoncieren.

Wettbewerbsaufgaben

Der Wettbewerb umfaßt zwei Bereiche, die alle an einem Tag zu absolvieren sind.

I. Warme Küche, von 7.30 Uhr bis 14.00 Uhr (Servicebeginn: 11.00 Uhr)

II. Kochstudio, Beginn 13.30 Uhr, dann im 45-Minuten-Takt

I. Warme Küche

– Herstellen von 110 Portionen eines Tellergerichts mit einem maximalen Materialeinkaufswert von DM 4,– (US-Dollar 2,50 – Stand 30. 3. 1995) je Portion.

Die Aufgaben im Kochstudio lauten:

a) Auslösen einer Poularde (1 500 g), Vorbereiten und Herstellen einer kalten Vorspeise aus einer Poulardenbrust für 2 Personen, als Tellergericht angerichtet.

b) Herstellen einer Geflügelkraftbrühe (Consommé) mit Einlage nach eigener Wahl für 2 Personen und Herstellen einer Geflügelfarce zur eigenen Verwendung oder/und zur Weiterverwendung für Teilnehmer C.

c) Erstellen eines Hauptgerichts von einer Poulardenbrust mit drei verschiedenen Gemüsen und einer Beilage aus Kartoffeln für 2 Personen.

d) Herstellen von vier Desserttellern unter Verwendung von Mascarpone sowie Melone, Weintrauben, Äpfeln und Zwetschgen.

Zeitplan im Kochstudio

Kandidat A	Tour A	13.30 – 14.15 Uhr
Kandidat B	Tour B	14.15 – 15.00 Uhr
Kandidat C	Tour C	15.00 – 15.45 Uhr
Kandidat D	Tour D	15.45 – 16.30 Uhr

Bewertungskriterien

1. Mise en place

Übersichtliche Bereitstellung der Materialien und Arbeitsgeräte, saubere Arbeitsplätze, saubere Arbeitskleidung.

2. Fachgerechte Zubereitung

Die Demonstration soll durch fachlich einwandfreie Arbeitstechniken und Fertigkeiten zu zweckmäßiger, kulinarisch einwandfreier und bekömmlicher Zubereitung führen. Der Aufgabenstellung muß entsprochen werden. Beilagen und Zutaten müssen mit dem Hauptstück in Menge, Geschmack und Farbe harmonieren und sollen den Erkenntnissen der Ernährungslehre und der Wirtschaftlichkeit entsprechen. Das Portionsgericht soll der normalen, eßbaren Größe eines Restauranttellergerichtes entsprechen.

3. Zeiteinteilung

Zeitgerichtete Arbeitseinteilung und pünktliche Fertigstellung.

4. Praxisgerechte Anrichteweise und Präsentation/Innovation

Hauptteil und Beilagen müssen im richtigen Verhältnis zueinander stehen. Es muß anschließend auf dem vom VKD zur Verfügung gestellten Anrichtegeschirr zweckmäßig, sauber, gefällig, dem anspruchsvollen Service im guten Restaurant entsprechend, angerichtet werden.

Bewertung warme Küche

1. Mise en place	10 Punkte
2. Ordnung, Sauberkeit	10 Punkte
3. Fachgerechte Zubereitung	30 Punkte
4. Praxisgerechte Anrichteweise	20 Punkte
5. Geschmack	20 Punkte
6. Kooperatives Arbeiten	10 Punkte
	100 Punkte x 2
	200 Punkte

Bewertung Kochstudio

1. Ordnung und Sauberkeit	5 Punkte
2. Arbeitstechnik	10 Punkte
3. Zeiteinteilung	5 Punkte
4. Präsentation/Innovation	5 Punkte
	25 Punkte
25 Punkte x 4 Teilnehmer =	**100 Punkte**

Es werden keine halben Punkte gegeben.

Auszeichnungen

Alle teilnehmenden Jugendnationalmannschaften erhalten Medaillen und Diplome entsprechend der erreichten Punkte, siehe nachstehende Erläuterung. Der Verband erhält entsprechend Medaille und Diplom.

Punktevergabe

0–149 Punkte	Diplom
150–189 Punkte	bronzenes Kleeblatt mit Diplom
190–229 Punkte	silbernes Kleeblatt mit Diplom
230–300 Punkte	goldenes Kleeblatt mit Diplom

Auszeichnung für Jugendnationalteams im Wettkampf um den Olympiasieger der Köche 1996 in Berlin

Das Jugendnationalteam, das die meisten Punkte erreicht hat, ist **Olympiasieger der Jugendnationalmannschaften IKA 1996,** Platz 2 erhält die Olympia-Silbermedaille, Platz 3 erhält die Olympia-Bronzemedaille.

Wettbewerbsbedingungen IKA 1996 für Streitkräfte

Die Mannschaften werden von den beteiligten Nationen benannt.

Mannschaftszusammenstellung

Die Mannschaft besteht aus insgesamt 5 Köchen und einem Reservemann. Einer davon ist Teamchef. Der Teamchef darf in allen Bereichen mitarbeiten. Der Reservemann kann in der warmen Küche die Annonce vornehmen.

Ausstellungsanforderungen für den Wettbewerb

Das Nationalteam erstellt folgendes Programm an *2 Tagen:*

1 Tag Kategorie B

Kalte-Platten-Schau
4 Menüs Truppenverpflegung
3 Kasino-Menüs
oder 7 Menüs (1 Woche)
der Truppenverpfleger

1 Tag mobile Küche der Streitkräfte

Kategorie R
2 x 100 3-Gänge-Menüs

Die Einteilung der Mannschaften erfolgt durch die IKA-Organisation.

Kategorie B

Kochkunst

Insgesamt 7 Menüs

- 4 Menüs, bestehend aus Suppe, Hauptgericht, Süßspeise, für je 1 Person
- 3 Kasino-Menüs, bestehend aus Vorspeise, Hauptgericht, Süßspeise, für je 1 Person
- oder 7 Menüs (1 Woche) der Truppenverpfleger

Präsentation/Innovation *0–10 Punkte*

beinhaltet appetitliche, geschmackvolle, elegante Darbietung, moderner Stil.

Zusammenstellung *0–10 Punkte*

eine ausgewogene Ernährung im richtigen Verhältnis von Vitaminen, Kohlehydraten, Eiweiß, Fett und Ballaststoffen zueinander, in Farbe und Geschmack harmonierend, zweckmäßig, bekömmlich.

Korrekte fachliche Zubereitung *0–10 Punkte*

richtige Grundzubereitungen, der heutigen modernen Kochkunst entsprechend.

Anrichteart/Servieren *0–10 Punkte*

sauberes Anrichten, keine gekünstelten Garnituren, keine zeitraubende Anrichteweise, vorbildliche Anordnung, um optische Wirkung und ein zweckmäßiges Servieren zu ermöglichen.

Zahl der möglichen Punkte für eine Wertung *40 Punkte*

Bei 7 Wertungen sind insgesamt bis 280 Punkte möglich.

Es werden keine halben Punkte gegeben.

Kategorie R

Restaurant der Streitkräfte

Hier werden die teilnehmenden Mannschaften Spezialitäten ihres Landes herstellen. Jede Mannschaft hat die folgende Aufgabe:

2 verschiedene Menü bestehend aus
1 x 100 Suppe oder Vorspeise, Hauptgang, Süßspeise
1 x 100 Suppe oder Vorspeise, Hauptgang, Süßspeise

Die Menüs sollen wirklichkeitsnah der heutigen Truppenverpflegung entsprechen.

Mise en place und Sauberkeit *0–10 Punkte*

Bereitstellung der Materialien, um ein reibungsloses Arbeiten während des Service zu erreichen; zeitgerechte Arbeitseinteilung und pünktliche Fertigstellung; saubere, ordentliche Arbeitsweise während des Wettbewerbs.

Korrekte fachliche Zubereitung *0–30 Punkte*

richtige Grundzubereitung, der heutigen modernen Kochkunst und Ernährungslehre entsprechend.

Anrichteart/Innovation *0–10 Punkte*

sauberes Anrichten, keine gekünstelten Garnituren, keine zeitraubende Anrichteweise, vorbildliche Anordnung für ein appetitliches Aussehen.

Geschmack *0–30 Punkte*

Der typische Eigengeschmack der Lebensmittel soll erhalten bleiben. Das Gericht soll den typischen Geschmack bei ausreichender Würzung aufweisen. Ebenso soll durch eine entsprechende Zusammenstellung der Lebensmittel ein besonderes Geschmackserlebnis hervorgerufen werden.

Zahl der möglichen Punkte
für die Wertung *80 Punkte*

Dies bedeutet, daß für jeden Menügang bis zu 80 Punkte erzielt werden können. Daraus ergeben sich
6 x 80 = 480 Punkte insgesamt.

Es werden keine halben Punkte gegeben.

Auszeichnungen

Alle teilnehmenden Mannschaften erhalten Medaillen und Urkunden entsprechend der erreichten Punkte; siehe nachstehende Erläuterung.

Punktevergabe für Kategorie B

Es gibt für die

1. Wertung	von 0–40 der möglichen Punkte
2. Wertung	von 0–40 der möglichen Punkte
3. Wertung	von 0–40 der möglichen Punkte
4. Wertung	von 0–40 der möglichen Punkte
5. Wertung	von 0–40 der möglichen Punkte
6. Wertung	von 0–40 der möglichen Punkte
7. Wertung	von 0–40 der möglichen Punkte
insgesamt	bis **280** der möglichen Punkte

Punktetabelle für Medaillen in der Kategorie B

168–195 Punkte	Diplom
196–223 Punkte	Bronzemedaille mit Diplom
224–251 Punkte	Silbermedaille mit Diplom
252–280 Punkte	Goldmedaille mit Diplom

Punktevergabe für Kategorie R – Mobile Küche der Streitkräfte

für die Suppe	0–80 Punkte	x 2 Menüs
für den Hauptgang	0–80 Punkte	x 2 Menüs
für das Dessert	0–80 Punkte	x 2 Menüs

Es sind insgesamt bis 480 Punkte zu erzielen.

Punktetabelle für Medaillen Kategorie R – Mobile Küche der Streitkräfte

bei 2 x 100 Menüs

288–335 Punkte	Diplom
336–383 Punkte	Bronzemedaille mit Diplom
384–431 Punkte	Silbermedaille mit Diplom
432–480 Punkte	Goldmedaille mit Diplom

Die Mannschaft mit der insgesamt höchsten Punktzahl wird **1. Sieger** im Wettbewerb der Streitkräfte *„Truppenverpflegung"*.

Die Mannschaft mit der insgesamt zweithöchsten Punktzahl wird **2. Sieger** im Wettbewerb der Streitkräfte *„Truppenverpflegung"*.

Die Mannschaft mit der insgesamt dritthöchsten Punktzahl wird **3. Sieger** im Wettbewerb der Streitkräfte *„Truppenverpflegung"*.

Wettbewerbsbedingungen IKA 1996 für Regionalmannschaft

Die Mannschaften bestehen aus

- 1 Teamchef
- 2 Köchen
- 1 Pâtissier

Sie benötigt die Genehmigung zur Teilnahme an dem internationalen Wettbewerb von ihrem nationalen Verband.

Die Mannschaft präsentiert folgendes Programm an einem Tag:

- 1x Kategorie A
- 1x Kategorie B
- 1x Kategorie C

KATEGORIE A

Kochkunst

- 1 kalte festliche Platte für 8 Personen
- 1 kalte festliche Platte für 8 Personen
- 6 verschiedene, komplette Vorspeisen, einzeln angerichtet für 1 Person
- Von den 6 verschiedenen Vorspeisen muß eine Vorspeise doppelt (2x) hergestellt sein und ist zur Degustation für die Jury bestimmt.

In der Kategorie A muß zusätzlich zum Programm jeweils auf einem Teller für 1 Person demonstriert werden, von der festlichen Platte zum Teller, so daß optische Wirkung und Größen-/Mengenverhältnisse deutlich sichtbar werden.

Präsentation/Innovation *0–10 Punkte*
beinhaltet appetitliche, geschmackvolle, elegante Darbietung, moderner Stil.

Zusammenstellung *0–10 Punkte*
in Farbe und Geschmack harmonierend, zweckmäßig, bekömmlich.

Korrekte fachliche Zubereitung *0–10 Punkte*
richtige Grundzubereitungen, der heutigen modernen Kochkunst entsprechend.

Anrichteart/Servieren *0–10 Punkte*
sauberes Anrichten, vorbildliche Anordnung, um ein zweckmäßiges Servieren zu ermöglichen.

Zahl der möglichen Punkte für die Wertung *40 Punkte*

Bei 3 Wertungen sind insgesamt 120 Punkte möglich.

Es werden keine halben Punkte gegeben.

KATEGORIE B

Kochkunst

- 1 Restaurationsplatte bzw. Gericht für 2 Personen, warm gedacht, kalt präsentiert
- 1 Menü (typisches Regionalgericht) für 1 Person, bestehend aus 3 Gängen, einschließlich einer Süßspeise, warm gedacht, kalt präsentiert
- 1 Gourmet-Menü für 1 Person, bestehend aus 5 Gängen, einschließlich einer Süßspeise, warm gedacht, kalt präsentiert

Präsentation/Innovation *0–10 Punkte*
beinhaltet appetitliche, geschmackvolle, elegante Darbietung, moderner Stil.

Zusammenstellung *0–10 Punkte*
eine ausgewogene Ernährung im richtigen Verhältnis von Vitaminen, Kohlehydraten, Eiweiß, Fett und Ballaststoffen zueinander, in Farbe und Geschmack harmonierend, zweckmäßig, bekömmlich.

Korrekte fachliche Zubereitung *0–10 Punkte*
richtige Grundzubereitungen, der heutigen modernen Kochkunst entsprechend.

Anrichteart/Servieren *0–10 Punkte*
sauberes Anrichten, keine gekünstelten Garnituren, keine zeitraubende Anrichteweise, vorbildliche Anordnung, um ein zweckmäßiges Servieren zu ermöglichen.

Zahl der möglichen Punkte für die Wertung *40 Punkte*

Bei 3 Wertungen sind insgesamt 120 Punkte möglich.

Es werden keine halben Punkte gegeben.

KATEGORIE C

Pâtisserie/Feinbäckerei

- 3 verschiedene kleine Torten für je 6 bis 8 Personen, im Anschnitt gezeigt, freie Themenauswahl (Hochzeit, Geburtstag etc.)
- 1 Platte mit Teegebäck oder Pralinen oder Petits fours oder Käsefours oder Friandises 5 verschiedene Sorten für 8 bis 10 Personen, mit Dekorationsstück
- 4 verschiedene warm gedachte oder kalte Süßspeisen, für 1 Person einzeln angerichtet

Von den 4 verschiedenen Süßspeisen für 1 Person muß eine Süßspeise doppelt (2x) hergestellt sein, zur Degustation für die Jury. Diese Süßspeise muß der Jury direkt übergeben werden.

Alle ausgestellten Objekte müssen aus eßbarem Material sein.

Präsentation/Innovation *0–10 Punkte*
beinhaltet appetitliche, geschmackvolle, elegante Darbietung, moderner Stil.

Zusammenstellung *0–10 Punkte*
geschmacklich und farblich harmonierend, zweckmäßig, bekömmlich.

Korrekte fachliche Zubereitung *0–10 Punkte*
richtige Grundzubereitungen, der heutigen modernen Pâtisserie entsprechend.

Anrichteart/Servieren *0–10 Punkte*
sauberes Anrichten, vorbildliche Anordnung, um ein zweckmäßiges Servieren zu ermöglichen.

Zahl der möglichen Punkte für die Wertung *40 Punkte*

Bei 3 Wertungen sind insgesamt 120 Punkte möglich.

Es werden keine halben Punkte gegeben.

Auszeichnungen

Da sie als Mannschaft auftreten, werden alle Wertungen zusammengezogen. Der sich daraus ergebende Durchschnitt ist letztendlich das Gesamtergebnis der Mannschaft. Demnach erhält jedes Mannschaftsmitglied eine Urkunde und eine Medaille entsprechend dem Gesamtergebnis, die Institution oder Regionalverband entsprechend Medaille und Diplom.

Punktetabelle für Medaillen der Kategorie in A, B oder C

216–251 Punkte	Diplom
252–287 Punkte	Bronzemedaille mit Diplom
288–323 Punkte	Silbermedaille mit Diplom
324–360 Punkte	Goldmedaille mit Diplom

Die Mannschaft, die die meisten Punkte erzielt, wird als IKA-Cup-Gewinner 1996 für Regionale und Individuelle Mannschaften ausgezeichnet.

Wettbewerbsbedingungen IKA 1996 für Einzelaussteller

Kategorie A, B, C, D (Diät), D/1, D/2, GV (Gemeinschaftsverpflegung), Alternativkost.

Küchenchefs, Köche, Köchinnen, Pâtissiers und Konditoren aus allen Bereichen, die eine Lehre oder eine anerkannte Ausbildung in diesen Berufen abgeschlossen haben.

Jeder Teilnehmer muß das gemeldete Programm komplett an einem Tag ausstellen.

Bereits einmal prämierte Objekte können nicht noch ein zweites Mal bewertet werden.

KATEGORIE A

Kochkunst

- 1 kalte festliche Platte für 8 Personen
- 6 verschiedene komplette Vorspeisen, einzeln angerichtet für je eine Person

Präsentation/Innovation *0–10 Punkte*
beinhaltet appetitliche, geschmackvolle, elegante Darbietung, moderner Stil.

Zusammenstellung *0–10 Punkte*
in Farbe und Geschmack harmonierend, zweckmäßig, bekömmlich.

Korrekte fachliche Zubereitung *0–10 Punkte*
richtige Grundzubereitungen, der heutigen modernen Kochkunst entsprechend.

Anrichteart/Servieren *0–10 Punkte*
sauberes und exaktes Anrichten, vorbildliche Anordnung, um ein zweckmäßiges Servieren zu ermöglichen.

Gesamtzahl der möglichen Punkte *40 Punkte*

Es werden keine halben Punkte gegeben.

KATEGORIE B

Kochkunst

- 1 Restaurationsplatte bzw. Gericht für 2 Personen, warm gedacht, kalt präsentiert
- 1 Menü (Regionalgericht) für 1 Person, bestehend aus 3 Gängen, einschließlich einer Süßspeise, warm gedacht, kalt präsentiert
- 1 Gourmet-Menü für 1 Person, bestehend aus 5 Gängen, einschließlich einer Süßspeise, warm gedacht, kalt präsentiert

Präsentation/Innovation *0–10 Punkte*
beinhaltet appetitliche, geschmackvolle, elegante Darbietung, moderner Stil.

Zusammenstellung *0–10 Punkte*
eine ausgewogene Ernährung im richtigen Verhältnis von Vitaminen, Kohlehydraten, Eiweiß, Fett und Ballaststoffen zueinander, in Farbe und Geschmack harmonierend, zweckmäßig, bekömmlich.

Korrekte fachliche Zubereitung *0–10 Punkte*
richtige Grundzubereitungen, der heutigen modernen Kochkunst entsprechend.

Anrichteart/Servieren *0–10 Punkte*
sauberes Anrichten, keine gekünstelten Garnituren, keine zeitraubende Anrichteweise, vorbildliche Anordnung, um ein zweckmäßiges Servieren zu ermöglichen.

Gesamtzahl der möglichen Punkte *40 Punkte*

Es werden keine halben Punkte gegeben.

Kategorie C

Pâtisserie/Feinbäckerei

- 1 Dessertplatte für 6 Personen bei freier Themenauswahl (Hochzeit, Geburtstag usw.)
- 1 Platte mit Teegebäck oder Pralinen oder Petits fours oder Käsefours oder Friandises, 5 verschiedene Sorten für 8 bis 10 Personen mit Dekorationsstück
- 4 verschiedene, warm gedachte oder kalte Süßspeisen, für 1 Person einzeln angerichtet.

Alle ausgestellten Objekte müssen aus eßbarem Material sein.

Präsentation/Innovation *0–10 Punkte*

beinhaltet appetitliche, geschmackvolle, elegante Darbietung, moderner Stil.

Zusammenstellung *0–10 Punkte*

geschmacklich und farblich harmonierend, zweckmäßig, bekömmlich.

Korrekte fachliche Zubereitung *0–10 Punkte*

richtige Grundzubereitungen, der heutigen modernen Pâtisserie entsprechend.

Anrichteart/Servieren *0–10 Punkte*

sauberes Anrichten, vorbildliche Anordnung, um ein zweckmäßiges Servieren zu ermöglichen.

Gesamtzahl der möglichen Punkte *40 Punkte*

Es werden keine halben Punkte gegeben.

Kategorie D/1

Kochartistik

Kalte Küche
(Schaustücke/Tafelaufsätze/Dekorationsstücke)

Diese Ausstellungsobjekte werden nur dann bewertet, wenn sie nicht schon einmal ausgestellt waren und wenn sie aus Lebensmitteln bestehen, jedoch sind andere Materialien zum Abstützen von innen erlaubt.

Es wird besonders darauf hingewiesen, daß die in geschlossenen Vitrinen ausgestellten Objekte für die Jury zugänglich sein müssen, da sonst keine Bewertung erfolgt.

Die Ausstellungsobjekte dürfen eine maximale Höhe von 2,2 Metern (7 Fuß) und maximal 2,5 Meter (8 Fuß) Breite nicht überschreiten.

Folgende Materialien können im wesentlichen Verwendung finden:
Gemüse, Salz, Butter, Teig, Obst, Eis, Fett, Gewürze.

Schwierigkeitsgrad *0–10 Punkte*

Die Schwierigkeit der Herstellung wird gemessen an der persönlichen Kunstfertigkeit, dem Zeitaufwand und dem ideellen Einsatz.

Materialbeherrschung/Ausführung *0–10 Punkte*

wird gemessen an der fachgerechten Verarbeitung des Materials.

Künstlerische Gestaltung/Kreativität *0–10 Punkte*

Der Gesamteindruck sollte nach den Grundsätzen der Ethik und Ästhetik Begeisterung hervorrufen.

Werbeeffekt/Verkaufsförderung *0–10 Punkte*

Hierbei kommt es darauf an, mit kulinarischem Material eigene Ideen in origineller Weise zu entwickeln und zu verwirklichen. Die Neuartigkeit sollte spontan zu erkennen sein.

Gesamtzahl der möglichen Punkte *40 Punkte*

Es werden keine halben Punkte gegeben.

Kategorie D/2 – Pâtisserie (Schaustücke/Tafelaufsätze/Dekorationsstücke)

Diese Ausstellungsobjekte werden nur dann bewertet, wenn sie nicht schon einmal ausgestellt waren und wenn sie aus Lebensmitteln bestehen, jedoch sind andere Materialien zum Abstützen von innen erlaubt.

Es wird darauf hingewiesen, daß die in geschlossenen Vitrinen ausgestellten Objekte für die Jury zugänglich sein müssen, sonst kann keine Bewertung erfolgen.

Folgende Materialien können im wesentlichen Verwendung finden:
Zucker (verschiedene Techniken), Teige, Krokant, Aufsatztorten (z. B. Hochzeitstorte) Nougat, Marzipan, Schokolade, Kakaomalerei.

Die Ausstellungsobjekte dürfen eine maximale Höhe von 2,2 Metern (7 Fuß) und maximal 2,5 Meter (8 Fuß) Breite nicht überschreiten.

Schwierigkeitsgrad *0–10 Punkte*

Die Schwierigkeit der Herstellung wird gemessen an der persönlichen Kunstfertigkeit, dem Zeitaufwand und dem ideellen Einsatz.

Materialbeherrschung/Ausführung *0–10 Punkte*

wird gemessen an der fachgerechten Verarbeitung des Materials.

Künstlerische Gestaltung/Kreativität *0–10 Punkte*

Der Gesamteindruck sollte nach den Grundsätzen der Ethik und Ästhetik Begeisterung hervorrufen.

Werbeeffekt/Verkaufsförderung *0–10 Punkte*

Hierbei kommt es darauf an, mit kulinarischem Material eigene Ideen in origineller Weise zu entwickeln und zu verwirklichen.
Die Neuartigkeit sollte spontan zu erkennen sein.

Gesamtzahl der möglichen Punkte *40 Punkte*

Es werden keine halben Punkte gegeben.

Auszeichnungen

für Einzelaussteller: Kategorie A, B, C, D (Diät), Sonderwettbewerbe GV (Gemeinschaftsverpflegung) und Alternativkost.

Jeder Aussteller kann für ein und dasselbe Objekt nur eine Bewertung erhalten.

Die Aussteller erhalten entsprechend für jedes komplette Programm, das an einem Tag präsentiert wurde, auf den Betrieb/Institution und auf den Namen des Verfertigers lautende Diplome. Bei entsprechender Punktzahl gibt es die jeweils vorgesehene Medaille für den Verfertiger.

Punktetabelle für Medaillen

24–27	Diplom
28–31	Bronzemedaille und Diplom
32–35	Silbermedaille und Diplom
36–39	Goldmedaille und Diplom
40	Goldmedaille mit Auszeichnung und Diplom

Für Kategorie D/1 und D/2

Für jedes erfüllte Programm werden bei Erreichen der dazu notwendigen Punkte pro Verfertiger je 1 Kleeblatt und Diplom verliehen. Der Betrieb/Institution erhält ein entsprechendes Diplom.

Punktetabelle für das Kleeblatt

24–27	Diplom
28–31	bronzenes Kleeblatt mit Diplom
32–35	silbernes Kleeblatt mit Diplom
36–40	goldenes Kleeblatt mit Diplom

Ort und Zeitpunkt der täglichen Siegerehrung erhalten Sie mit Ihrer Anmeldungsbestätigung.

Conditions of Competition – Participants of competition

For individual competitors:

Category A, B, C, D (diet), D/1, D/2, GV (Communal Feeding), Alternative Food.

Chefs, female and male cooks, pâtissiers and pastrycooks coming from all sectors, who have completed an apprenticeship or an approved training programme.

Each participant has to exhibit the registered programme completely on one day.

Exhibits, which have already been awarded, can not be judged for a second time.

Category A – Culinary Art

- 1 cold festive platter for 8 persons
- 6 different complete hors d'oeuvres, individually prepared for one person each

Presentation/Renovation *0–10 points*

comprises an appetising, tasteful, elegant presentation, modern style.

Composition *0–10 points*

harmonising in colour and flavour, practical, digestible.

Correct Professional Preparation *0–10 points*

correct basic preparations of food, corresponding to today's modern culinary art.

Arrangement/Serving *0–10 points*

clean arrangement, exemplary plating, in order to make a practical serving possible.

Total possible points *40 points*

Half points will not be given.

Category B – Culinary Art

- 1 restaurant platter or a dish for 2 persons, prepared hot, displayed cold
- 1 menu (regional dish) for 1 person consisting of 3 courses, including a dessert, prepared hot, displayed cold
- 1 gourmet-menu for 1 person, consisting of 5 courses, including a dessert, prepared hot, displayed cold

Presentation/Renovation *0–10 points*

comprises an appetising, tasteful, elegant presentation, modern style.

Composition *0–10 points*

well-balanced food – in a correct proportion of vitamins, carbohydrates, proteins, fats and roughages, harmonising in colour and flavour, practical, digestible.

Correct Professional Preparation *0–10 points*

correct basic preparation of food, corresponding to today's modern culinary art.

Arrangement/Serving *0–10 points*

clean arrangement, no artificial decorations, no time-consuming arrangements, exemplary plating, in order to make practical serving possible.

Total possible points *40 points*

Half points will not be given.

Category C

Pâtisserie

- 1 dessert platter for 6 persons with a free choice of subject (wedding, birthday, etc.)
- 1 platter with sweet biscuits or chocolates or petits fours or cheese fours or friandises, 5 different sorts for 8 – 10 persons with a decorative piece
- 4 different desserts – prepared hot or cold, displayed cold – for 1 person, individually served

All exhibits have to be of edible materials.

Presentation/Renovation *0–10 points*

comprise an appetising, tasteful, elegant presentation, modern style.

Composition *0–10 points*

harmonising in colour and flavour, practical, digestible.

Correct Professional Preparation *0–10 points*

correct basic preparation of food, corresponding to today's modern pâtisserie.

Arrangement/Serving *0–10 points*

clean arrangement, exemplary plating, in order to make a practical serving possible.

Total possible points *40 points*

Half points will not be given.

CATEGORY D/1

Culinary Artistry – Cold Food
(showpieces, centrepieces, decorative pieces)

These exhibits will only be judged, if they have not already been displayed and if they consist of foodstuffs (materials), but other inner supporting material may be used.

Exhibitors should note that entries displayed in closed show cases must be accessible to the jury, as otherwise no judgement will be given.

The entries must not exceed a maximum height of 2.2 metres (7 feet) and a maximum width of 2.5 metres (8 feet).

The following materials can be basically used:
vegetables, salt, butter, dough, fruit, ice, fat, spices.

Degree of difficulty *0–10 points*

the degree of difficulty involved in the creation of an entry will be assessed in the terms of individual artistic skill, the time needed and the ideational commitment.

Mastery of food/Performance *0–10 points*

will be assessed in the material's professional use.

Artistic arrangement/Creativity *0–10 points*

according to the principles of ethics and aesthetic, the general impression should cause enthusiasm.

Advertising effects/Sales promotion *0–10 points*

it is important in this connection to produce and realise own ideas with culinary products in a novel manner. The novelty should be recognised spontaneously.

Total possible points *40 points*

Half points will not be given.

Category D/2

Pâtisserie
(showpieces, entrepieces, decorative pieces)

These entries will only be judged, if they have not already been displayed and if they consist of food materials, but other inner supporting materials may be used.

Exhibitors should note that entries displayed in closed show-cases have to be accessible to the jury, as otherwise no judgement will be given.

The following materials can be basically used:
sugar (different techniques), doughs, cracknel, cakes (e. g. wedding-cake), nougat, marzipan, chocolate, cacao paintings.

The entries have not to exceed a maximum height of 2.2 metres (7 feet) and a maximum width of 2.5 metres (8 feet).

Degree of difficulty *0–10 points*

the degree of difficulty involved in the creation of an entry will be assessed in the terms of individual artistic skill, the time needed and the ideational commitment.

Mastery of food/Performance *0–10 points*
it is assessed according to the material's professional use.

Artistic Arrangement/Creativity *0–10 points*
according to the principles of ethics and aesthetic the general impression should cause enthusiasm.

Advertising effects/Sales promotion *0–10 points*
in this connection it is important to produce and to realise own ideas with culinary material in a novel manner.

The novelty should be recognised spontaneously.

Total possible points. *40 points*

Half points will not be given.

Awards

for single exhibitors: Category A, B, C, D (diet), special competitions GV (Communal Feeding) and Alternative Food.

Each exhibitor can receive only one award for one and the same entry.

The exhibitors receive for each complete programme, which is presented on one day, certificates issued to the company/institution and to the name of the manufacturer. With a sufficient score, each of the manufacturer is able to receive the provided medal.

Points table for the medals

24–27	certificate
28–31	bronze medal with certificate
32–35	silver medal with certificate
36–39	gold medal with certificate
40	gold medal with distinction and certificate

For category D/1 and D/2

For each complete programme a cloverleaf and a certificate will be awarded to each manufacturer. The company/institution receives a corresponding certification.

Points table for the cloverleaf

24–27	certificate
28–31	bronze cloverleaf with certificate
32–35	silver cloverleaf with certificate
36–40	gold cloverleaf with certificate

You will receive information about place and time of the daily presentation ceremony with the confirmation of your registration.

Règlements du concours – Participants du concours

Pour les exposants individuels:

Catègorie A, B, C, D (régime), D/1, D/2, GV (restauration de collectivité), nourriture alternative

Chefs de cuisine, cuisiniers, cuisinières, pâtissiers et confiseurs de tous les secteurs ayant achevé un apprentissage ou une autre formation reconnue dans ces professions.

Chaque participant doit exposer le programme inscrit complètement dans la même journée.

Catégorie A – Art culinaire

- 1 plat de fête froid pour 8 personnes
- 6 complets hors d'œuvres differents, arrangés individuellement pour une personne chaque

Présentation *0–10 points*
appétissante, de bon goûte elegante, style moderne

Composition *0–10 points*
harmonie des couleurs et des saveurs, pratique, digestible

Preparation technique correcte *0–10 points*
preparation de base correcte, conforme à l'art culinaire moderne

Dressage des plats/service *0–10 points*
dressage net et propre, presentation exemplaire pour faciliter le service

Nombre totale de points possibles: *40 points*

Les demi-points ne sont pas admis.

Catégorie B – Art culinaire

- 1 plat de restaurant respectivement un mets pour 2 personnesé
  chaud mais exposé froid
- 1 menu (un mets régional) pour 1 personne, composé de 3 plats y compris un dessert,
  chaud mais exposé froid
- 1 gourmet menu pour 1 personne, compose de 5 plats y compris 1 dessert chaud mais exposé froid

Présentation

appetissante, de bon goûte elegante, style moderne

Composition *0–10 points*

equilibrée au point de vue nutritionnel en proportion correcte de vitamines, d'hydrates de charbon, de proteines, de graisses et de substances de lest, harmonie des couleurs et des saveurs, pratique, digestible

Preparation technique correcte *0–10 points*

preparation de base correcte, conforme à l'art culinaire moderne

Dressage des plats/service *0–10 points*

dressage net et propre, ne pas de garnitures artificielles, pas de garnissage, qui prenne beaucoup de temps, présentation exemplaires pour faciliter le service

Nombre totale de points possibles: *40 points*

Les demi-points ne sont pas admis.

Catégorie C – Pâtisserie

- 1 plat à dessert pour 6 personnes avec le choix de thèmes libre (mariage, anniversaire, etc.)
- 1 plat de biscuits ou pralinés ou petits fours ou fours au fromage ou friandises,
  5 sortes différentes pour 8 – 10 personnes avec une pièce de décoration,
- 4 desserts differénts, prépar és chauds ou froids, pour 1 personne, dresses individuels
  Toutes les piéces exposées doivent être faites des ingredients comestibles.

Présentation *0–10 points*

appétissante, de bon gout, elegante, style moderne

Composition *0–10 points*

harmonie des couleurs et des saveurs, pratique, digestible

Preparation technique correcte *0–10 points*

préparation de base correcte, conforme à la pâtisserie moderne

Dressage des plats/service *0–10 points*

dressage net et propre, disposition exemplaire pour faciliter le service

Nombre totale de points possibles: *40 points*

Les demi-points ne sont pas admis.

Catégorie D/1 cuisine artistique – cuisine froide (pièces d'exposition, surtouts de table, pièces de décoration)

Ne seront jugées que les pièces n'ayant pas déjàété exposées. Celles-ci devront etre composées d'ingrédients comestibles, cependant d'autres éléments pourront servir de support intérieur. Nous faisons remarquer que les exposés dans de vitrines fermées devront être accessibles au jury, sans quoi il ne pourrait proceder à l'attribution d'une note.

Les pièces ne doivent pas dépasser 2,2 mètres (sept pieds) de haut et 2,5 mètres (huit pieds) de large.

Les ingrédients suivants peuvent être utiliser essentiellement:
légumes, sel, beurre, pâte, fruits, glace, graisse, epices.

Degrée de difficulté *0–10 points*

La difficulté de realisation sera notée en fonction de l'habileté personnelle, du temps investi et de l'originalité

Maîtrise des materiaux/execution *0–10 points*

sera notée en fonction de la technique de réalisation professionnelle

Disposition artistique *0–10 points*

l'effet d'ensemble devra susciter de l'enthousiasme après les principes de l'éthique et de l'esthétique.

Effet de publicite/promotion des ventes *0–10 points*

Il faudra ici développer des idées personnelles d'une manière originale et de les concrétiser en utilisant des produits culinaires. Le nouvelle doit être ressorti immêdiatement.

Nombre totale de points possibles: *40 points*

Les demi-points ne sont pas admis.

Catégorie D/2 – Pâtisserie (pièces d'exposition, surtouts de table, pièces de décoration)

Les pièces d'exposition seront seulement évaluées, si elles n'avaient pas été exposées déjà et si elles sont composées des produits alimentaires. D'autres matériaux pourront cependant être utilisés comme support interieur.

Nous faisons remarquer aux exposants que les exposés dans des vitrines fermées devront être accessibles au jury, sans quoi il ne pourrait procéder à l'attribution d'une note.

Les ingrédients suivants peuvent être employés principalement:
sucre (techniques diverses), pâtes, croquant, gâteaux (p. ex. gâteau de noces), nougat, massepain, chocolat, peinture au cacao.

Les pièces ne doivent pas dépasser 2,2 mètres (sept pieds) de haut et 2,5 mètres (huit pieds) de large.

Dégrée de Difficulté *0–10 points*

La difficulté de réalisation sera notée en fonction de l'habiletté personnelle, du temps investi et de l'originalité.

Maîtrise des Matériaux/Execution *0–10 points*

elle sera notée en fonction de la technique de réalisation professionelle.

Disposition artistique *0–10 points*

l'effet d'ensemble devra susciter de l'enthousiasme après les principes de l'éthique et de l'esthétique.

Effet de Publicité/Promotion des Ventes *0–10 points*

il faudra ici développer des idées personnelles d'une manière originale et de les concrétiser en utilisant des matériaux culinaires.
La nouvelle doit être ressorti immédiatement.

Nombre totales de points possibles: *40 points*

Les demi-points ne sont pas admis.

Les exposés ayant déjà fait l'objet d'un autre concours ne pourront pas être notés une seconde fois.

Décoration

Pour exposants individuels: Catégorie A, B, C, D (régime), concours spéciaux GV/restauration de collectivité et de Nourriture Alternative.

Chaque exposant peut obtenir seulement une notation pour le même exposé.

Les exposants recevront pour chaque programme complet, présenté dans la même journée, des diplômes établis au nom de leur entreprise et à celui du réalisateur. Au nombre de points correspondante la médaille prévue sera distribuée au réalisateur.

Table de points pour des Médailles

24–27	diplôme
28–31	médaille de bronze et diplôme
32–35	médaille d'argent et diplôme
36–39	médaille d'or et diplôme
40	médaille d'or avec titre honorifique et diplôme

Pour Catégories D/1 et D/2

Pour chaque programme complet 1 trèfle et 1 diplôme seront conférés par participant, qui aura obtenu le nombre de points nécessaires. L'entreprise reçoit le diplôme correspondant.

Table de points pour des Médailles

24–27	diplôme
28–31	trèfle de bronze avec diplôme
32–35	trèfle d'argent avec diplôme
36–40	trèfle d'or avec diplôme

Le lieu et l'heure de la remise journalière des distinctions seront indiqués avec la confirmation d'inscription.

30 Nationalteams mit ihren Menüs
30 national teams and their menus
30 équipes nationales et leurs menus

S. Schaber

Messe Berlin
AroomA

Nationalteam Australien

Von links nach rechts:

Robert Docarmo
David Purslow
Jody Gentle
Bert Lozey (Teamchef)
Albert Stickney
Adrian Tobin

Weißfischfilet in Ingwer-Zitronengras-Kruste; Gemüse

Kalbsfilet und Wachtel; Zucchini, grüner Spargel, Karotten; Safran-Risotto-Kuchen

Kokosnuß- und Limonencreme, Ananasgelee; Mandelmakronen

Fillet of whitefish in ginger and lemon grass crust; Vegetables

Fillet of veal and quail; Courgettes, green asparagus, carrots; Baked saffron risotto

Coconut and lime cream; Pineapple jelly; Almond macaroons

Poisson blanc en croûte de gingembre et mélisse; Légumes

Filet de veau et caille; Courgettes, asperges vertes, carottes; Gâteau de risotto au safran

Crème de coco et à la limette; Gelée d'ananas; Macaron aux amandes

Von links nach rechts:

Shi Delong
Wang Yueming
Sun Zhijun
Li Yaoyun (Teamchef)
Jiang Jiefu
Ma Yujin

Gebratene Garnelen; Luftgetrocknete Entenbrust

Geräucherter Lachs; Süß-saures Schweinefleisch; Grüner Spargel; Reisklößchen

Süßer chinesischer Kuchen

Fried prawns; Air-dried breast of duck

Smoked salmon; Sweet and sour pork; Green asparagus; Rice dumplings

Sweet Chinese cake

Crevettes rôties; Magret de canard

Viande de porc aigre-douce; Séché saumon fumé; Asperge verte; Boulettes de riz

Gâteau chinois sucré

Nationalteam Deutschland

Von links nach rechts:

August Guter
Klaus Huber
Rüdiger Schindler (sitzend)
Konrad Bösl (Teammanager)
Karlheinz Haase (Team Kapitän)
Henning Gödecke

Zanderterrine und Seezungenschleifchen; Krebssauce

Kaninchenrücken „altdeutsche Art“; Rahmwirsing; Pfifferlingskuchen

Berliner Revue

Terrine of pike-perch and paupiettes of sole; Prawn sauce

"Traditional German" saddle of rabbit; Creamed savoy cabbage; Chanterelle rissoles

Berlin revue

Terrine de sandre et rosettes de soles; Sauce aux crabe

Râble de lapin «Allemagne ancienne»; Chou frisé à la crème; Gâteau de girolles

Revue berlinoise

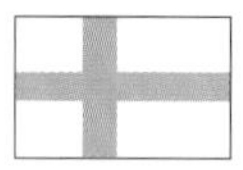

Von links nach rechts:

Harri Lindstedt
Jouni Kanninen
Tapio Laine
Juha Niemiö (Teamchef)
Jorma Haranen
Juha Pokka

Maränenmousse; Geröstete Maräne in Krebssauce

Hirschkarree und Hirschfilet in Pilzen; Gemüse; Gebackene Kräuterkartoffeln

Birnen- und weißes Schokoladenmousse; Birnensauce

Whitefish mousse; Roast whitefish in prawn sauce

Loin of venison and fillet of venison with mushrooms; Vegetables; Baked herb potatoes

Pear and white chocolate mousse; Pear sauce

Mousse de marène; Marène grillée à la sauce au crabe

Carré de cerf et filet de cerf aux champignons; Légumes; Pommes de terre aux fines herbes cuites au four

Mousse au chocolat blanc et aux poire; Coulis de poires

Nationalteam United Kingdom

Von links nach rechts:

Graham Buchan
Tony Jackson
Thomas McConnell
William Deans
Bruce R. Sangster (Teamchef)
William Gibb
William Pike

Lachs und Hummer in Korianderteig

Rehfilet im Auchiltabui-Mantel; Scotch-Broth-Parfait; Rote Linsen

Orangen- und Wildbeerenmousse mit Dundee-Marmelade

Salmon and lobster in coriander crust

Fillet of venison Auchiltabuie; Scotch broth parfait; Red lentils

Orange and wild berry mousse with Dundee marmalade

Saumon et homard en pâte à la coriandre

Filet de chevreuil en chemise d'Auchiltabui; Parfait au Scotch-Broth; Lentilles rouge

Mousse d'orange et de fruits sauvages à la marmelade de Dundee

Nationalteam Hongkong

Von links nach rechts:

Matthias Schuebel
Kelvin Kiang
Andy Chow
Perry Yuen (Teamchef)
Eric Shum
Ivan Man

Variationen von Garnelen und St.-Jakobs-Muscheln „Wanton"

Gebratenes Spanferkel; Lauch und Pilze; Fritierte Tarowurzel und Gemüse

Kalamansi und Honig-Bayrisch-Creme; Gebackene Bananen; Fruchtsalat

Variations of prawns and scallops "Wanton"

Fried suckling pig; Leeks and mushrooms; Deep-fried taro roots and vegetables

Kalamansi and honey bavaroise; Banana fritters; Fruit salad

Variations de crevettes et coquilles Saint-Jacques «Wanton»

Cochon de lait rôti au poireau et aux champignons chinois; Racine de taro frite et légumes

Bavaroise au kalamansi et au miel; Bananes cuites; Salade de fruits

Nationalteam Irland

Von links nach rechts:

George Smith
Adrian Spelman
Brendan O'Neill (Teamchef)
Derek Dunne
John Kelly
Eric Groyer

Seebarsch; Krustentier-Würstchen; Hummer-Öl-Dressing

Kalbsfilet;
Geschmortes Gemüse;
Risotto mit Waldpilzen

Komposition aus Schokoladen- und Maronencreme

Sea bass; shellfish sausages; Lobster and oil dressing

Fillet of veal; Braised vegetables; Risotto with wild mushrooms

Composition of chocolate and creamed chestnuts

Bar; Petites saucisses de crustacés; Sauce à l'huile et au homard

Filet de veau; Légumes braisés; Risotto aux champignons des bois

Composition de chocolat et crème de marrons

Von links nach rechts:

Sturla Birgisson
Snaebjörn Kristjánsson
Gudmundur Gudmundsson
Örn Gardarsson (Teamchef)
Fridrik Sigurdsson
Ragnar Wessman

Nordatlantischer Fisch in klarer Tomatenbrühe

Lammbraten mit leichter Meaux-Senf-Sauce „au jus"

Chartreusemousse und Schokoladenmousse in Biskuit

North Atlantic fish in clear tomato consommé

Roast lamb with light Meaux mustard sauce "au jus"

Chartreuse mousse and chocolate mousse in a sponge case

Poisson de l'Atlantique-Nord au bouillon de tomates

Rôti d'agneau à la sauce légère moutarde de Meaux «au jus»

Mousse à la Chartreuse et mousse au chocolat en biscuit

Nationalteam Israel

Von links nach rechts:

Gerardo Colaleo
Michaeli Aharon
Shasha Haron
Fadida Eli
Oved Shoti (Teamchef)
Ben-Shitrit Natan
Viton Benikon

Lachsforelle und Barsch;
Spargel und Spinat

Entenbrust „Haifa"
mit Sesamkruste; Gemüse;
Jerusalem-Kigel

Mandel-Honig-Timbale;
Erdbeeren

Salmon trout and perch;
asparagus, and spinach

Breast of duck "Haifa"
with sesame crust;
Vegetables; Jerusalem kigel

Almond & honey timbale;
Strawberries

Truite saumonnée et perche;
Asperges et épinards

Magret de canard «Haifa»
en croûte de sésame;
Légumes; Jérusalem Kigel

Timbale aux amandes
et au miel; Fraises

Von links nach rechts:

Luca Verdolini
Fabio Tacchella
Rossano Boscolo (Teamchef)
Fabio Momolo
Sergio Mei
Stefano Laghi

Nudeltasche mit Gemüse und Krebsen; Pesto

Kalbskotelett mit Gänseleber und schwarze Trüffel; Gemüse-Kartoffel-Garnierung

Halbgefrorenes; Weißes Schokoladenmousse; Vanillesauce

Pasta envelope with vegetable and crabs; Pesto

Veal cutlet; Goose liver and black truffles; Vegetable and potato garnish

Italian sorbet; White chocolate mousse; Custard

Chausson en pâte à nouilles de légumes et de crustacés; Pesto

Côtelette de veau; Foie d'oie et truffe noire; Garniture de légumes et de pommes de terre

Semi-glacée; Mousse au chocolat blanc; Crème à la vanille

Nationalteam Japan

Von links nach rechts:

Kenji Kodama
Manabu Maekawa
Minoru Nakamura
Nasaji Kose (Teamchef)
Toru Kamiji
Yoshikazu Minami

Gebackene Garnelen, Tintenfisch und Schnecken; Mariniertes Gemüse, warme Mayonnaise

Gefüllte Wachtel mit Gemüse und Früchten; Fu-Gratin

Maronenmousse in Biskuit; Früchte der Saison

Fried prawns, calamares, and snails; Marinated vegetables, warm mayonnaise

Stuffed quail with vegetables and fruit; Fu Gratin

Chestnut mousse in a sponge case; Fruits of the season

Crevettes frites, seiche et escargots; Légumes marinés, mayonnaise chaude

Caille farcie de légumes et fruits; Gratin Fu

Mousse de marrons en biscuit; Fruits de saison

Nationalteam Kanada

Von links nach rechts:

Michael Noble
Jean-Michel Poncet
Jacques Chauvet
George McNeill (Teamchef)
Timothy Appleton
Bernhard Weber

Pochierter Hummer, Würstchen von St.-Jakobs-Muscheln; Kerbelbuttersauce

Moschusochse „Nordwest-Territorium"; Pilze, Preiselbeeren und Kräuter; Kürbissauce; Gemüse; Kräuterbrioche

Schokoladencreme

Poached lobster, sausage of scallops; Chervil and butter sauce

Musk ox "North West Territories"; Mushrooms, cranberries and herbs; Pumpkin sauce; Vegetables; Herb brioche

Chocolate cream

Homard poché, saucisse de coquille Saint-Jacques; Beurre blanc au cerfeuil

Bœuf musqué; Champignons, airelles et fines herbes; Sauce au potiron; Légumes; Brioche aux fines herbes

Crème au chocolat

Nationalteam Luxemburg

Von links nach rechts:

Ronald Streumer
Patrick Kops
Carlo Sauber (Teamchef)
Alain Pfeiffer
André Flammang
Jeff Oberweis

Fischragout
von Süßwasserfischen

Ente und Perlhuhn;
Orangensauce; Feine Gemüse;
Kartoffelspezialität

Spezialität aus Perche:
Apfelsorbet mit Calvados;
Cassismousse

Fish ragout of freshwater fish

Duck and guinea fowl;
Orange sauce; Fine
vegetables; Potato speciality

Perche speciality: Apple sorbet
with Calvados; Cassis mousse

Ragoût de poissons d'eau
douce

Canard et pintade; Sauce
à l'orange; Légumes fins;
Spécialité de pommes de terre

Specialité de Perche:
Sorbet de pommes
au calvados; Mousse de cassis

Von links nach rechts:

Sjaak Jobse
Peter Bakker
Wynand Vogel (Teamchef)
Ad Klaassen
Johann Garliet
Harry Moerenburg

Gefülltes Kotelett von der Fasanenbrust

Kalbsrücken und Rinderrücken; Madeira-Sauce; Gemüse- und Kartoffelauswahl

Apfeldessert mit Candy-Eis; Karamel- und Vanillesauce

Stuffed breast of pheasant cutlet

Saddle of veal and saddle of beef; Madeira sauce; Selection of vegetables and potatoes

Apple dessert with candy ice cream; caramel and vanilla sauce

Côtelette de suprême de faisan farcie

Filet de veau et de bœuf; Sauce Madère; Assortiment de légumes et pommes de terre

Dessert de pommes à la glace candy; Crème caramel et vanille

Nationalteam Norwegen

Von links nach rechts:

Lars Lian
Odd Ivar Solvold
Harald Osa (Teamchef)
Jorn Lie
Trond Moi
Frank Baer

Variationen von Heilbutt und norwegischem Hummer

Gebratenes Kalbsfilet mit Kräutern; Steinpilzsauce

Karamel- und Schokoladenmousse

Variations of halibut and Norway lobster

Fried fillet of veal with herbs; Cep sauce

Caramel and chocolate mousse

Variations de flétan et homard norvégien

Filet de veau rôti aux fines herbes; Sauce aux cèpes

Mousse au caramel et au chocolat

Portugal

Finland

WACS

Messe Berlin
ArоomA

Nationalteam Österreich

Von links nach rechts:

Hermann Stöger
Johannes Wieser
Renate Cervenka
Andreas Purin (Teamchef)
Leopold Forsthofer
Santro Ladinig

Auswahl von Süßwasserfischen; Paprika-Safran-Sauce

Rehrücken und Kalbsfilet im Körnermantel; Kohlgemüse, Kartoffel-Sellerie-Püree

Knödel in Mandelkrokant auf Holunder; Birneneisparfait

Selection of fresh-water fish; Paprika and saffron sauce

Saddle of venison and fillet of veal in a wholemeal crust; Cabbage; Potato and celeriac purée

Dumplings in almond cracknel with elderberry; Pear parfait

Assortiment de poissons; Sauce safran et paprika

Selle de chevreuil et filet de veau en chemise de graines; Chou, purée de céleri et pommes de terre

Boulettes aux amandes sur sureau; Parfait à la poire

Nationalteam Portugal

Von links nach rechts:

Carlos Valente
Antonio Boia
Eddy Melo (Teamchef)
Carlo Frascolla
Paulo Jorge Pinto
Anabela Gonsalves

Steinbuttroulade mit Pfeffercremesauce

Hirschrückenfilet mit Gänseleber; Galettekartoffeln; Pilzen; Rosenkohl und Zimtsauce

Walnuß- und Orangenmousse auf Brombeersauce

Roulade of turbot with pepper and cream sauce

Fillet of venison with goose liver; Galette potatoes; Mushrooms; Brussels sprouts and cinnamon sauce

Walnut and orange mousse on blackberry

Paupiette de turbot à la sauce crème au poivre

Filet de selle de chevreuil au foie d'oie; Galettes de pommes de terre; Champignons; Choux de Bruxelles et sauce cannelle

Mousse à la noix et à l'orange sur coulis de mûres

Von links nach rechts:

Egizio Negescu
Stelian Angelescú
Viorel Ciociu
Nicolae Urs (Teamchef)
Stefan Bercea
Dumitru Burtea

Gefüllte Putenbrust mit Meerrettichsauce

Schweinefilet Surprise; Schweinefleisch im Wirsingkohl; Sauce aus Waldpilzen

Reis mit Pflaumen; Traditionelle rumänische Quarkspezialität

Stuffed breast of turkey with horseradish sauce

Fillet of pork surprise; Pork in savoy cabbage; Wild mushroom sauce

Rice with prunes; Traditional Romanian curd cheese speciality

Suprême de dinde farci à la sauce raifort

Filet de porc surprise; Viande de porc en chou frisé; Sauce aux champignons des bois

Riz aux prunes; Spécialité traditionnelle roumaine à base de fromage blanc

Nationalteam Rußland

Von links nach rechts:

Nikolai Burobin
Juri Popow
Larissa Abalichina
Eugeny Malutin (Teamchef)
Tamara Scharowa
Igor Wojewodkin

Zander, Sauce nach Art des Kremls

Moskauer Hühnerfilet mit Äpfeln

Sahneschichtcreme „Rußland"

Pike-perch, sauce à la Kremlin

Fillet of chicken Muscovite with apples

Trifle "Russia"

Sandre, Sauce Kremlin

Filet moscovite de poule aux pommes

Crème «Russie»

Von links nach rechts:

Hakan Thörnström
Mathias Dahlgren
Laurent Tassel
Melker Andersson (Teamchef)
Torsten Kjörling
Stefan Karlsson

Frikassee von Hummer und St.-Jakobs-Muscheln; Currysauce; Kräuternudeln

Rehfilet; Lingonbeersauce; Gefülltes Kohlköpfchen; Waldpilze; Schwed. Kartoffelpüree

Joghurtcreme, Kirschkompott

Fricassee of lobster and scallops; Curry sauce; Herb pasta

Fillet of venison; Lingonberry sauce; Stuffed baby cabbages; Wild mushrooms; Swedish potato purée

Yogurt cream, cherry compote

Fricassée de homard et coquilles Saint-Jacques; Sauce curry; Nouilles aux fines herbes

Filet de chevreuil; Sauce de baie Lingon; Petits choux farcis; Champignons des bois, purée suédoise de pommes de terre

Yogourt; Compote de cerises

Von links nach rechts:

Franz Jonke
Gerhard Schneider
Urs Regli
Rolf Büchli (Teamchef)
Felix Eppisser
René Frei

Forellen-Trianon „Grischuna"

Kalbfleischroulade; Lammrückenfilet; Portweinsauce und Quittenchutney; Kartoffel-Pilz-Kreation; Roter und gelber Kürbis mit Zucchini

Amarettischaum mit Eis-Marquise; Johannisbeerkrapfen

Trout Trianon "Grischuna"

Veal olive; Fillet of lamb; Port wine sauce and quince chutney; Potato and mushroom creation; Pumpkin with courgettes

Amaretti whip with ice-cream marquise;
Blackcurrant doughnut

Truites Trianon «Grischuna»

Paupiettes de veau; Filet d'agneau; Sauce au Porto et chutney de coing; Création de champignons et pommes de terre; Potiron aux courgettes

Mousse d'Amaretti; Glacée; Beignets de groseilles

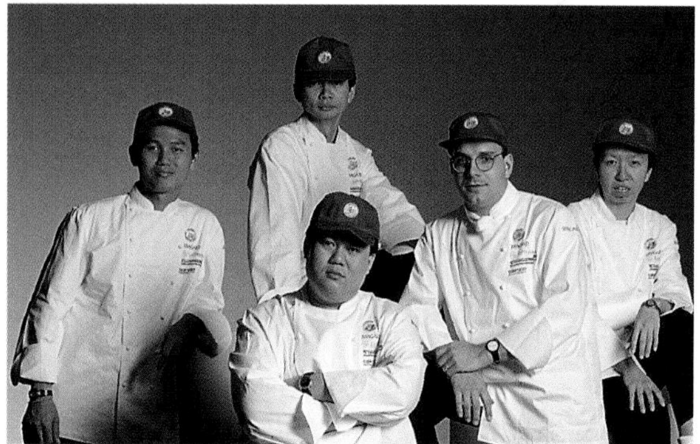

Von links nach rechts:

Martin Aw Yong
Jack Aw Yong (Teamchef)
Randy Chow
Roger Nagler
Jasmine Ng

Kabeljaufilet mit Paprika; Lauch; Kartoffelsalat mit Speck

Kalbsfilet; Rotweinsauce mit Frühlingszwiebeln; Gemüseterrine; Polenta

Schokoladenmousse mit Zwergorangen und Ingwerkompott

Fillet of cod with peppers; Leeks; Potato salad with bacon

Fillet of veal; Red wine sauce with spring onions; Vegetable terrine; Polenta

Chocolate mousse with mini-oranges and ginger compote

Filet de cabillaud au poivron; Poireau; Salade de pommes de terre au lard

Filet de veau; Sauce vin rouge aux oignons printaniers; Terrine de légumes; Polenta

Mousse au chocolat à l'orange naines et compote de gingembre

Nationalteam Slowenien

Von links nach rechts:

Franko Brecelj
Branko Casar
Alenka Kodele
Aleksander Stergar (Teamchef)
Miha Ursic
Slavko Adamlje

Hühnerfrikassee mit Estragon im Pastetchen

Hirschmedaillon; Rotweinsauce; Buchweizen-Frischkäse-Strudel

Geschichtetes Schokoladenmousse; Beerensauce

Chicken fricassee with tarragon in vol-au-vents

Medallions of venison; Red wine sauce; Buckwheat and curd strudel

Layered chocolate mousse; Berry sauce

Bouchée garnie de fricassée de volaille à l'estragon

Médaillon de cerf; Sauce au vin rouge; Strudel de sarrasin au fromage frais

Mousse au chocolat en couches; Coulis de fruits rouges

Nationalteam Südafrika

Von links nach rechts:

Bruce Burns
Andre Kropp
Gerard van Staden
Garth Stroebel (Teamchef)
Robert Leach
George Bopape

Crayfish-Schwänze; Reis; Hummer- und Kokosnußsauce, Tomatensambal

Seegras-Papadams; Impalafilet mit Wildbeerenjus; Panzarotti; Gemüse

Orangencreme;Ingwereiscreme; heiße Meringe; Früchtegratin

Crayfish tails; Rice; Lobster and coconut sauce; Tomato sambal

Sea grass poppadums; Fillet of impala with wild berry sauce; Panzarotti; Vegetables

Orange cream; Ginger ice-cream; Hot meringue; Fruit gratin

Queues d'écrevisses rôties; Riz; Sauce au homard et à la noix de coco; Sambal de tomates

Zostère Poppadum; Filet d'impala au jus de fruits des bois; Panzarotti; Légumes

Crème à l'orange, Gingembre glacée; Meringue; Fruits grat.

Nationalteam Südkorea

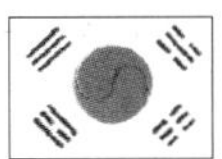

Von links nach rechts:

Oh Suk-Tae
Kim Sung-Hyun
Seo Sang-Ho
Lee Min
Hong Gap-Jin (Teamchef)
Park Byung-Hwan
Han Sang–Oh

Fisch mit Bohnensprossen

Gefülltes Schweinerückenfilet mit Wildpilzen; Rotweinschalotten; Feigenkompott; Couscous

Maronen-Vermicelli im Baiser; Kirschsauce

Fish with beansprouts

Stuffed fillet of pork with wild mushrooms; Shallots in red wine; Fig compote; Couscous;

Chestnut vermicelli in meringue; Cherry sauce

Poisson aux pousses de haricots

Filet de porc rôti farci de champignons sauvages; Échalottes au vin rouge; Compote de figues; Couscous;

Meringue garnie de vermicelles de marrons; Coulis de cerises

Von links nach rechts:

Vicharn Srisuthum
Suparb Wichaikul
Atiporn Khiewsomboon
Carsten Schmidt (Teamchef)
Jumnong Nirungsawan
Pongtawat Charaeankittichai

Salat von Seeteufelbacken in einem Ring aus Rato-Wurzeln, marinierte Bohnen

Ossobuco vom Truthahn; Paprikaschoten; Kartoffelwaffeln

Pfirsichparfait mit Pfirsichsabayon und Kiwi-Himbeer-Sauce

Salad of monkfish cheeks in a ring of rato roots, marinated beans

Osso buco of turkey; Mixed peppers; Potato waffles

Peach parfait with peach sabayon and kiwi and raspberry sauce

Salade de joues de lottes dans un anneau de racines de rato, haricots marinés

Ossobuco de dinde; Poivrons; Gaufres de pommes de terre

Parfait à la pêcheau sabayon de pêche et coulis de framboises et kiwis

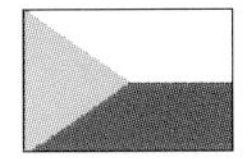

Nationalteam Tschechische Republik

Von links nach rechts:

Milan Zrucky
Ladislav Stuparic
Václav Smerda
Milan Sahanek (Teamchef)
Jirí Pospíšsil
Jan Pycha

Warme Fischpastete und Limettensauce; Vinaigrette aus Granatäpfeln

Hirschfilet und Fasanenbrust; Grüne Bohnen; Walnüsse; Weintrauben; Kartoffelauflauf

Mousse au chocolat „Tag und Nacht"; Nugatsauce

Hot fish pie with lime sauce; Vinaigrette of pomegranate

Fillet of venison and breast of pheasant; Green beans; Walnuts; Grapes; Potato gratin

Mousse au chocolat "Day and Night"; Nougat sauce

Pâté de poisson chaud et sauce limette; Vinaigrette de grenades

Filet de cerf et suprême de faisan; Haricots verts; Noix; Raisins; Soufflé de pommes de terre

Mousse au chocolat «Jour et Nuit»; Sauce pralinée

Von links nach rechts:

Károly Varga
Sándor Kovács
Rudolf Mátyás (Teamchef)
Zsuzsa Kissnè, Zombori
György Horváth
Miklós Várhelyi

Hechtbarschrollen mit Lachsforelle

Paprikakrebs; Gemüse; Lammfilet; Lammkotelett mit Bohnen; Rosmarinsauce; Maiskuchen mit Weißkohl

Kastanienschaum; Waldfrüchte; Rosenpfannkuchen mit Nüssen

Paupiettes of pike-perch with salmon trout

Paprika crab; Vegetables; Fillet of lamb; Lamb chop with beans; Rosemary sauce; Tortilla with cabbage

Puréed chestnuts; Fruits of the forest; Rose pancake with nuts

Paupiettes de perche à la truite

Écrevisses au paprika; Légumes; Filet et Côtelette d'agneau grillée; Haricots; Sauce au romarin; Gâteau de maïs au chou

Mousse de châtaigne; Fruits de la forêt; Crêpe à la rose aux noix

Nationalteam USA

Von links nach rechts:

Christian Clayton
Lawrence McFadden
Bill Wolf
Keith Cuoghenour (Teamchef)
Daniel Dumont
Keith Keogh

Taube und Wildhuhn in der Brühe

Gebratenes amerikanisches Büffelfleisch

Creme von Beeren aus dem Mittleren Westen

Pigeon and wild fowl in consommé

Roast American buffalo meat

Creamed berries from the Midwest

Bouillon de pigeon et de poule sauvage

Viande rôtie de buffle d'Amérique

Crème de fruits rouges du Midwest

Nationalteam Aserbaidschan

Von links nach rechts:

Ilham Ugurliyev
Takhir Amiraslanov
Agamirza Gousseinov
Oktai Djafarov
Chirzad Gousseinov

Wir bedauern sehr, daß eine Menüaufnahme nicht vorliegt.
We are sorry we are not able to present a photograph of the menu.
Malheureusement nous ne pouvrons pas présenter une photo du menu.

Hähnchen
mit Zwiebel-Nuß-Füllung

Junges Gemüse;
(Cüce Levengisi)
Rindfleischpilaw
(Pov Reerschu Sovurma)

Quittendessert

Chicken with onion
and nut stuffing

Young vegetables
(Cüce Levengisi); Beef pilau
(Pov Reerschu Sovurma)

Quince dessert

Poulet farci de noix
et d'oignons

Légumes primeur (Cüce
Levengisi); Pilaf de bœuf
(Pov Reerschu Sovurma)

Dessert de coings

Berlin

36

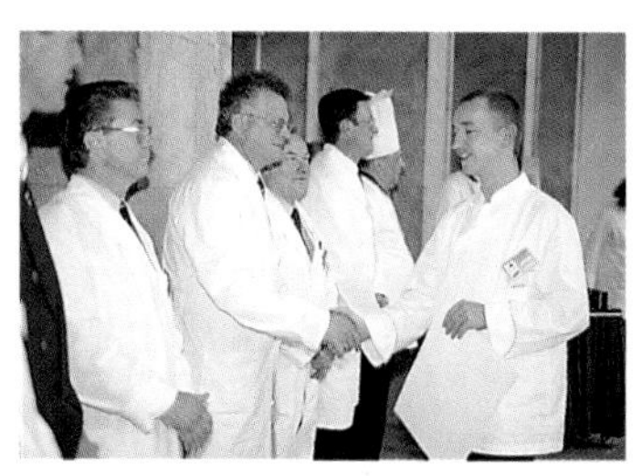

IKA / Olympiade der Köche
Internationale Kochkunstausstellung
Plattenschau
Nationalmannschaften/national teams
Einzelaussteller/individual exhibitors

Medaillen- und Bewertungsspiegel der 30 Nationalmannschaften

Land	*Kategorie A*	*Kategorie B*	*Kategorie C*	*Kategorie R*	*Gesamtpunktzahl*
Aserbaidschan	keine Bewertung	keine Bewertung	keine Bewertung	keine Bewertung	0
Australien	Gold (109,28)	Gold (108,43)	Gold (109,8)	Silber (208,8)	536,31
China	Bronze (85,42)	Diplom (79,7)	Bronze (85,8)	Bronze (173,28)	424,2
Deutschland	Silber (104,14)	Silber (101,57)	Bronze (91)	Silber (200,29)	497
Finnland	Diplom (79,14)	Bronze (86,28)	Bronze (85,6)	Silber (197,14)	448,16
United Kingdom	Bronze (88,28)	Bronze (89,28)	Bronze (91,6)	Gold (216,14)	485,3
Hongkong	Gold (108)	Silber (100,43)	Gold (116)	Gold (221,74)	546,17
Irland	Bronze (91,43)	Bronze (85,29)	Diplom (79)	Bronze (189,7)	445,42
Island	Bronze (85,4)	Bronze (84,71)	Diplom (80,6)	Silber (199,28)	449,99
Israel	Bronze (84)	Diplom (80,71)	Diplom (80,6)	Bronze (177,85)	423,16
Italien	Silber (96,43)	Silber (104,57)	Bronze (91,2)	Silber (213)	505,2
Japan	Silber (96)	Silber (97,1)	Bronze (87,8)	Silber (209,8)	490,7
Kanada	Gold (108,57)	Gold (108,14)	Bronze (89,4)	Gold (221,57)	527,97
Luxemburg	Silber (95,43)	Silber (96,7)	Bronze (87)	Bronze (189,57)	468,7
Niederlande	Bronze (90,57)	Bronze (89,29)	Bronze (93)	Bronze (187,57)	460,43

Land	*Kategorie A*	*Kategorie B*	*Kategorie C*	*Kategorie R*	*Gesamtpunktzahl*
Norwegen	Gold (108)	Silber (103,28)	Gold (112)	Gold (223,29)	546,57
Österreich	Silber (105)	Gold (108)	Silber (97,2)	Silber (197)	507,2
Portugal	Bronze (84,29)	Bronze (84,71)	Diplom (82,4)	Bronze (175,85)	427,25
Rumänien	Bronze (85,14)	Diplom (77,57)	Diplom (73,6)	Diplom (160)	396,31
Rußland	Diplom (72)	Diplom (72)	Diplom (72)	Diplom (143)	359
Schweden	Silber (98,28)	Silber (99,57)	Bronze (91,8)	Gold (219,71)	509,36
Schweiz	Gold (108,7)	Gold (108,7)	Gold (113,2)	Gold (223,8)	554,4
Singapur	Silber (96,57)	Silber (96,5)	Silber (104)	Silber (214,71)	511,78
Slowenien	Diplom (77,86)	Diplom (74)	Diplom (78,6)	Diplom (156,57)	387,03
Südafrika	Silber (98,57)	Bronze (89,1)	Diplom (78)	Silber (191,57)	457,24
Südkorea	Silber (97,29)	Bronze (89,29)	Diplom (78,4)	Bronze (189)	453,98
Thailand	Silber (96,57)	Bronze (93,57)	Bronze (90)	Diplom (166)	446,17
Tschechische Republik	Silber (96)	Bronze (89,57)	Diplom (72,4)	Bronze (177,42)	435,39
Ungarn	Bronze (91,85)	Bronze (89,57)	Diplom (81,8)	Bronze (179,86)	443,08
USA	Gold (108,29)	Silber (104,85)	Gold (108)	Silber (207,57)	528,71

üche 3
Dobler Pokal 1996

PALUX

RÖ

Dobler Pokal 1996
DEUTSCHLAND
GERMANY
Küche 2

PALUX
Küche 3
Josef Dobler Pokal 1996
Club der Köche Düsseldorf e.V.
Verein der Köche Krefeld e.V.
Club der Köche Essen e.V.
LUXEMBURG
LUXEMBOURG
Küche 2
RÖSLE

15 Jugendnationalteams mit ihren Menüs
15 national youth teams and their menus
15 équipes nationales de jeunes et leurs menus

Jugendnationalteam Australien a

Von links nach rechts:

Russell Cottee
Tanya Harrison
Toni Freemann
Tanya Guihot
John Olowicz
Cathy Mc Manus
Jane Hunt

Jugendnationalteam Portugal b

Von links nach rechts:

Luis Canastra
Celso Dias
Rui Valente
Isabel Martins
Carlos Madeira
António Equeira (Betreuer)
Bruno Pereira

Jugendnationalteam Deutschland B c

Von links nach rechts:

Uwe Werner
Jan-Göran Barth
Michaela Langen
Holger Hofmann
Frank Schreiber

Bunyanuß-geräucherter Illabo-Lammrücken, belegt mit Warrigal-Spinat und Shiitake-Pilzen auf einem Spiegel von Lammjus

Gebratener Seeteufel, mit Haselnüssen gefüllt, auf einer Sauce von grünem Wein mit Beilage

Rosa gebratene Entenbrust im Mangoblatt an Thymianjus mit gefülltem Apfel und Kartoffelroulade

Saddle of Illabo lamb smoked over bunya nuts; Coated with warrigal spinach and shiitake mushrooms and surrounded by lamb gracy

Fried monkfish with hazelnut stuffing, green wine sauce and side dishes

Rare breast of duck wrapped in mangold with thyme juice with stuffed apple and potato roulade

Noix de Bunya, selle d'agneau Ilabo fumé; Garni d'épinards Warrigal et de champignons shiitake, sur miroir de jus d'agneau

Lotte rôti farcie de noisettes sur sauce au vin vert; Garniture

Magret de canard rosé; Feuille de bette sur jus de thym; Pomme farcie et roulade de pomme de terre

Jugendnationalteam Aserbeidschan a

Von links nach rechts:

Chanum Zulfugarova
Samira Rzaeva
Takhir Amiraslanov
Vefa Yunusova
Irada Micael-zade

Jugendnationalteam Tschechische Republik b

Von links nach rechts:

Martin Slezák
Václav Smerda
Miroslav Kubec (Betreuer)
Markéta Chmelová
Pavel Peterka
Ladislav Douea

Jugendnationalteam USA c

Von links nach rechts:

Jason Jozokos
Lon Symensma
Tim Travis
Christian Freeman
Bradley Owens

Fischspezialität „Dolma"
mit gefüllten Teigtaschen

Rosa gebackene Rehröllchen und Terrine vom Hauskaninchen mit Sauce von Staudensellerie und schwarzen Johannisbeeren; Ragout aus Waldpilzen mit Preiselbeeren und Topinambur, mit Mangold überbacken

Kalbshaxe nach kalifornischer Art mit Blackstone-Reispilaw, Zucchinipfannkuchen; Jalapena-Maisbrot und Fruchtsalsa

Fish speciality "Dolma"
with stuffed pasties

Rare roast venison rolls and terrine of rabbit with celery and blackcurrant sauces; Wild berry ragout with cranberries and Jerusalem artichokes; Topped with mangold

Californian knuckle of veal with Blackstone rice pilau, courgette pancakes; Jalapena corn bread and fruit salsa

Spécialités de poisson
«Dolma» et chaussons farcis

Paupiette de chevreuil rosée et terrine de lapin aux sauces de céleri en branches et cassis; Ragoût de champignons des bois aux airelles et topinambours gratiné aux bettes

Jarret de veau à la californienne au pilaf de riz Blackstone; Crêpes de courgettes; Pain de maïs jalapena et salsa de fruits

Jugendnationalteam Dänemark a

Von links nach rechts:

Nikolaj K. A. Ibsen
René Feldfoss Kania
Kasper Jorgensen
Paulo B. Guimaraes
Flemming Poss
Tom M. Nielsen
Martin Fich

Jugendnationalteam Irland b

ohne Bild

Meram Chadwick
Gavin Donagh
Mark Hagan
John Morton
Brian Kenny
Barry Hayden

Jugendnationalteam Schweiz c

Von links nach rechts:

Coni Etzweiler
Annatina Stuppan
Ueli Knobel
Christian Freidig
Verena Anderegg

Perle der Ostsee: Lachs, mit pochierten Austern und Seetang gefüllt, Kerbelfarce und Sellerieschuppen, im Ofen gebacken; Austern-Petersilien-Sauce; Teigkissen mit roter Bete; In Butter sautiertem Blattspinat; Lasagne aus Tomaten und Pastinaken

Kalbstournedos mit Speckmantel und Ziegenkäsekruste auf einem Bett von Colcannon-Kartoffeln, garniert mit buntem Gemüsen, serviert mit Shiitake-Pilz-Sauce

Perlhuhnbrüstchen mit Pilzfüllung auf Linsen; Veltiner Rotweinsauce; Windbeutel mit Sesam und Karottenpüree mit Gemüse

Pearl of the Baltic: Salmon stuffed with poached oysters and seaweed; Chervil stuffing and celeriac scales, ovenbaked; Oyster and parsley sauce; Pasta squares with beetroot; Spinach sautéed in butter; Lasagne of tomatoes and parsnips

Veal tournedos wrapped in bacon and goat's cheese on a bed of Colcannon potatoes, garnished with mixed vegetables and served with shiitake mushroom sauce

Breast of guinea fowl with mushroom stuffing and lentils; Veltin red wine sauce; Eclairs with sesame and carrot purée with vegetables

Perle de la Baltique: Saumon farci d'huîtres pochées et de fucus; Farce de cerfeuil et écailles de céleri cuites au four; Sauce persil aux huîtres, coussin en pâte aux betteraves rouges; Épinards en branches sautés au beurre; Lasagne de tomates et panais

Tournedos de veau en chemise de lard et croûte de fromage de chèvre sur lit de pommes de terre de Colcannon, garni de légumes multico lores, servi à la sauce aux champignons shiitake

Suprême de pintade farci de champignons sur lentilles; Sauce de Veltin; Chou au sésame, purée de carottes, légumes

Jugendnationalteam Deutschland a

Von links nach rechts:

Jörg Meiner
Bernd Kaiser
Uwe Werner
Gorden Peter
Bernhard Munding
Frank Schreiber

Jugendnationalteam Großbritannien b

Das gesamte Team:

Noel Edmunds
Paul Jervis
Marc Slater
Jane Shrimpton
Kenneth Fraser (Coach)
Claire Frances Lee

Jugendnationalteam Schweden c

Das gesamte Team:

Sven-Ake Larsson
Mathias Pilblac
Per Nilsson
Krister Dahl
Mikael Ekermo
Mikael Jokinen

Gefüllte Wachtel mit Semmelcroûtons und Wildschinken auf Linsen in Rahm; Teltower Gemüse

Woodland-Hähnchen; Mit Kräutern gewürzte Geflügelwürstchen, serviert auf einem Blatt und Pilzcroûton, garniert mit tournierten Gemüsen und Senfsauce

Zanderfilet vom Rost; Kartoffelpüree mit schwedischem Västerbotten-Käse, sautierten Gemüsen und Linsen; Basilikumsauce

Stuffed quail with bread croûtons and venison ham and lentils in cream; Vegetables à la Teltow

Woodland chicken; Sausages seasoned with herbs served on a leaf and mushroom croûton; Garnished with shaped vegetables and mustard sauce

Grilled fillet of pike-perch; Potato puree with Swedish Västerbotten cheese, sautéed vegetables and lentils; Basil sauce

Caille farcie de croûtons de petits pains et jambon de gibier sur lentilles à la crème; Légumes de Teltow

Poulet de Woodland; Petites saucisses de volaille assaisonnées aux fines herbes; Servis sur une feuille et croûton de champignon; Garnis de légumes tournés et sauce moutarde

Filet de sandre grillé; Purée de pommes de terre au fromage suédois de Västerbotten, légumes sautés et lentilles; Sauce basilic

Jugendnationalteam Kanada a

Von links nach rechts:

Stephen Evetts
Chris Haynes
Julia Devroomen
Ashley Millis
Nick Burell
Peter Greuel (Manager)
Adrian Melillo
Brad Hirtzel

Jugendnationalteam Luxemburg b

Von links nach rechts:

Michel Gaspar
Luciano De Michele
Raymond Feiten
Paul Eischen (Betreuer)
Alain Di Nardo
Azmi Affandi

Jugendnationalteam Österreich c

Von links nach rechts:

Mario Walch
Christian Weiss
Jutta Stergner
Karl Haselwanter
Thomas Hellriegl
Alexander Stockl

Ontario-Schweinefilet mit Pancetta und Thymianblütensauce; Artischockenkartoffeln; Rahmlauch; Pastinake und rote Bohnen; Tournierte Kartoffeln; Apfelscheibe.

Hammelschulter in der Kruste nach Großmutters Art

Rehrückenfilet im Pfifferlingsmantel an einer Holundersauce mit Brennesselschupfnudeln und fritierten Petersilienwurzeln

Ontario fillet of pork with pancetta and thyme blossom sauce; Artichoke potatoes; Creamed leeks; Parsnips and red beans; Shaped potatoes; Apple slice

Shoulder of mutton en croûte old-fashioned style

Filleted saddle of venison in a chanterelle crust with elderberry sauce; Potato and stinging nettle noodles and deep-fried parsley root

Filet de porc Ontario au pancetta et sauce aux fleurs de thym; Pommes de terre-artichauts; Poireau à la crème; Panais et haricots rouges; Pommes de terre tournées; Tranches de pomme

Epaule de mouton en croûte à l'ancienne

Filet de selle de chevreuil en chemise de girolles sur sauce au sureau; Nouilles aux orties et racines de persil frites

Medaillen- und Bewertungsspiegel der Jugendmannschaften

Land	Warme Küche	Studio	Gesamt
Aserbaidschan	74,00	49,32	123,32 Diplom
Australien	170,00	80,99	250,90 Gold
Dänemark	169,98	82,33	252,31 Gold
Deutschland	149,32	86,69	236,01 Gold
Großbritannien	90,00	61,33	151,33 Bronze
Irland	139,32	72,68	212,00 Silber
Kanada	127,34	67,99	195,33 Silber
Luxemburg	96,64	52,66	149,30 Bronze
Österreich	142,68	69,34	212,02 Silber
Portugal	117,34	59,36	176,70 Bronze
Schweden	190,68	83,34	274,02 Gold
Schweiz	165,32	73,00	238,32 Gold
Tschechische Republik	144,66	76,67	221,33 Silber
USA	152,66	69,01	221,67 Silber
Deutschland B	außer Konkurrenz		Gold

Pokal 1996
Köche Düsseldorf e.V.
Köche Krefeld e.V.
Club der Köche
Essen e.V.

Topline. Olympisch gut!

PALUX
PALUX
ÖSTERREICH
AUSTRIA
Küche 3
Josef Dobler Pokal 1996
LUXEMBURG
LUXEMBOURG
Küche 2
RÖSLE

Essen e.V.

PALUX

LUXEMBURG
LUXEMBOURG

Die neue Generation von Kochlöffeln für die Gastronomie: aus rostfreiem Stahl mit flexiblen äußeren und festen inneren Drahtschlaufen. Foto: Rösle

Völlig neue Kochlöffel-Generation für die Gastroküche

Eine völlig neue Kochlöffel-Generation präsentiert sich in einer außergewöhnlichen Konstruktion aus hochwertigem Edelstahl. Diese jüngste Innovation des Edelstahlspezialisten Rösle ist das Ergebnis einer langjährigen Entwicklung. Die neuartigen Kochlöffel bieten vor allem in arbeitstechnischer und hygienischer Hinsicht bisher unerreichte Vorteile. Bei der IKA/Olympiade der Köche in Berlin hatten die 30 Nationalmannschaften bereits Gelegenheit, die Nützlichkeit dieses Arbeitswerkzeuges in der Praxis kennenzulernen.

Die Originalität dieser Neuheit wird durch das Europa-Patent unterstrichen, das der für hohe Produktqualität bekannten Allgäuer Herstellerfirma erteilt wurde. Der Rösle-Kochlöffel besteht aus einer Kombination unterschiedlich starker, funktionell geformter Edelstahl-Drahtschlaufen mit verschiedener Biegsamkeit und fester, exakter Verankerung. Die äußere dünne Drahtschlaufe des Kochlöffels ist flexibel. Da sie sanft über den Topfboden gleitet, wird eventueller Bodensatz durch Angesetztes oder Angedicktes durch Rühren nicht abgekratzt, wodurch feiner Geschmack von Speisen beeinträchtigt werden könnte. Dagegen ist die innere stärkere Drahtschlaufe fest. Damit lassen sich sowohl dünn- als auch zähflüssige Speisen gut verrühren sowie Fleisch und andere feste Lebensmittel wenden. Der stabile, wärmeisolierte Rundgriff mit optimalem Schwerpunkt liegt gut in der Hand und ermöglicht leichtes Arbeiten.

Auch die hohen hygienischen Anforderungen erfüllt das Material voll und ganz. Der rostfreie Stahl nimmt intensive Gerüche weder an, noch gibt er sie ab. Der Eigengeschmack von Speisen wird daher nicht beeinträchtigt.

Selbstverständlich hält dieses Material hohen Temperaturen stand. Es ist problemlos zu reinigen. Die gleichbleibende Qualität von Material und Funktion ist ein weiterer Pluspunkt des neuartigen Kochlöffels.

Drei Ausführungen in unterschiedlichen Formen werden angeboten:

1. rund: zum Rühren, Schlagen und Unterheben in bauchigen, runden Schüsseln;

2. klassisch: zum Rühren, Aufschlagen und Unterheben, ideal für Gefäße mit geneigtem Rand, z. B. für Pfannen;

3. schräg: für Gefäße mit steiler Wand, - z. B. Kochtöpfe.

Sonderdruck: IKA-Teller 1996 und IKA-Tasse 1996, designed by Rosenthal AG.

Besteck der Wettbewerbsrestaurants auf der IKA/Olympiade der Köche 1996, Fa. J.A. Henckels Zwillingswerk.

10 Streitkräfte-Nationalteams
mit ihren Menüs
10 national teams of armed forces
and their menus
10 équipes nationales des forces armées
et leurs menus

Von links nach rechts:

Volker Honig
Detlev Runge
Frank Ottersbach
Frank Hinkelmann
Rene Weiser
Stefan Schöbella

Salatteller mit frischen Pilzen; Ansautiertes Hasenfilet

Lachsforelle im Kohlblatt; Zitronensauce; Gedünstetes Gurkengemüse; Reis

Mandelpudding mit Schlosserbuben

Salad of fresh mushrooms, lightly sautéed fillet of hare

Salmon trout wrapped in a cabbage leaf; Lemon sauce; Poached cucumbers; Rice

Almond pudding with stuffed soufflé fritters

Assiette de salade de champignons frais; Filet de lièvre sauté

Truite saumonnée en feuille de chou; Sauce citron; Concombre à l'étouffée; Riz

Pudding aux amandes et beignets soufflés en surprise

Militärteam Niederlande

Von links nach rechts:

J. Cardol
R. Rollos
H. Wissink
M. Bos
H. Kragten

Gebackener Heilbutt mit Tomate und Basilikum; Gebackenes Gemüse

Brioche mit Lachs und Spinat; Noilly-Prat-Sauce; Gemüse; Pilawreis

Spekulatiusgebäck mit Apfel-Calvados-Sauce

Fried halibut with tomato and basil; Fried vegetables

Brioche with salmon and spinach; Noilly Prat sauce; Vegetables; Rice pilau

Spiced biscuits with apple and Calvados sauce

Flétan rôti à la tomate et au basilic; Légumes cuits au four

Brioche au saumon et aux épinards; Sauce au Noilly-Prat; Légumes; Riz pilaf

Spéculos à la sauce calvados aux pommes

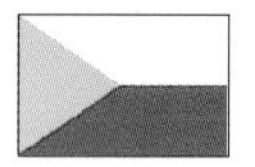

Militärteam Tschechische Republik

Von links nach rechts:

Martin Rössner
Miroslav Knon
Vlastimil Kovanda
Jan Böhm
Josef Grabmüller
Pavel Simice

Wir bedauern sehr, daß eine Menüaufnahme nicht vorliegt.
We are sorry we are not able to present a photograph of the menu.
Malheureusement nous ne pouvrons pas présenter une photo du menu.

Fleischbrühe
mit Prager Eierkuchen

Schweinebraten mit Krautgemüse; Kartoffelknödel

Apfelkuchen mit Eischnee

Consommé with Prague
pancake strips

Roast pork with cabbage;
Potato dumplings

Apple sponge with meringue

Bouillon de viande aux crêpes
de Prague

Rôti de porc aux légumes
de chou; Boulettes
de pommes de terre

Gâteau aux pommes
aux blancs d'œufs montés
en neige

Militärteam USA

Das gesamte Team:

Mark Warren
Marlene Ortiz
David Russ
Rickie Young
Felix Green
Thomas Russo

Zwiebelsuppe „Maui"

Mahi-Mahi-Fisch mit Macadamianußkruste; Reis; Hawaii-Gemüse; Papaya-Salsa; Honigglacierte Kochbananen

Limettensoufflé „Kaua" mit Fruchtsalpikon; Mango- und Vanillesauce

Onion soup "Maui"

Mahi-Mahi fish with macadamia nut crust; Rice; Hawaii vegetables; Pawpaw salsa; Honey-glazed baked bananas

Lime soufflé "Kaua" with macedoine of fruit; Mango and vanilla sauce

Soupe à l'oignon «Maui»

Poisson Mahi-Mahi en croûte de noix de Macadamia; Riz; Legumes d'Hawaii; Salsa de papaye; Bananes au miel

Soufflé à la limette «Kaua» au salpicon de fruits; Sauce à la mangue et à la vanille

Von links nach rechts:

Roland Marsch
Friedrich Paltram
Wolfgang Wurzer
Wolfgang Schrattbauer
Helmut Škamletz
Rupert Sedlmayr

Klare Waldpilzsuppe mit Schinkenkrapferl

Gefüllte Kalbsbrust auf Schilcher-Art; Schalottenspiegel; Kürbisgemüse; Kartoffel-Grammel-Speck-Plätzchen

Topfen-Stachelbeer-Flammeri mit Weichselkirschen

Clear wild mushroom soup with ham fritters

Stuffed breast of veal Schilcher style; Shallots; Pumpkin vegetable; Potato, crackling, and bacon pancakes

Curd cheese and gooseberry flummery with sour cherries

Bouillon de champignons des bois aux beignets de jambon

Poitrine de veau farcie à la Schilcher; Miroir d'échalottes; Potiron; Petits gâteaux aux lard et pommes de terre

Flamri aux groseilles à maquereau et fromage blanc; Griottes

Militärteam Deutschland

Von links nach rechts:

Michael Empen
Frank Wiese
Hans Hoffmann
Ralf Neumann
Robert Ott
Olaf Bentin

Zanderwürstchen mit buntem Linsengemüse

Lammrücken; Thymiansauce; Sellerie im Speckmantel; Polentataler

Birnennachtisch mit Backobst

Sausages of pike-perch with mixed lentils

Saddle of lamb; Thyme sauce; Celeriac wrapped in bacon; Polenta rounds

Pear dessert with dried fruit

Petites saucisses de sandre aux lentilles multicolores

Selle d'agneau; Sauce au thym; Céleri en chemise de lard; Thaler de polenta

Dessert aux poires et fruits secs

Von links nach rechts:

Eddy Verbeeren
Erwin De Staelen
Victor Lemmens
Alfred Vermeiren
Stefan Ceusters
Didier Teck

Sahnige Kräutersuppe mit feinen Gemüsen und Schollenfilet

Hähnchenbrust mit Käsefüllung auf hausgemachten Tagliarini

Eierlikörcreme mit Haselnüssen, umgeben mit Vanille

Creamy herb soup with fine vegetables and fillet of plaice

Breast of chicken with cheese stuffing on home-made tagliarini

Advocaat cream with hazelnuts surrounded with vanilla

Soupe crémeuse aux fines herbes aux légumes fins et au filet de carrelet

Suprême de poulet farci au fromage sur tagliarini maison

Crème à la liqueur d'œuf aux noisettes entourée de vanille

Militärteam United Kingdom

Von links nach rechts:

Mark Ablethorp
Tracy Sandy
William Barrie
Garry Young
Philip Rosier
Darren Lee

Bauernhofsuppe

Gebratene Ente mit Weißkohl und verschiedenen Beilagen

Schokoladennachtisch St. Omer

Farmhouse soup

Roast duck with cabbage and mixed vegetables

Chocolate pudding St. Omer

Soupe paysanne

Canard rôti au chou blanc et garnitures diverses

Dessert au chocolat St. Omer

Von links nach rechts:

Guy Rommes
Henry Schammel
Patrick Engels
Marie Rose Hames
Patricia Hoscheid
Fabrice Schenal

Salat von Scampi mit Safransauce

Lammrücken; Gemischtes Gemüse; Küchlein von geriebenen Kartoffeln

Käsecreme mit Früchten

Salad of scampi with saffron sauce

Saddle of lamb, mixed vegetables; Grated potato pancakes

Cheese cream with fruit

Salade de scampi à la sauce au safran

Selle d'agneau; Jardinière de legumes; Petit gâteau de pommes de terre râpées

Crème de fromage aux fruits

Militärteam USA B

Von links nach rechts:

David Turcotte
Richard Mutz
Travis Smith
Reszïnay Johnson
Thomas Gruver
Marc Silver

Paprikasuppe „Philadelphia", Sambucasahne und Brot

Huhn „Kansas"; Linsengemüse, Rotkohl; Zucchini; Maisbratlinge; Senfsauce

Himbeermousse mit frischen Beeren und Wildbeerensauce

Pepper soup "Philadelphia"; Sambuca cream and bread

Chicken "Kansas"; Lentils; Red cabbage; Courgettes; Corn rissoles; Mustard sauce

Raspberry mousse with fresh berries and wild berry sauce

Soupe de poivron «Philadelphia»; Crème Sambuca et pain

Poule «Kansas»; Lentilles; Chou rouge; Courgettes; Croquettes de maïs; Sauce moutarde

Mousse de framboises aux fruits frais et coulis de fruits sauvagess

Medaillen- und Bewertungsspiegel der Streitkräftemannschaft

Land	*Kategorie B* *Restaurationsgerichte*	*Kategorie R* *Restaurant der Nationen*	*Gesamtpunktzahl*
Großbritannien	Gold (260)	Gold (223,8)	483,8
USA	Gold (254,2)	Silber (210,4)	464,6
Deutschland	Silber (239,8)	Gold (222,2)	462
Österreich	Silber (233,8)	Gold (226,4)	460,2
Luxemburg	Silber (237)	Gold (216,4)	453,4
Belgien	Silber (232,8)	Gold (217,2)	450
Niederlande	Silber (235,6)	Silber (205,6)	441,2
Tschechien	Bronze (199,4)	Bronze (177,8)	377,2
Deutschland B		außer Konkurrenz	
USA B		außer Konkurrenz	

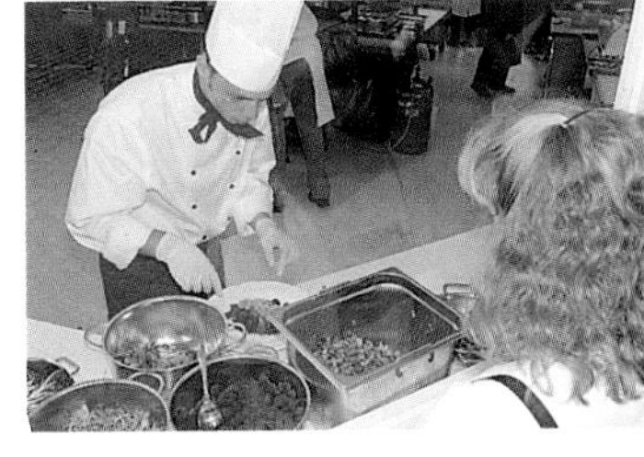

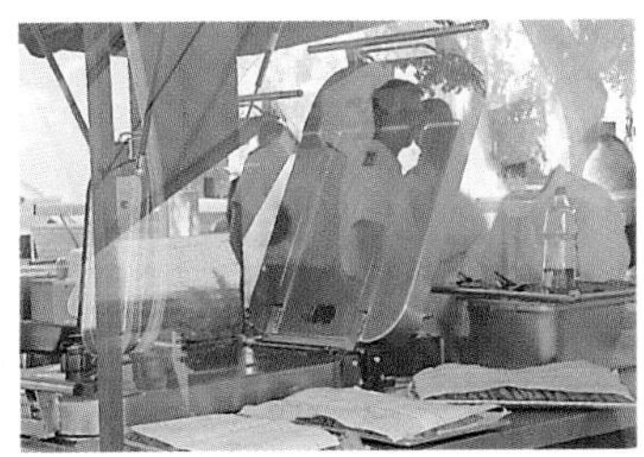
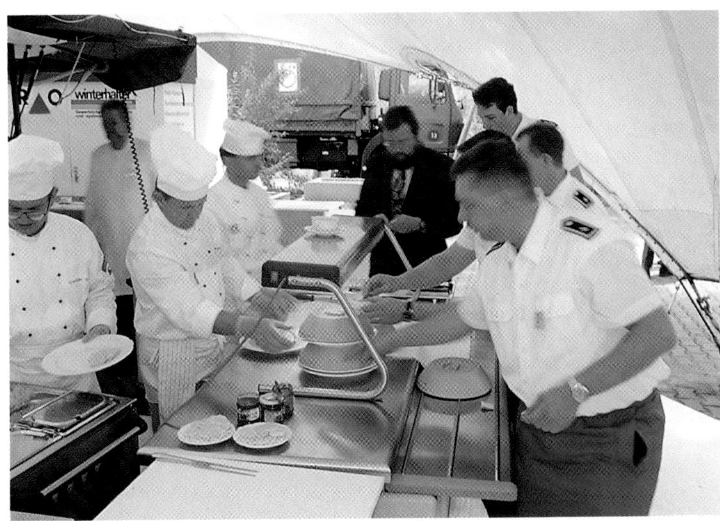
E L R O
winterhalter

E L R O
winterhalter

L R O
Grossküchentechnik

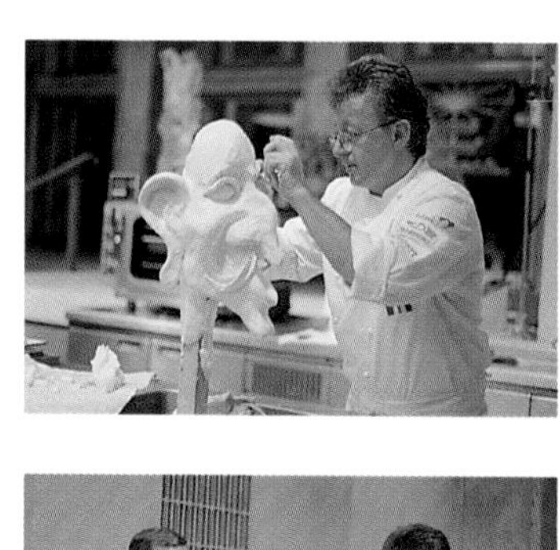

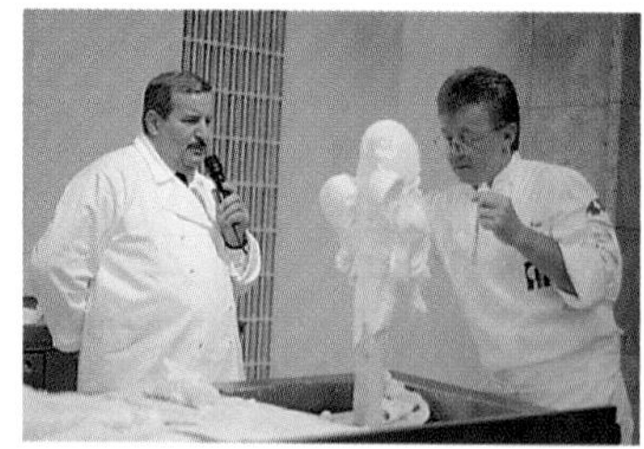

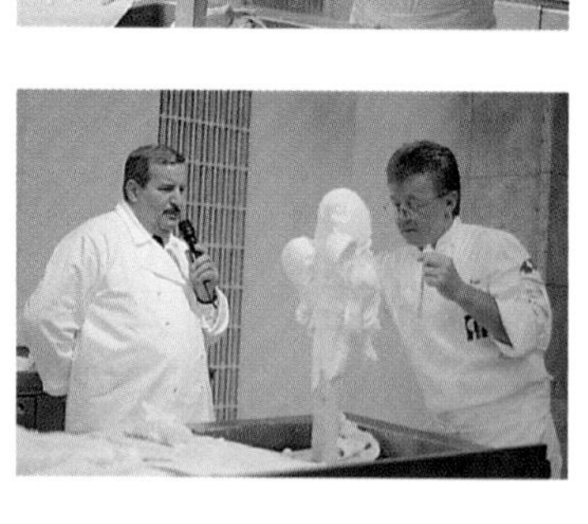

PALUX

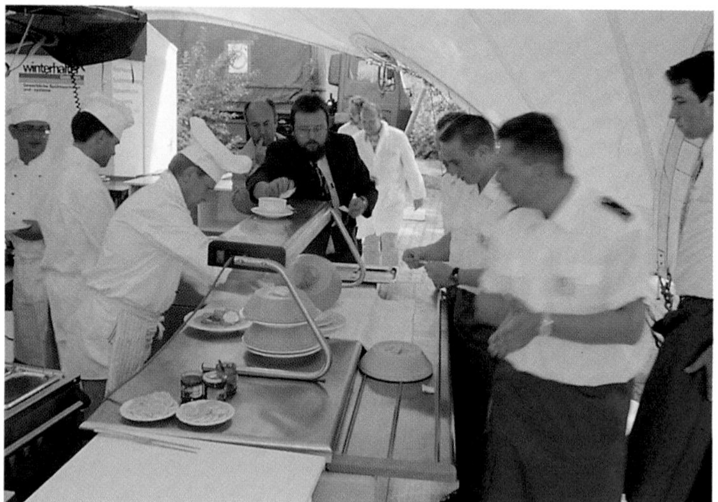
winterhalter

10 Gemeinschaftsverpflegungs-Teams mit ihren Menüs
10 teams of communal feeding and their menus
10 équipes de ravitaillement collectif et leurs menus

Von links nach rechts:

Wolfgang Knecht
Mario Prencipe

Rote-Bete-Suppe mit Tofu und Kerbel	Beetroot soup with tofu and chervil	Soupe de betteraves rouges au tofu et cerfeuil
Gefüllte Poulardenbrust; Kartoffel-Quark-Plätzchen; Salat	Stuffed breast of chicken; Potato and curd cheese rounds; Salad	Suprême de poularde farci; Subrics de fromage blanc et de pommes de terre; Salade
Waldbeerenmus auf Sahnespiegel	Puréed wild berries with cream	Mousse de fruits des bois sur miroir de crème

Team Augsburg 2

Von links nach rechts:

Hans-Jürgen Stinka
Peter Heindl

Kartoffelrahmsuppe mit Räucherlachskrem und Sonnenblumenkernen

Gemüsestrudel an Pfifferlingsauce; Romanesco; Lauch; Tomaten und Kapuzinerblüte

Beerenjoghurtsülze und Dörrobstkompott

Cream of potato soup with creamed smoked salmon and sunflower seeds

Strudel of vegetables, Chanterelle sauce; Romanesco; Leeks; Tomatoes and nasturtium flowers

Jelly of berries and yogurt with compote of dried fruit

Soupe de pommes de terre; Creme de saumon fumé et graines

Strudel de légumes sur sauce aux girolles; Romanesco; Poireaux; Tomates et fleurs de cresse d'Inde

Yaourt aux fruits rouges en gelée sur compote de fruits sechés

Von links nach rechts:

Rolf Hellweg

Wilfried Müller

Dialog von roter Bete und Apfelsuppe

Roulade vom St. Pierre und Regenbogenforelle; Limonensauce; Mangold; Bunter Reis

Hirseflan mit Pflaumensauce und Feigen

Dialogue of beetroot and apple soup

Roulade of John Dory and rainbow trout; Lime sauce; Mangold; Savoury rice

Millet flan with plum sauce and figs

Dialogue de betterave rouge et soupe de pomme

Paupiette de St. Pierre et truite arc-en-ciel; Sauce lime; Bettes; Riz multicolore

Flan de millette au coulis de prunes et figues

Team Bonn

Von links nach rechts:

Thomas Gödderz
Michael Limito

Fenchelcreme mit Roquefort, Radicchio und Spinat

Roulade von Seezunge und Lachs; Dijonsenfsauce; Gurken-Paprika-Gemüse mit Pinienkernen; Reis mit Kräutern

Pumpernickelcreme mit Waldbeeren

Cream of fennel with Roquefort; Radicchio and spinach

Roulade of sole and salmon; Dijon mustard sauce; Cucumber and peppers with pine nuts; Rice with herbs

Creamed pumpernickel with wild berries

Crème de fenouil au roquefort, trévise et épinards

Roulade de sole et de saumon, sauce à la moutarde de Dijon; Concombre et poivron aux pignons; Riz aux fines herbes

Crème de pumpernickel aux fruits des bois

Von links nach rechts:

Andreas Lein
Klaus Duchard

Frankfurter Linsensuppe mit Zwiebelkuchen

Rippchen mit Apfelweinsauce; Sauerkrautstrudel, Kartoffelkuchen

Schmantkrem mit Bischofsauce

Frankfurt lentil soup with onion tart

Spare ribs with cider sauce; Sauerkraut strudel; Potato pancakes

Sour cream sauce with bishop sauce

Soupe aux lentilles à la Frankfurt et tarte à l'oignon

Côtelette à la sauce au vin de pomme; stroudel à la choucroute; Gâteau de pommes de terre

Crème aigre à la sauce épiscopale

Team Schleswig-Holstein

Von links nach rechts:

Gustav Mehlert
Hans Limm

Süppchen von Sauerampfer mit Räucherlachsstreifen

Lammrückenfilet; Pinienkernsauce; Steckrüben-Karotten-Nudeln; Auflaufkartoffeln

Rote-Grütze-Terrine an Sanddornschaum; Waffeln

Sorrel soup with strips of smoked salmon

Fillet of lamb; Pine nut sauce; Swede and carrot noodles; Potato gratin

Terrine of jellied fruit and sea buckthorn purée; Waffles

Petite soupe à l'oseille aux goujons de saumon fumé

Filet d'agneau; Sauce aux pignons; Pâtes aux rutabagas et carottes; Soufflé de pommes de terre

Terrine de fruits rouges sur mousse d'argousier; Gaufres

Von links nach rechts:

Karl-Heinz Sendrovski
Walter Suchy

Kartoffelsuppe

Schweinefilet im Schinken-Käuter-Mantel; Pfefferrahmsauce; Calenberger Möhrchen; Gefüllte Kartoffeln

Windbeutel mit Quarkmus, Waldbeeren

Potato soup

Fillet of pork in ham and herb crust; Creamed pepper sauce; Calenberg baby carrots; Stuffed potatoes

Puff with curd cheese filling and wild berries

Soupe de pommes de terre

Filet de porc en chemise de jambon et fines herbes; Sauce crème au poivre; carottes de Calenberg; Pommes de terre farcies

Chou à la mousse de fromage blanc et de fruits des bois

Team Langenhagen

Von links nach rechts:

Jürgen Kaltenbach
Dirk Rogge

Tomatensuppe; Eiweißsäckchen

Ostseedorschfilet mit Karotten-Koriander-Kruste; Kartoffel-Sellerie-Püree; Zucchinigemüse; Zitronensauce

Birne mit Mascarponecreme; Zimtsauce

Tomato soup; Egg white bags

Fillet of Baltic cod with carrot and coriander crust; Potato and celeriac purée; Courgettes; Lemon sauce

Pear with mascarpone cream; Cinnamon sauce

Soupe de tomates; Sachets de blanc d'œuf

Filet de morue de la Baltique en croûte de carottes à la coriandre; Purée de céleri aux pommes de terre; Courgettes

Poire à la crème de mascarpone; Sauce à la cannelle

Von links nach rechts:

Horst Wetterau
Dieter Siebenmorgen

Tomaten-Käse-Suppe mit Brotcroûtons und Sesamsaat

Viktoriaseebarsch mit Shrimps; Gemüse an Safransauce; Spinat-Reis-Auflauf

Joghurteis mit Preiselbeeren auf Kiwisauce

Tomato and cheese soup with croûtons and sesame seed

Lake Victoria perch with shrimps; Vegetables and saffron sauce; Spinach and rice soufflé

Frozen yogurt with cranberries and kiwi sauce

Soupe de tomates et de fromage aux croûtons et graines de sésame

Bar Victoria aux crevettes; Légumes sur sauce au safran; Soufflé de riz aux épinards

Glace au yaourt et airelles sur coulis de kiwi

Team Niederbayern

Von links nach rechts:

Jürgen Hinterweiler
Georg Krisan

Süßkartoffelsuppe mit gerösteten Pinienkernen

Mangoldroulade mit Getreidekörnern, Keimlingen und Käse; Tomatenjus; Gemüse

Polentapudding mit frischen Früchten und Ahornjoghurt

Sweet potato soup with toasted pine nuts

Mangold roulade with cereals shoots and cheese; Tomato juice; Vegetables

Polenta pudding with fresh fruit and maple yogurt

Soupe de patates douces aux pignons grillés

Roulade aux céréales, germes et fromage; Jus de tomates; Légumes

Pudding de polenta aux fruits frais et au yaourt à l'érable

Das "Andere" Restaurant • the "different" restaurant

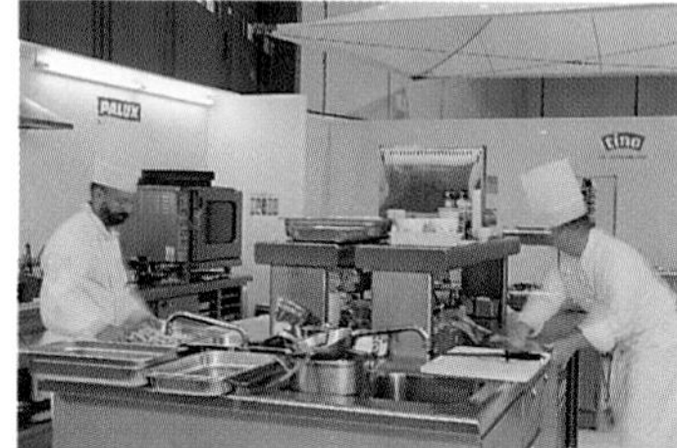

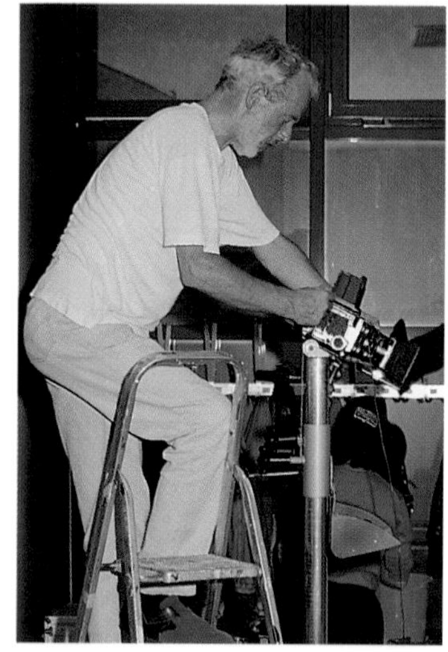

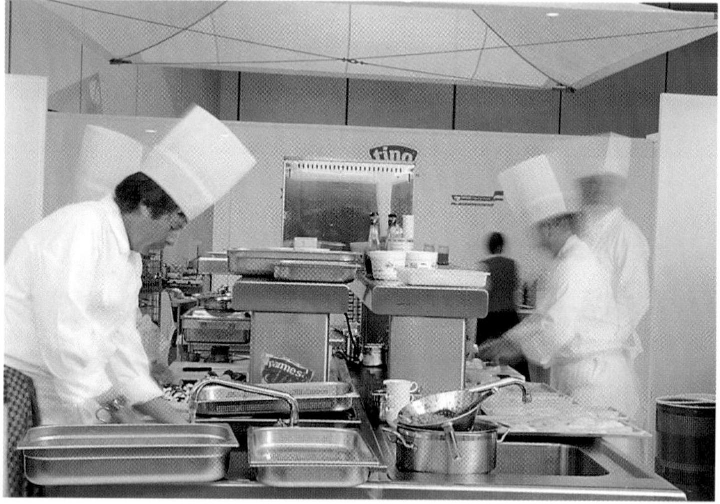
tino

Kategorie D

„Das andere Restaurant" und Diätwettbewerb
"The alternative restaurant" and dietetic competition
«L'autre restaurant» et le concours de plats diététiques

Ideen voller Geschmack

VKD

DAS ANDERE RESTAURANT/
The Alternative Restaurant/L'autre Restaurant

Die Wortverbindung „das andere Restaurant" regt zum Nachdenken an und macht deutlich, wie verantwortungsbewußt heutzutage Köche und Köchinnen arbeiten. Gesunde Ernährung ist ein Trend, der in allen Gastronomiekategorien vollzogen wird. Vitaminreich, cholesterinarm, fettarm und kalorienreduziert sind Worte, die jeder Tischgast beherrscht und als Resultat von einem Menü erwartet.
Mit Stolz kann ich sagen, daß gerade hier die Köche und Köchinnen des Verbandes der Köche Deutschlands seit Jahren Wegbereiter und Fachleute der gesunden und natürlichen Ernährung sind. Die qualifizierte Ausbildung zum diätetisch geschulten Koch, ständige Weiterbildungsangebote aus unserer Seminarabteilung und Aufklärung durch unsere Beiräte sind Leistungen, die der Berufsfachverband mit und für seine Mitglieder erbringt.
Einer dieser unermüdlichen Helfer, Küchenmeister und diätetisch geschulter Koch Rolf Unsorg – „Leiter der Küchenfachlichen Beratung Diät" bei der Firma TINO in Frankfurt am Main –, leitet mit großem Sachverstand dieses Restaurant, ihm zur Seite stehen:
Gerd Becker – „Küchenleiter in der Diabetes-Klinik Dr. Kampmann, Bad Nauheim"
Bernd Brunkhardt – „Küchenleiter Berufsbildungswerk Südhessen in Karben"
Franz X. Bürkle – „Küchenleiter der Rehaklinik Nahetal-Bad Kreuznach"
Dieter Greiner – „Küchenleiter Krankenhaus am Plattenwald, Bad Friedrichshall"
Dieter Girg – „Küchenleiter der Kliniken Benner in Bad Dürrheim"
Arthur Hoffmann – „Küchenleiter der Klinik Dr. Heines Bremen"
Christian Lunau – „Betriebsleiter Hermes-Kreditversicherung AG, Hamburg"

Dr. h. c. Siegfried Schaber,
Präsident des Verbandes
der Köche Deutschlands e. V.

The phrase "The alternative restaurant" not only makes people think, but also clearly highlights the sense of responsibility demonstrated by chefs and cooks these days. Healthy nutrition is a trend which is evident in all sectors of catering. Rich in vitamins, low-cholesterol, low-fat, low-calorie: these are buzzwords which every guest is familiar with and thus expects of the menu.
With that in mind, I am proud to say that the cooks and chefs in the Association of German Chefs have blazed a trail here for many years and are undisputed experts when it comes to healthy, natural food. Qualified dietetic training as a chef, ongoing further training programmes at our seminar department and information provided by our advisory boards are services which the professional association offers in conjunction with and on behalf of its members.
The management of this restaurant is in the capable hands of one of these untiring helpers, Rolf Unsorg, dietetically trained chef and head of the Dietetic Catering Advisory Department at TINO company in Frankfurt/Main.
He is assisted by:
Gerd Becker – Catering Manager at Dr. Kampmann Diabetes Clinic, Bad Nauheim.
Bernd Brunkhardt – Catering Manager at South Hesse Vocational Retraining Centre, Karben

Franz X. Bürkle – Catering Manager at Nahetal Rehabilitation Clinic, Bad Kreuznach
Dieter Greiner – Catering Manager at Plattenwald Hospital, Bad Friedrichshall
Dieter Girg – Catering Manager at Benner Clinic, Bad Dürrheim
Arthur Hoffmann – Catering Manager at Dr. Heines Clinic, Bremen
Christian Lunau – Works Manager at Hermes Kreditversicherung AG, Hamburg

I wish him and his team every success at the AroomA and 1996 IKA/Culinary Olympics.

Sincerely,
Dr. h. c. Siegfried Schaber
President of the Association
of German Chefs

L'expression «l'autre restaurant» nous interpelle et souligne la prise de conscience des cuisinières et des cuisiniers dans l'exercice de leurs fonctions. L'ensemble de la gastronomie a fait sienne la mise en pratique d'une alimentation saine. Riche en vitamines, pauvre en graisses et en cholestérol, peu de calories, ce sont là des concepts familiers à chacun de nos convives, lesquels entendent les voir se concrétiser dans un menu.
C'est avec fierté que je puis affirmer ici que les cuisiniers et cuisinières de l'Association des Cuisiniers d'Allemagne sont depuis des années les précurseurs et les spécialistes d'une alimentation saine et naturelle. Notre syndicat professionnel apporte à ses membres et propose par leur intermédiaire la formation et la qualification que requiert une cuisine diététique, offre des possibilités de formation continue par l'intermédiaire du Service des Séminaires ainsi que des informations dans le cadre de nos comités consultatifs.
Rolf Unsorg, maître queux et cuisinier ayant reçu une formation en diététique, est précisément l'un de ces porte-paroles infatigables. Il est à la tête du Service de conseils spécialisés dans le domaine diététique auprès de la société TINO à Francfort sur le Main et dirige ce restaurant avec une très grande compétence. Il est assisté de:
Gerd Becker – «Chef cuisinier à la Clinique du Diabète Dr. Kampmann, Bad Nauheim»
Bernd Brunkhardt – «Chef cuisinier au Centre de Formation professionnelle de Karben, dans le sud de la Hesse»
Franz X. Bürkle – «Chef cuisinier de la Rehaklinik Nahetal-Bad Kreuznach»
Dieter Greiner – «Chef cuisinier de l'hôpital au Plattenwald, Bad Friedrichshall«
Dieter Girg – «Chef cuisinier de la Clinique Benner à Bad Dürrheim»
Arthur Hoffmann – «Chef cuisinier de la Clinique du Dr. Heines, Brême».
Christian Lunau – «Chef d'entreprise – Hermes Kreditversicherung AG, Hambourg»
Je formule à son égard ainsi qu'envers toute son équipe mes meilleurs voeux de succès lors des Journées AroomA aux Olympiades IKA 96 des Cuisiniers.

Avec mes sentiments les plus cordiaux
Dr. h. c. Siegfried Schaber
Président de la Fédération
des Cuisiniers d'Allemagne

Von links nach rechts: Gerd Becker, Christian Lunau, Franz Xaver Bürkle, Bernd Brunkhardt, Rolf Unsorg, Arthur Hoffmann, Dieter Greiner, Dieter Girg

DAS ANDERE RESTAURANT

Sonntag, den 8. September 1996

VORSPEISEN

Mosaik von Lachs und Seeteufel in Limonenmarinade
kcal 226/kJ 949, E 19,4 g, F 15,6, KH 1,3 g, Ball. 0,5 g, Na 135,1 mg
Wachtelei auf Frankfurter grüner Sauce, Kartoffel-Leinsamen-Crêpe
kcal 304/kJ 1273, E 10,8 g, F 22,8 g, KH 14,1 g, Ball. 4,6 g, Na 75,0 mg
Zartgeräucherter Heidschnuckenschinken an Salat von Zwergorangen mit Pfeffer
kcal 158/kj 659, E 5,6 g, F 12,6 g, KH 5,2 g, Ball. 0,7 g, Na 428,1 mg

SUPPEN

Legierte Dinkelsuppe
kcal 75/kJ 314, E 3,0 g, F 2,8 g, KH 9,0 g, Ball. 1,9 g, Na 125,2 mg
Rinderkraftbrühe mit Steinpilz-Célestine
kcal 89/kj 374, E 4,1 g, F 2,7 g, KH 12,1 g, Ball. 0,8 g, Na 130,6 mg

VEGETARISCH

Quinoakorn im Paprikamantel auf Kerbelschaum, geschwenktes Gemüse vom Markt
kcal 257/kJ 1076, E 12,6 g, F 10,1 g, KH 27,8 g, Ball. 5,4 g, Na 170,1 mg
Salat vom Büfett

FISCH

Piccata vom Steinbeißerfilet, Basilikum-Tomaten-Sauce, Vollkornnudeln mit feinen Gemüsen
kcal 351/kJ 1470, E 34,1 g, F 11,8 g, KH 22,9 g, Ball. 3,8 g, Na 358,0 mg
Salat vom Büfett

HAUPTGÄNGE

Schweinefilet in der Pumpernickelkruste, Hopfensprossensauce, geschmorter Wirsing, fränkische rohe Klöße
kcal 363/kJ 1520, E 35,1 g, F 11,7 g, KH 26,3 g, Ball. 6,3 g, Na 167,0 mg
Maispoulardenbrust mit Füllung von Backpflaumen, Pinienkernsauce, frischer Blattspinat, römische Nocken
kcal 365/kJ 1525, E 35,9 g, F 12,1 g, KH 26,8 g, Ball. 6,0 g, Na 210,0 mg
Mariniertes Rehnüßchen auf Schattenmorellensauce, Brokkoligemüse mit Pfifferlingen, Kartoffel-Hirse-Roulade
kcal 314/kJ 1315, E 29,6 g, F 9,6 g, KH 27,4 g, Ball. 7,3 g, Na 94,0 mg
Zu jedem Hauptgang: Salat vom Büfett

DESSERT

Erlesenes vom Apfel, pochierte Renette mit Haselnußcreme; Sorbet von Granny Smith in der Hippenblüte; Apfelnocken auf Vanillereissockel; Strudel von Zimtäpfeln
kcal 286/kJ 1172, E 7,0 g, F 10,0 g, KH 40,6 g, Ball. 5,4 g, Na 41,0 mg
Creme aus heimischen Nüssen mit Sanddornmark
kcal 152/kJ 640, E 3,4 g, F 12,3 g, KH 7,0 g, Ball. 1,4 g, Na 11,0 mg

(links)
Zartgeräucherter Heidschnuckenschinken an Salat von Zwergorangen mit Pfeffer

(Mitte)
Maispoulardenbrust mit Füllung von Backpflaumen; Pinienkernsauce; Frischer Blattspinat; Römische Nocken

(rechts)
Erlesenes vom Apfel; Pochierte Renette mit Haselnußcreme; Sorbet von Granny Smith in der Hippenblüte; Apfelnocken auf Vanillereissockel; Strudel von Zimtäpfeln

(left)
Mildly Smoked Ham of Moorland Sheep with a salad of miniature oranges and pepper

(middle)
Breast of Corn-Fed Poulard with prune stuffing; Pine nut sauce; Fresh spinach and gnocchi Romana

(right)
The Pick of the Apple; Poached Rennet with hazelnut cream; Granny Smith sorbet in a wafer shell; Apple gnocchi in a bed of vanilla rice; Cinnamon apple strudel

(à gauche)
Gigot de mouton des landes de Lunebourg légèrement fumé servi avec une salade d'oranges miniatures au poivre

(au milieu)
Filet de poularde au grain; Farcie de pruneaux; Sauce aux pignons de pin; Épinards frais; Gnocchis

(à droite)
Délices de pommes; Reinettes pochées accompagnées d'une crème aux noisettes; Sorbet de Granny Smith dans ses atours; Noix de pommes sur canapé de riz à la vanille; Strudel de pommes parfumées à la cannelle

DAS ANDERE RESTAURANT

Montag, den 9. September 1996

VORSPEISEN

Tofu-Gemüseterrine auf dreierlei Paprikasaucen
kcal 158/kJ 661, E 9,5 g, F 10,1 g, KH 7,0 g, Ball. 7,2 g, Na 73,3 mg
Salat von Meeresfrüchten mit grünem Spargel; Anis-Ingwer-Dressing
kcal 168/kJ 704, E 14,1 g, F 3,7 g, KH 7,7 g, Ball. 4,2 g, Na 460,8 mg
Spaghetti-Safran-Salat mit Gorgonzola, Mariniertes vom Rinderfilet
kcal 232/kJ 972, E 14,3 g, F 11,9 g, KH 17,0 g, Ball. 1,8 g, Na 246,8 mg

SUPPEN

Austernpilzsuppe mit gerösteten Pinienkernen
kcal 62/kJ 260, E 2,8 g, F 4,5 g, KH 2,7 g, Ball. 1,9, Na 111,0 mg
Klare Kalbschwanzsuppe mit Quinoa-Nocken
kcal 57/kJ 240, E 3,5 g, F 1,2 g, KH 7,8 g, Ball. 1,4 g, Na 211,6 mg

VEGETARISCH

Gefüllte Auberginen, mit Cheddarkäse überbacken, auf geschmolzenen Tomaten, Cous-Cous
kcal 236/kJ 988, E 11,8 g, F 7,8 g, KH 29,1 g, Ball. 7,1 g, Na 263,0 mg
Salat vom Büfett

FISCH

Filet vom Havelhecht im Sauerkrautmantel. Flußkrebs, Senf-Kräuter-Sauce, Kartoffeln mit Lauchzwiebeln
kcal 304/kJ 1269, E 33,6 g, F 10,0 g, KH 18,8 g, Ball. 3,6 g, Na 537,0 mg
Salat vom Büfett

HAUPTGÄNGE

Tafelspitz aus dem Wurzelsud, Apfel-Kren-Sauce; Schnittlauchkartoffeln
kcal 272/kJ 1138, E 24,5 g, F 8,4 g, KH 23,6 g, Ball. 5,4 g, Na 146,0 mg
Glasierte Entenbrust mit Ingwerhonig, asiatische Gemüsepfanne; Basmati-Reis
kcal 349/kJ 1463, E 35,2 g, F 4,6 g, KH 39,2 g, Ball. 8,0 g, Na 257,0 mg
Spanferkelkeule mit Kümmel-Majoran-Jus. Romanobohnen; Serviettenkloß von Laugenbrezeln
kcal 511/kJ 2138, E 24,0 g, F 25,4 g, KH 45,8 g, Ball. 2,2 g, Na 960,0 mg
Zu jedem Hauptgang: Salat vom Büfett

DESSERT

Erlesenes von der Pflaume; Rumpflaumen mit Pistaziencreme; Bühler Pflaumenküchlein; Pflaumenknödel in Zimtbrösel; Rahmgefrorenes von Pflaumen
kcal 239/kJ 1057, E 4,3 g, F 9,5 g, KH 31,6 g, Ball. 2,2 g, Na 13,5 mg
Gratin von marinierten Früchten mit Walnußeis
kcal 257/kJ 1079, E 4,2 g, F 17,0 g, KH 21,3 g, Ball. 3,4 g, Na 8,0 mg

(links)
Salat von Meeresfrüchten mit grünem Spargel; Anis-Ingwer-Dressing

(Mitte)
Filet vom Havelhecht im Sauerkrautmantel; Flußkrebs; Senfkräutersauce; Kartoffeln mit Lauchzwiebeln

(rechts)
Spanferkelkeule mit Kümmel-Majoran-Jus; Romanobohnen; Serviettenkloß von Laugenbrezeln

(left)
Seafood Salad with green asparagus; Aniseed and ginger dressing

(middle)
Fillet of Havel Pike wrapped in Sauerkraut; Crayfish; Mustard and herb sauce; Potatoes with spring onions

(right)
Haunch of Suckling Pig with caraway and marjoram jus; Romano beans, serviette dumpling of salt pretzel

(à gauche)
Salade de fruits de mer accompagnée de pointes d'asperges; Sauce à l'anis et au gingembre

(au milieu)
Filet de brochet de la Havel dans son enrobage de choucroute; Ecrevisse; Sauce moutarde aux herbes; Pommes de terre et civette

(à droite)
Jarret de cochon de lait dans son jus à la marjolaine et au cumin; Haricots Romano; Quenelles au torchon et aux bretzels

DAS ANDERE RESTAURANT

Dienstag, den 10. September 1996

VORSPEISEN

Hausgebeizter Lachs mit Sesam und Dill, Dreierlei von Linsen
kcal 243/kJ 1015, E 19,0 g, F 11,1 g, KH 16,5 g, Ball. 4,9 g, Na 128,0 mg
Kirschtomaten mit Mozzarella in Ruccolapesto
kcal 293/kJ 1229, E 6,6 g, F 20,2 g, KH 17,3 g, Ball. 1,3 g, Na 282,0 mg
Herbstlicher Birnensalat mit Brüstchen von der Maispoularde
kcal 124/kJ 518, E 10,3 g, F 3,8 g, KH 12,0 g, Ball. 2,0 g, Na 20,1 mg

SUPPEN

Kürbiscremesuppe mit Ingwer, Kichererbsen
kcal 80/kJ 332, E 3,4 g, F 2,9 g, KH 9,8 g, Ball. 3,5 g, Na 101,0 mg
Chinesische Entenkraftbrühe mit Glasnudeln
kcal 54/kJj 225, E 6,7 g, F 0,8 g, KH 5,1 g, Ball. 2,0 g, Na 162,0 mg

VEGETARISCH

Dinkel-Brokkoli-Bratling auf Pfifferling-Frischkäse-Sauce; Artischocken-Tomaten-Gemüse
kcal 361/kJ 1513, E 14,1 g, F 8,6 g, KH 45,8 g, Ball. 6,8 g, Na 24,0 mg
Salat vom Büfett

FISCH

Roulade vom Seeteufel mit Mangold auf zweierlei Paprikasamtsaucen, Kartoffel-Sesam-Zopf
kcal 266/kJ 1113, E 24,1 g, F 10,1 g, KH 18,7 g, Ball. 9,4 g, Na 167,0 mg
Salat vom Büfett

HAUPTGÄNGE

Kalbfleischröllchen mit Morchelfüllung, Champagnerrahmsauce, Kartoffel-Gemüse-Rösti
kcal 281/kJ 1174, E 28,4 g, F 9,4 g, KH 16,1 g, Ball. 8,4 g, Na 117,0 mg
Perlhuhnbrust auf Confit von roten Beten, Brokkoliröschen mit Mandeln, Safran-Leinsamen-Nudeln
kcal 430/kJ 1799, E 35,8 g, F 15,9 g, KH 37,3 g, Ball. 8,4 g, Na 142,0 mg
Ossobuco vom Lamm, buntes Bohnengemüse, Nocken von Kartoffeln
kcal 409/kJ 1711, E 27,4 g, F 16,2 g, KH 36,3 g, Ball. 12,6 g, Na 151,4 mg
Zu jedem Hauptgang: Salat vom Büfett

DESSERT

Erlesenes von Beeren, Profiteroles mit Walderdbeeren; Halbgefrorenes von Himbeeren; gemischte Beeren in Gelee; Hagebuttencreme
kcal 298/kJ 1222, E 8,9 g, F 14,6 g, KH 32,1 g, Ball. 5,9 g, Na 28,0 mg
Müslicreme mit glasierten Karotten und Äpfeln
kcal 149/kJ 627, E 4,7 g, F 7,4 g, KH 15,8 g, Ball. 5,2 g, Na 18,0 mg

(links)
Roulade vom Seeteufel mit Mangold auf zweierlei Paprikasamtsaucen;
Kartoffel-Sesam-Zopf

(Mitte)
Erlesenes von Beeren;
Profiteroles mit Walderdbeeren; Halbgefrorenes von Himbeeren;
Gemischte Beeren in Gelee;
Hagebuttencreme

(rechts)
Ossobuco vom Lamm.
Buntes Bohnengemüse;
Nocken von Kartoffeln

(left)
Monkfish Roulade with mangold, on two capsicum velouté sauces;
Potato and sesame plait

(middle)
The Pick of the Berries;
Profiteroles with wild strawberries; Raspberry sorbet; Mixed berries in jelly;
Rosehip creme

(right)
Osso bucco of Lamb with Mixed Beans;
Potato gnocchi

(à gauche)
Roulade de lotte avec des blettes sur veloute de sauce au paprika;
Tresse de pommes de terre et de sésame

(au milieu)
Délices de baies; Profiteroles accompagnées de fraises des bois; Framboises givrées;
Assortiment de baies en gelée; Crème d'églantine

(à droite)
Osso buco d'agneau;
Macédoine de haricots;
Pommes noisette

DAS ANDERE RESTAURANT

Mittwoch, den 11. September 1996

VORSPEISEN

Spargel-Frischkäse-Terrine mit Nuß-Pfeffer-Sauce

kcal 250/kJ 1047, E 6,1 g, F 20,6 g, KH 8,2 g, Ball. 1,1 g, Na 91,0 mg

Zucchini-Roquefort-Tarte

kcal 442/kJ 1856, E 9,2 g, F 38,1 g, KH 15,1 g, Ball. 4,5 g, Na 96,9 mg

Gemüse-Carpaccio mit Olivenöl-Balsamico-Dressing Bruschetta

kcal 81/kJ 341, E 3,2 g, F 4,5 g, KH 6,1 g, Ball. 3,3 g, Na 21,0 mg

SUPPEN

Kartoffelrahmsuppe mit Nocken vom Lachs

kcal 99/kJ 414, E 5,6 g, F 4,6 g, KH 8,4 g, Ball. 1,3 g, Na 111,0 mg

Pot-au-feu vom Tafelspitz

kcal 45/kJ 189, E 5,3 g, F 1,9 g, KH 1,9 g, Ball. 0,9 g, Na 171,0 mg

VEGETARISCH

Steinpilz-Champignon-Ragout in Walnußsauce, Klößchen von Wildkräutern, bunte Nudeln

kcal 456/kJ 1900, E 17,9 g, F 22,6 g, KH 42,2 g, Ball. 13,6 g, Na 53,0 mg

Salat vom Büfett

FISCH

Zanderfilet in der Lachsschinkenhülle. Porreegemüse in Rahm, Trüffelkartoffeln

kcal 337/kJ 1381, E 35,2 g, F 11,0 g, KH 23,4 g, Ball. 7,1 g, Na 127,0 mg

Salat vom Büfett

HAUPTGÄNGE

Lendenschnitte mit Schalotten-Senf-Kruste, Auberginen-Zucchini-Gemüse, Kartoffelplätzchen mit Majoran

kcal 323/kJ 1347, E 31,4 g, F 12,5 g, KH 20,3 g, Ball. 5,1 g, Na 153,0 mg

Junge Wachtel mit Spinat-Tofu-Kern, Hagebuttensauce,
Rübchengemüse mit Koriander, Variationen von Reis

kcal 438/kJ 1831, E 30,5 g, F 14,1 g, KH 46,5 g, Ball 6,1 g, Na 316,0 mg

Putenfilet im Strudelteig, Silvanersauce; Geschwenkter Rosenkohl, Haselnuß-Schupfnudeln

kcal 386/kJ 1618, E 35,9 g, F 11,9 g, KH 32,9 g, Ball. 7,5 g, Na 62,0 mg

Zu jedem Hauptgang: Salat vom Büfett

DESSERT

Erlesenes von der Birne. Williamsbirnen in Rotwein mit Zimtcreme;
Halbgefrorenes von Birnen und Biskuit; Birnenkrapfen mit Akazienhonig; Salat von der Guten Luise.

kcal 299/kJ 1255, E 5,1 g, F 12,0 g, KH 41,9 g, Ball. 3,7 g, Na 16,0 mg

Maronencreme mit heimischen Beeren

kcal 161/kJ 676, E 3,0 g, F 5,4 g, KH 24,1 g, Ball. 5,9 g, Na 7,0 mg

(links)
Spargel-Frischkäse-Terrine mit Nuß-Pfeffer-Sauce

(Mitte)
Zanderfilet in der Lachsschinkenhülle; Porreegemüse in Rahm; Trüffelkartoffeln

(rechts)
Erlesenes von der Birne. Williamsbirnen in Rotwein mit Zimtcreme; Halbgefrorenes von Birnen und Biskuit; Birnenkrapfen mit Akazienhonig; Salat von der Guten Luise.

(left)
Terrine of asparagus and cream cheese with nut and pepper sauce

(middle)
Fillet of pike-perch wrapped in smoked fillet of ham; Leeks in a cream sauce; Potatoes with truffles

(right)
The pick of the pear; Williams pear in red wine with cinnamon creme; Pear sorbet and sponge; Pear fritter with acacia honey; Salad à la Good Louise

(à gauche)
Terrine d'asperges au fromage frais, accompagnée de sauce au poivre et aux noix

(au milieu)
Filets de sandre entrelardé au jambon; Accompagné de poireaux à la crème et de petites pommes de terre

(à droite)
Délices de poire; Poires Williams au vin rouge avec une crème à la cannelle; Poires givrées et génoise; Beignet de poire nappé de miel d'acacia; Salade de poires la Bonne Louise

DAS ANDERE RESTAURANT

Donnerstag, den 12. September 1996

VORSPEISEN

Kartoffel mit Räucherlachs, Dreierlei Kaviar, Senfsabayon; Rote Zwiebeln

kcal 275/kJ 1147, E 20,7 g, F 13,0 g, KH 14,4 g, Ball. 2,2 g, Na 498,2 mg

Tomaten mit Ziegenkäse und kleinem Salat von Ratatouille mit Basilikum

kcal 160/kJ 672, E 3,7 g, F 13,6 g, KH 5,7 g, Ball. 3,0 g, Na 164,8 mg

Salat von Perlhuhnbrüstchen mit erlesenen Gemüsen

kcal 126/kJ 527, E 13,1 g, F 4,9 g, KH 6,7 g, Ball. 4,2 g, Na 45,6 mg

SUPPEN

Italienische Gemüsesuppe mit Semini

kcal 50/kJ 210, E 3,0 g, F 1,2 g, KH 6,6 g, Ball. 2,7 g, Na 203,0 mg

Klare Linsensuppe mit Kräuterknöpfle

kcal 103/kJ 429, E 7,3 g, F 0,8 g, KH 16,8 g, Ball. 3,3 g, Na 86,0 mg

VEGETARISCH

Variationen von Nudeln mit Saucen von Spinat-Tomaten und Paprika, frisches Marktgemüse

kcal 329/kJ 1379, E 12,9 g, F 11,6 g, KH 43,1 g, Ball. 9,3 g, Na 74,0 mg

Salat vom Büfett

FISCH

Gebratener Catfish in Schalotten-Estragon-Sauce, Schmorgurken-Tomaten-Gemüse, Hirsotto

kcal 312/kJ 1305, E 27,5 g, F 7,4 g, KH 33,7 g, Ball. 2,1 g, Na 206,0 mg

Salat vom Büfett

HAUPTGÄNGE

„Saltimbocca" (Kleine Kalbsschnitzel mit Salbei und Parmaschinken),
Käse-Bandnudeln, geschwenktes Gemüse

kcal 353/kJ 1477, E 34,9 g, F 8,4 g, KH 34,3 g, Ball. 8,1 g, Na 204,0 mg

Kaninchenfilet mit Brot-Pilz-Füllung; Holundersauce; Kleine Kräuterrübchen, Nußkartoffeln

kcal 334/kJ 1395, E 26,9 g, F 12,8 g, KH 25,8 g, Ball. 9,2 g, Na 172,0 mg

Lammkarree mit Pesto von roten Linsen; Provenzalisches Gemüse, Kartoffelgratin

kcal 443/kJ 1849, E 26,2 g, F 25,0 g, KH 27,6 g, Ball. 8,2 g, Na 145,0 mg

Zu jedem Hauptgang: Salat vom Büfett

DESSERT

Erlesenes von der Traube; Ofenschlupfer von Trauben und Nüssen; Gefrorenes von Traminermark;
Weinbergtrüffel; Gelee von Dornfelder

kcal 299/kJ 1224, E 6,2 g, F 12,6 g, KH 39,2 g, Ball. 2,1 g, Na 53,0 mg

Kefircreme mit marinierten Früchten

kcal 146/kJ 614, E 4,8 g, F 9,1 g, KH 11,1 g, Ball. 1,1 g, Na 42,0 mg

(links)
Kaninchenfilet mit Brot-Pilz-Füllung; Holundersauce; Kleine Kräuterrübchen; Nußkartoffeln

(Mitte)
Lammkarree mit Pesto von roten Linsen; Provenzalisches Gemüse; Kartoffelgratin

(rechts)
Kefircreme mit marinierten Früchten

(left)
Fillet of rabbit with bread and mushroom stuffing; Elderberry sauce; Baby turnips with herbs; Noisette potatoes

(middle)
Rack of lamb with red lentil pesto; Provencale vegetables; Potato gratin

(right)
Kefir creme with marinated fruit

(à gauche)
Râble de lapin farci à la mie de pain et aux champignons. Sauce au sureau; Jeunes carottes aux herbes; Pommes noisettes

(au milieu)
Carré d'agneau accompagné de sauce à l'ail; de lentilles rouges; Légumes provençaux; Gratin de pommes de terre

(à droite)
Crème de képhir accompagnée de fruits marinés

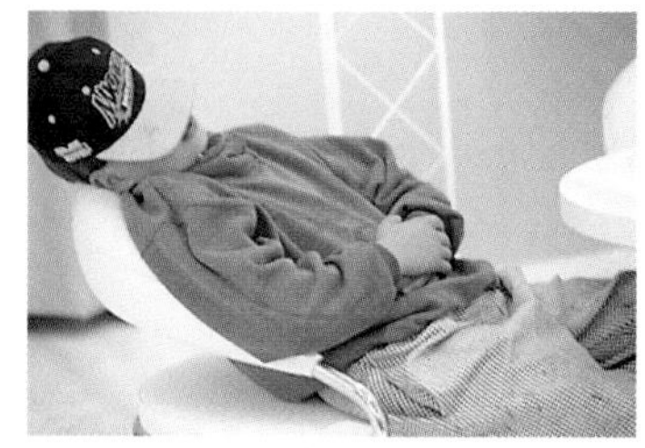

Verband der Köche
Deutschlands e.V.

Kategorie A

Vorspeisen und kalte festliche Platten
Hors-d'oeuvres and cold festive platters
Hors-d'œuvre et plats de fête froids

Festliche Fischplatte. Seezungenterrine mit Tintenfisch und Meeresalgenblatt; Black Grouper und Red-Snapper-Filet; Terrine von Lachs-Krebs-Kurkuma im Zwiebelsprossenmantel mit zwei Saucen.

Festive Fish Platter. Terrine of sole with squid and seaweed leaf; black grouper and red snapper fillet; terrine of salmon and crab curcuma wrapped in onion sprouts with a duo of sauces.

Plateau de poissons de fête. Terrine de sole à la seiche et aux feuilles d'algues de mer; Filet de mérou noir et de red snapper, terrine de crabe et saumon au curcuma en chemise de pousses d'oignons aux deux sauces.

Fisch aus dem Japanischen Meer. Salzteigfisch mit Bohnensalat; Seebarschfilet in Blätterteig mit weißem und grünem Spargel; Krabbenrolle mit Paprikamousse; Garnelenmoussemedaillons; kleine Garnituren.

Fish from the Sea of Japan. Salt crust fish with bean salad; fillet of sea bass in puff pastry with white and green asparagus; roulade of crab with paprika mousse; prawn mousse medallions; dainty garnishes.

Poisson de la Mer du Japon. Poisson en pâte à sel et salade de haricots; feuilleté de filet de bar aux asperges vertes et blanches, rouleau de crevettes à la mousse de poivron, médaillons de mousse de crevettes, petites garnitures.

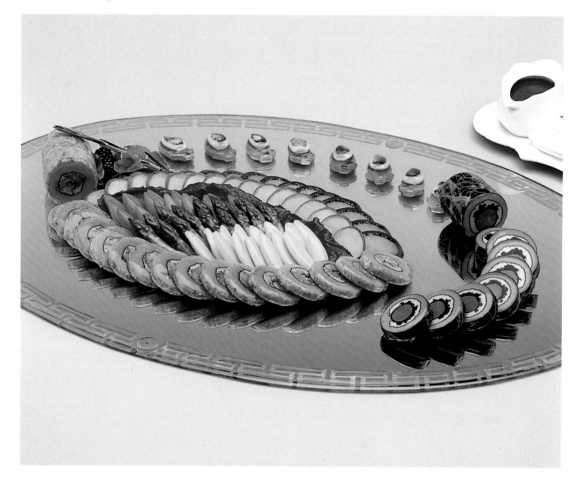

Festliche Vorspeise mit Schweinefleisch aus Südkorea. Schweinefleischrolle in Seetang; Schweinerücken, mit Schwarte gegart; Schweinerücken, gefüllt, im Nußmantel, Spargel, Karotten, gelbe Zucchini; Gemüsevariationen, zwei Saucen.

Festive Hors d'oeuvres with South Korean Pork. Pork rolled in seaweed; loin of pork with crackling; stuffed loin of pork in a nut crust, asparagus, carrots, yellow courgettes; vegetable variations, duo of sauces.

Viande de porc de la Corée du Sud en hors-d'œuvre de fête. Paupiette de porc au fucus; porc mijoté en couenne; viande de porc farcie en chemise de noix, asperges, carottes, courgettes jaunes; variations de légumes, deux sauces.

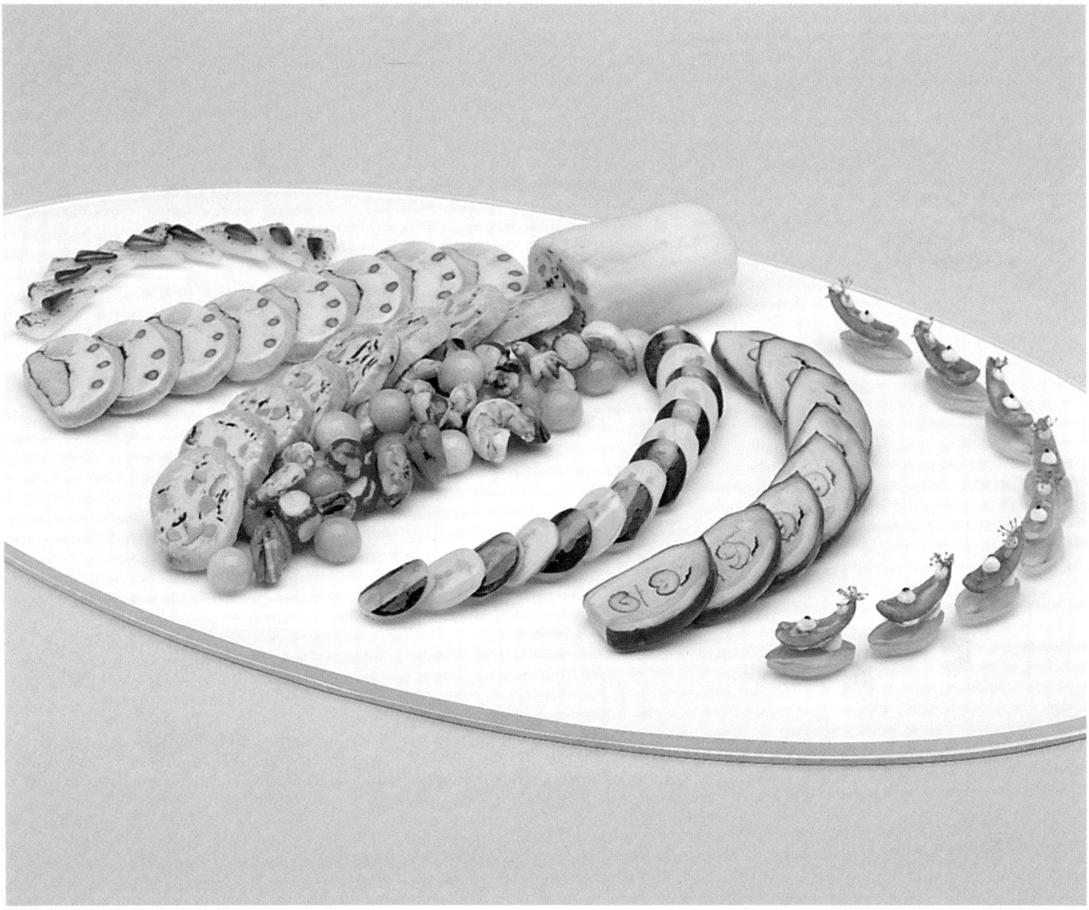

Schweizerische festliche Fisch- und Meeresfrüchteplatte. Lachs- und Seeteufelterrine mit grünem Spargel; Chinakohl, mit Meeresfrüchten und Pilzen gefüllt; Meeresfrüchtesalat mit Melonenkugeln; Geräucherter Stör mit Lauch und Schillerlocken; Zucchini-Pfefferoni-Kreation.

Festive Swiss Fish and Seafood Platter. Terrine of salmon and monkfish with green asparagus; chinese cabbage with seafood and mushroom stuffing; seafood salad with melon balls; smoked sturgeon with leek and strips of smoked dogfish; creation of courgettes and chillies.

Festin suisse de poissons et de fruits de mer. Terrine de saumon et de lotte aux asperges vertes; chou chinois farci de fruits de mer et de champignons; salade de fruits de mer aux billes de melon; esturgeon fumé aux poireaux et aiguillat fumé; création de courgettes et piments.

Liaison von Wild und Geflügel.

Liaison of Game and Poultry.

Liaison de gibier et volaille.

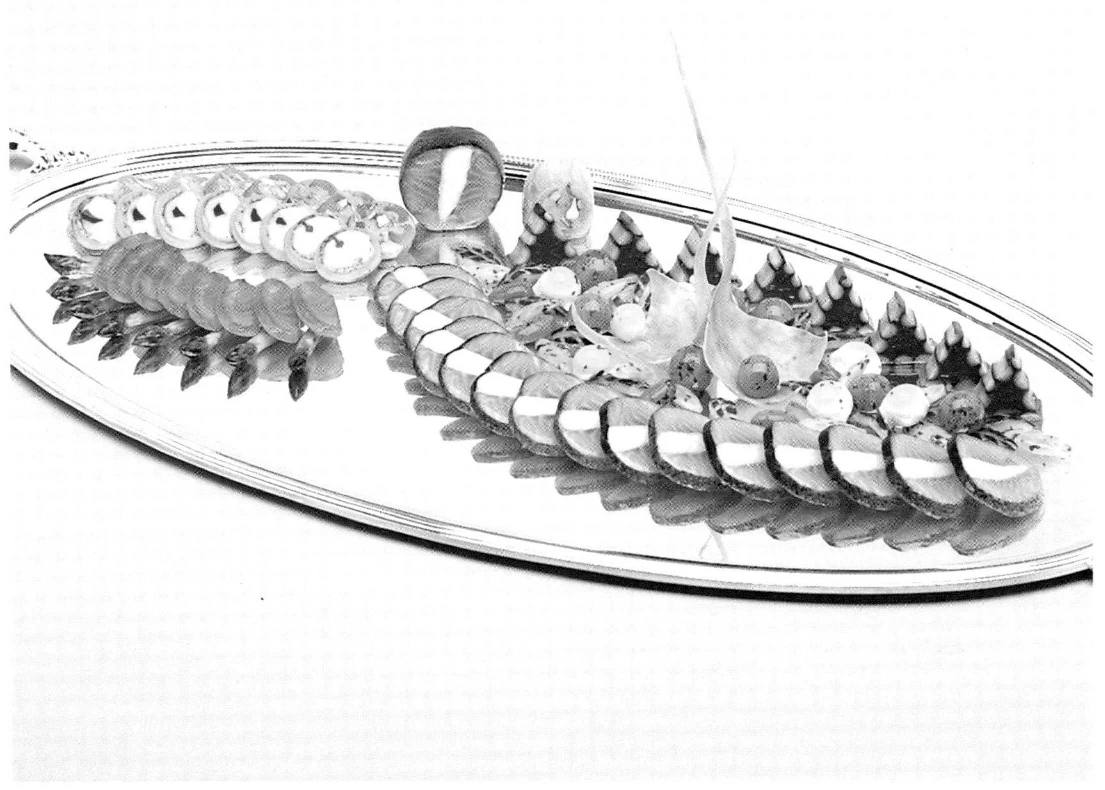

Festliche Schauplatte. Lachs mit einem Steinbuttkern; Hummer-Staudensellerie-Terrine; Hummerschwanz im Kräutermantel; Bunte Gemüse.

Festive Show Platter. Salmon with turbot centre; terrine of lobster and celery; lobster tail in a herb crust; mixed vegetables.

Plat de fête décoratif. Noyau de turbot en saumon; terrine de céleri et de homard; queue de homard en chemise de fines herbes; légumes multicolores.

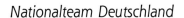

Intermezzo aus Fluß und Meer.

Intermezzo from River and Sea.

Intermède du fleuve et de la mer.

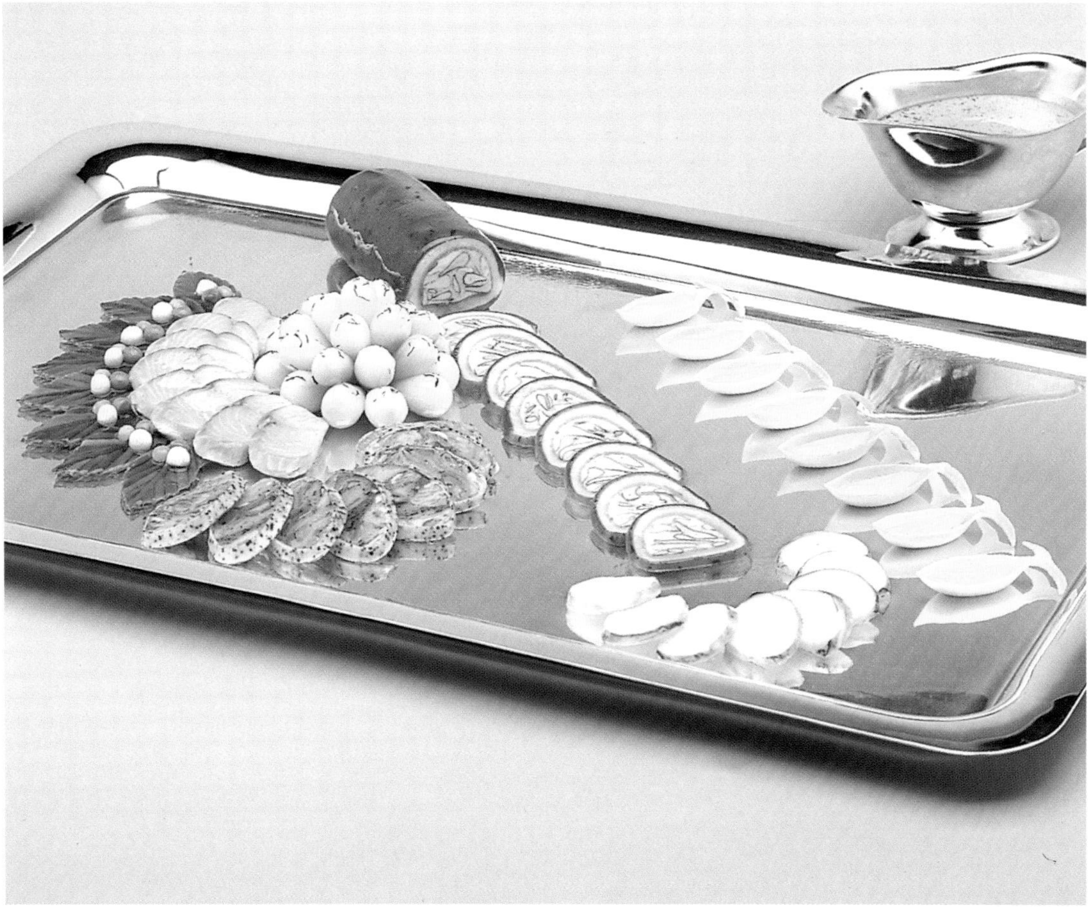

Hummer- und Lachsvariationen. Hummerterrine mit Einlage von Hummerscheren, Lachsmedaillon, Gemüsebällchen, Frühlingszwiebeln, Gemüsesülze, gefüllte Teigfischlein, grüne Sauce.

Variations of Lobster and Salmon. Lobster terrine with lobster claws, salmon medallion in vegetable balls, spring onions, vegetables in aspic, stuffed pond fish, green sauce.

Homard et variations de saumon. Terrine de homard aux pinces de homard, médaillon de saumon, boulettes de légumes, oignons nouveaux, légumes en aspic, petit poisson de pâte, sauce verte.

Festliche kalte Platte. Krabben-Garnelen-Terrine, Rolle von Hummer und St.-Jakobs-Muscheln, geräucherte Auster mit Zwiebel-Gurken-Relish in einem Körbchen, Muscheln und Sellerie, bunter Kartoffelsalat mit Dill und Safran, Salat im Korb.

Festive Cold Platter. Prawn & shrimp terrine, roulade of lobster and scallops, smoked oyster with onion and cucumber relish served in a basket, mussels and celery, mixed potato salad with dill and saffron, salad in a basket.

Plateau froid de fête. Terrine de crevettes et bouquets, rouleau de homard et de coquilles Saint-Jacques, huître fumée à l'assaisonnement oignons-concombre, dans une petite corbeille, moules et céleri, salade de pommes de terre multicolore à l'aneth et au safran, salade en corbeille.

Variationen vom Truthahn. Gefüllter Truthahnflügel mit Pilzfüllung, Feigen und Früchte, Truthahngalantine im Senfkornmantel, geräucherte Truthahnbrust mit Navette, Tomatensülze im Teigblatt, Preiselbeersauce.

Variations of Turkey. Stuffed turkey wing with mushroom stuffing, figs and fruit, galantine of turkey in a mustardseed crust, smoked breast of turkey with navettes, tomatoes in aspic and pastry crust, cranberry sauce.

Variations de dinde. Aile de dinde farcie de champignons, de figues et de fruits, galantine de dinde en chemise de grains de moutarde, suprême de dinde fumée aux navets, aspic de tomates en feuille de pâte, sauce aux airelles.

Fischvariationen aus dem Japanischen Meer.

Variations of fish from the Sea of Japan.

Variations sur le thème des poissons de la Mer du Japon.

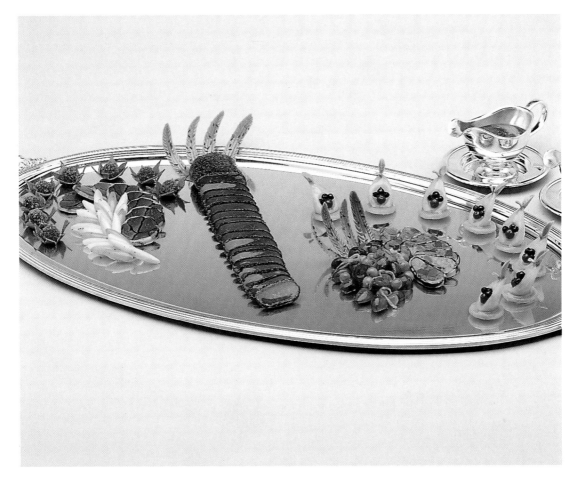

Auswahl von der Gans. Geräucherte Gänsebrust in Pfefferkruste; Nuß-Süßkartoffel, Traubensalat; Mit Kräutern gebeizte Gänsekeule, mariniertes Gemüse; Terrine von Innereien der Gans und Wildpilzen; Birne, gefüllt mit Johannisbeeren; Gooseberrychutney, Apfelmostvinaigrette, Schalotten-Rosmarin-Sauce.

Variations of Goose. Smoked breast of goose in a pepper crust; nutty sweet potatoes, grape salad; leg of goose marinated in herbs, marinated vegetables; terrine of goose giblets and wild mushrooms; pear with blackcurrant stuffing; gooseberry chutney, cider vinaigrette, shallot, and rosemary sauce.

Sélection d'oie. Filet d'oie fumé en croûte de poivre, patates douces aux noix, salade de raisins, cuisse d'oie marinée aux herbes, légumes marinés, terrine aux abats d'oie et aux champignons sauvages, poire fourrée de groseilles; chutney de groseilles à maquereaux, vinaigrette de moût de pomme, sauce au romarin et aux échalottes.

Christoph Fürstauer Österreich

Wildplatte. Gamsterrine im Lauchmantel; Truthahnroulade im Hirschschinkenmantel; Entenbrust, rosa gebraten; Gemüse-Pilz-Salat; Gefüllter Fenchel; Pilzsülze auf Gurkenscheibe, zweierlei Saucen.

Game Platter. Terrine of chamois in a leek crust; turkey roulade wrapped in smoked venison; rare breast of duck; vegetable and mushroom salad; stuffed fennel; mushrooms in aspic on a slice of cucumber, duo of sauces.

Plat de gibier. Terrine de chamois en chemise de poireau, paupiette de dinde en habit de jambon de cerf; magret de canard rosé, salade de champignons et de légumes, fenouil farci, aspic de champignons sur rondelle de concombre, deux sortes de sauces.

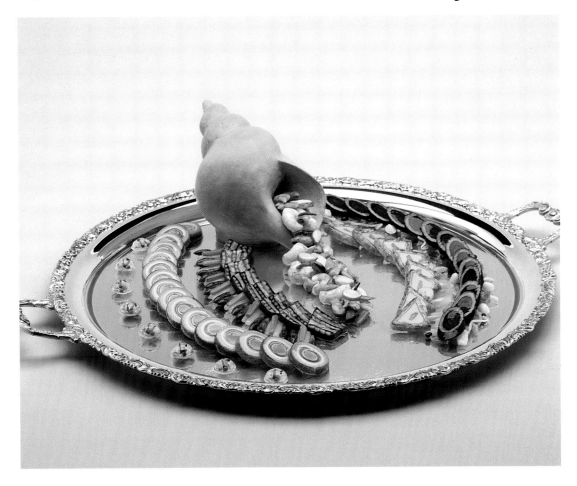

Fischplatte vom Fyne-See.

Fish platter from Loch Fyne.

Plateau de poissons du lac de Fyne.

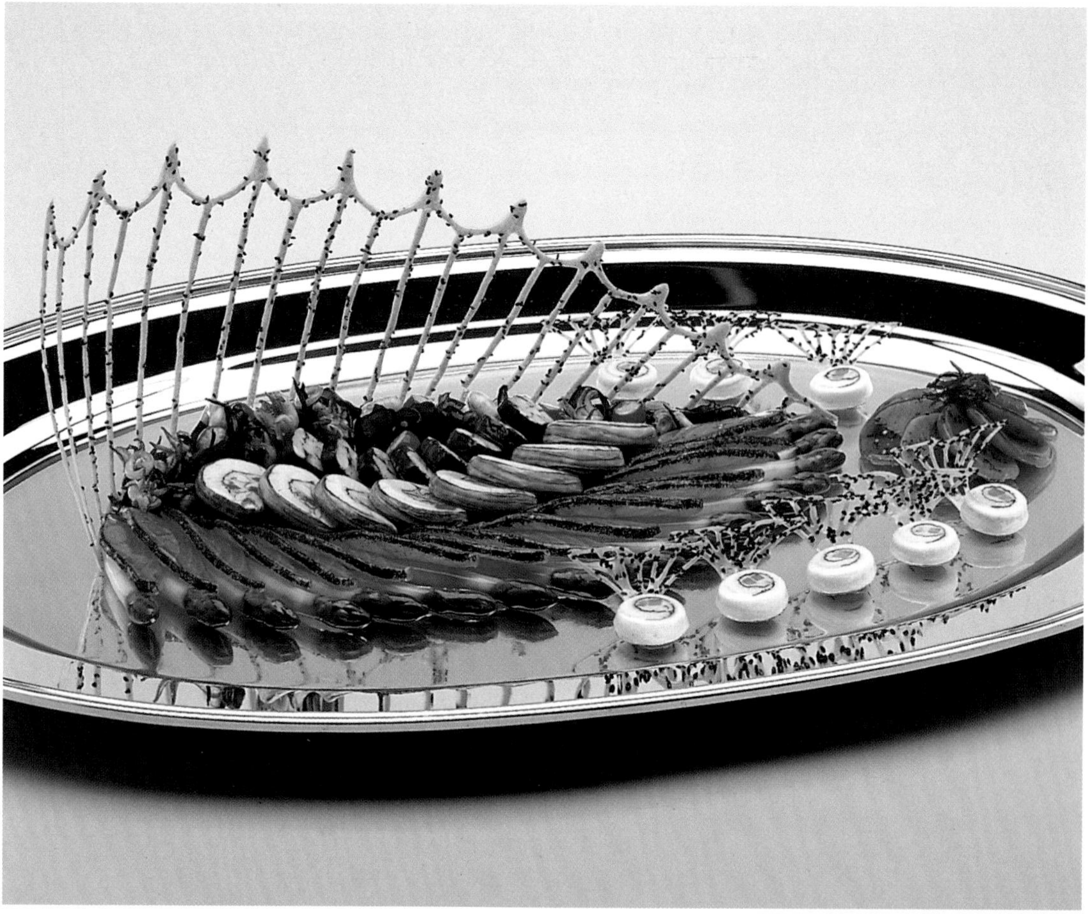

Festliche schwedische Meeresfrüchteplatte. Fisch und Meeresfrüchte im Netz; Schwedischer Graved-Lachs mit Dill-Senf-Sauce; Steinbutt-Hummer-Terrine mit Basilikum-Joghurt; Seezungenroulade; Thunfisch-Carpaccio mit Mango- und Tomatenchutney; Meeresfrüchte mit Algen.

Festive Swedish Seafood Platter. Fish and seafood in a net; Swedish graved salmon with dill and mustard sauce; turbot and lobster terrine with basil yogurt; roulade of sole; tuna carpaccio with mango and tomato chutney; seafood with seaweed.

Plateau de fête suédois de fruits de mer. Poisson et fruits de mer en filet, saumon mariné suédois à la sauce aneth-moutarde; terrine de turbot et de homard au yogourt parfumé au basilic, paupiette de sole, carpaccio de thon au chutney de tomates et de mangues, fruits de mer aux algues.

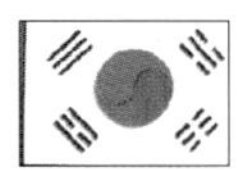

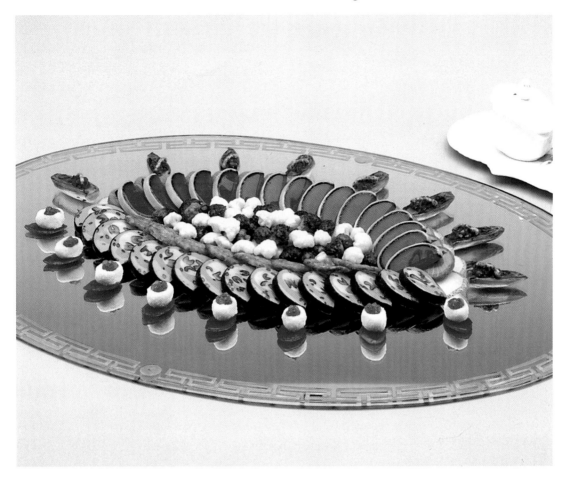

Koreanische Festplatte von Fisch. Thunfisch mit Sesam in Teigkruste, Blumenkohl-Brokkoli-Salat, Reiscroûtons; Lachsmousse mit Meeresschnecken und Muscheln, gefüllte Chicoréeblätter, Reisbällchen mit Lachsrogen; Lachs mit Kräutern.

Korean Festive Platter of Fish. Tuna fish with sesame en croûte, cauliflower and broccoli salad, rice croutons; salmon mousse with sea snails and mussels, stuffed chicory leaves, rice balls with salmon roe; salmon with herbs.

Plateau coréen de poissons pour les fêtes. Thon au sésame en croûte, salade de chou-fleur et de brocoli, croûtons de riz; mousse de saumon aux escargots de mer et aux moules, feuilles d'endives farcies, boulettes de riz aux œufs de saumon, saumon aux fines herbes.

Amerikanische regionale Fischplatte. Geräucherter Lachs, Salat von Algen und Gemüsestreifen; Lachssülze; Asiatische Reisrolle; Gemüsesalat mit Maiskölbchen; Lachs und grüner Spargel.

American Regional Fish Platter. Smoked salmon, salad of seaweed and julienne vegetables; chaud-froid of salmon; Asian rice roll; vegetable salad with baby sweetcorn; salmon and green asparagus.

Plateau de poissons régional américain. Saumon fumé, salade d'algues et de julienne de légumes; saumon en aspic; rouleau de riz asiatique; salade de légumes aux épis de maïs; saumon et asperges vertes.

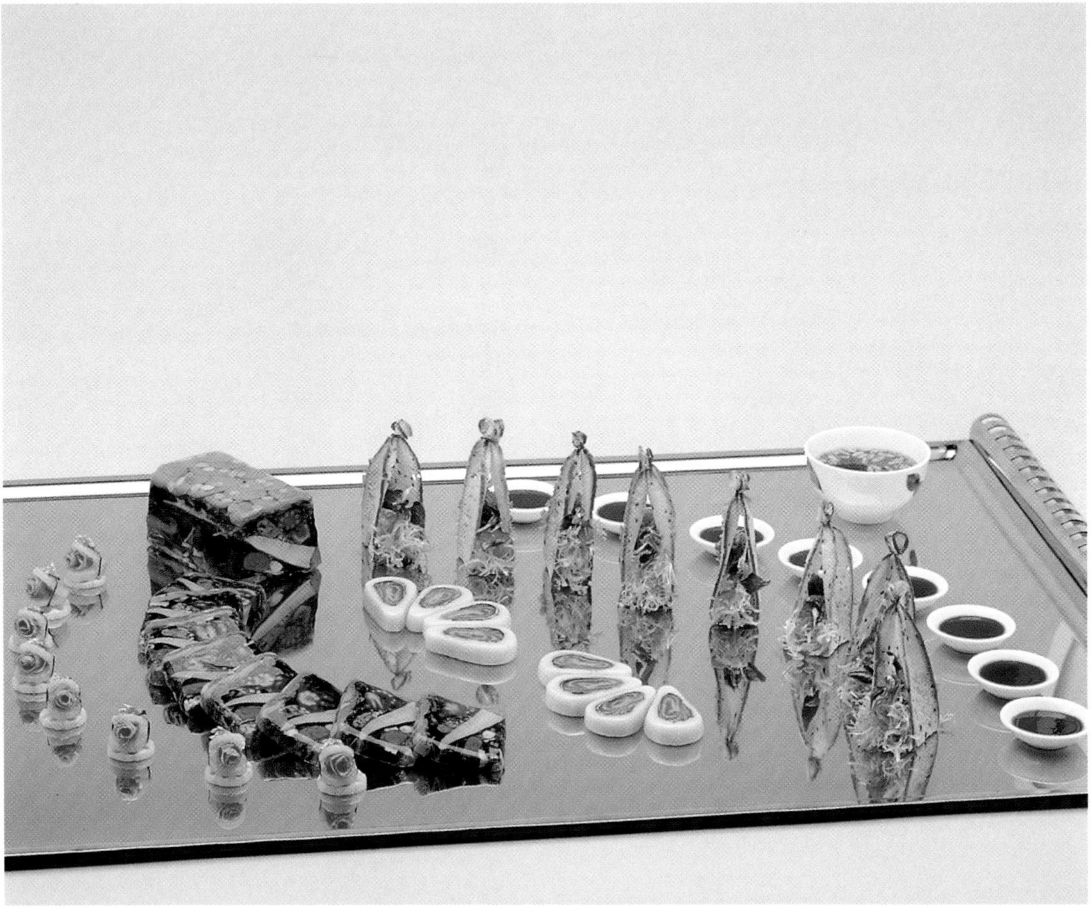

Auswahl von Meeresfrüchten. Meeresfrüchte in Kumquatgelee; Lachssushi; Salat im Teigkörbchen; Soyu-Dip.

Medley of Seafood. Seafood in kumquat jelly; salmon sushi; salad in pastry baskets; soyu dip.

Assortiment de fruits de mer. Fruits de mer en gelée de kumquats; sushi de saumon; salade en petite corbeille de pâte; dip de soyu.

„Game Keeper's Celebration Platter". Gänsevariationen mit Früchten und Nüssen.

"Gamekeeper's Celebration Platter". Variations of goose with fruit and nuts.

«Game Keeper's Celebration Platter». Variations d'oie aux fruits et aux noix.

Ines V. Plüss Schweiz

Festliche Schauplatte mit hausgeräucherten Spezialitäten. Schmetterlinge vom Lachs; Yin und Yang vom Zander; Belugastörfilet aus dem Rauch.

Festive Show Platter with Home-smoked Specialities. Salmon butterflies; Yin and Yang of pike-perch; Smoked fillet from Beluga sturgeon.

Spécialités fumées maison sur plateau de fête. Papillons de saumon; Yin et Yang de sandre; filet de bélouga fumé.

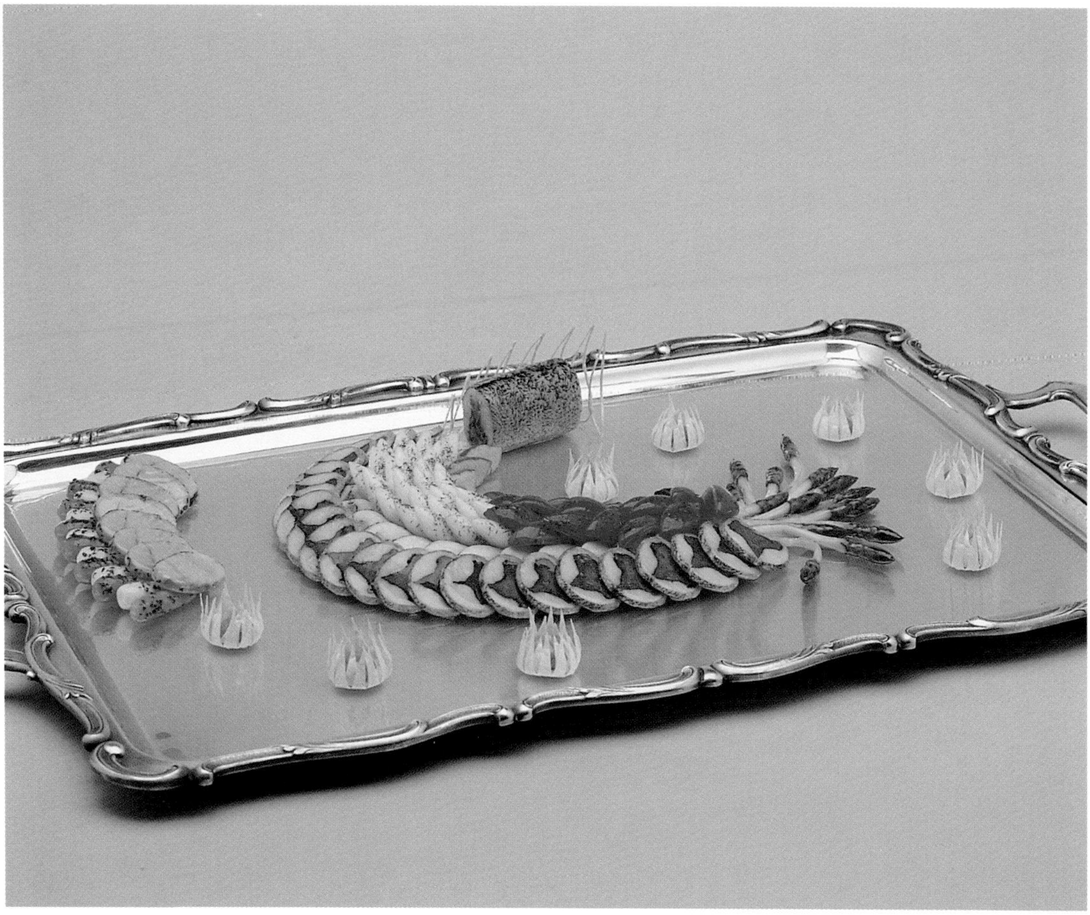

Fischplatte nach ungarischer Art. Zanderterrine mit Spinat; Lachsmedaillons; Gefüllter Hecht; Backkürbispüree im Teig; Bunter Gemüsesalat.

Hungarian Fish Platter. Terrine of pike-perch with spinach; salmon medallions; stuffed pike; baked pumpkin puree in frying batter; mixed vegetable salad.

Plat de poisson à la hongroise. Terrine de sandre aux épinards; médaillons de saumon; brochet farci; purée de potiron en pâte e à frire; salade multicolore de légumes.

Team Macomb USA

Geflügelplatte „Mittlerer Westen". Truthahnroulade auf Rote-Linsen-Salat; Gefüllter Hals mit Pistazien und Pilzen; Geflügelterrine.

"Mid-West Poultry Platter". Roulade of turkey on red lentil salad; neck with pistachio and mushroom stuffing; poultry terrine.

«Plateau de volaille Moyen-Occident». Paupiette de dinde sur salade de lentilles rouges; cou farci de pistaches et champignons; terrine de volaille.

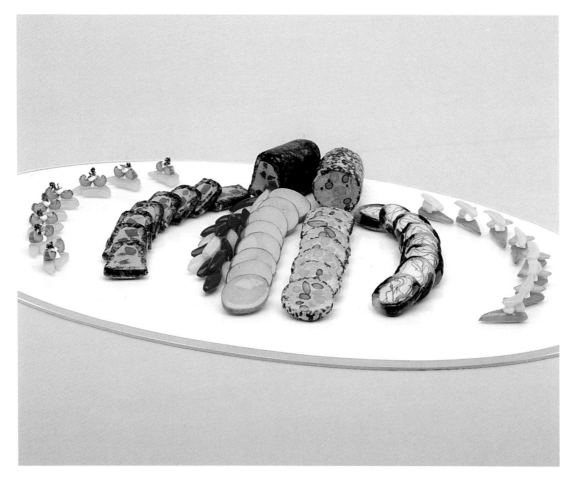

Aargauer Spezialitäten. Kalbsroulade mit Spinat- und Hülsenfrüchtefüllung im Sesam-Leinsamen-Mantel; Frischkäsekombination mit Aargauer Rauchfleisch und Trockenfrüchten; Geflügelleberschaumbrot mit Leberstückchen im Brokkolimantel; Geräuchertes Truthahnbrustfilet mit Apfel- und Birnenscheiben.

Aargau Specialties. Veal roulade with spinach and pulse stuffing in a sesame and linseed crust; cream cheese with Aargau smoked meat and dried fruit; broccoli stuffed with coarse chicken liver pâté; smoked fillet of turkey breast with slices of apple and pear.

Spécialités de l'Argovie. Paupiette de veau farcie d'épinards et de légumes secs en chemise de sésame et linette; composition de fromage frais à la viande fumée de l'Aargau et aux fruits secs; pain de mousse de foie de volaille aux petits morceaux de foie en chemise de brocoli; suprême de dinde aux tranches de pommes et poires.

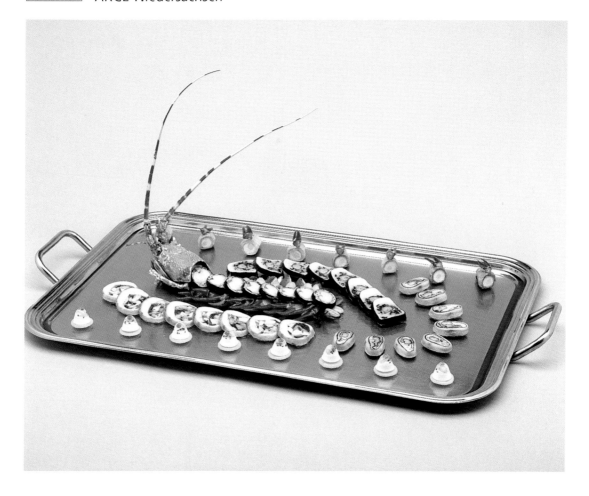

Köstlichkeiten von Fisch und Meeresfrüchten. Zander, gerollt, mit einer Fischsülze; Räucherfischterrine im Spinatmantel; Salat von Languste, Muscheln und Gemüsen; Schillerlocken mit Meerrettich und Lachs; Kleine Sülztimbale auf Kartoffelscheibe; Senf-Dill-Honig-Sauce.

Fish and Seafood Delicacies. Rolled pike-perch with chaud-froid of fish; smoked fish terrine wrapped in spinach; salad of spiny lobster, mussels and vegetables; strips of smoked dogfish with horseradish and salmon; small chaud-froid timbale on a potato slice; sauce made of mustard, dill, and honey.

Délices de poisson et de fruits de mer. Sandre roulée à l'aspic de poisson; terrine de poisson fumé en chemise d'épinards; salade de langouste, moules et légumes; aiguillat au raifort et saumon; petite timbale d'aspic sur rondelle de pomme de terre; sauce moutarde à l'aneth et au miel.

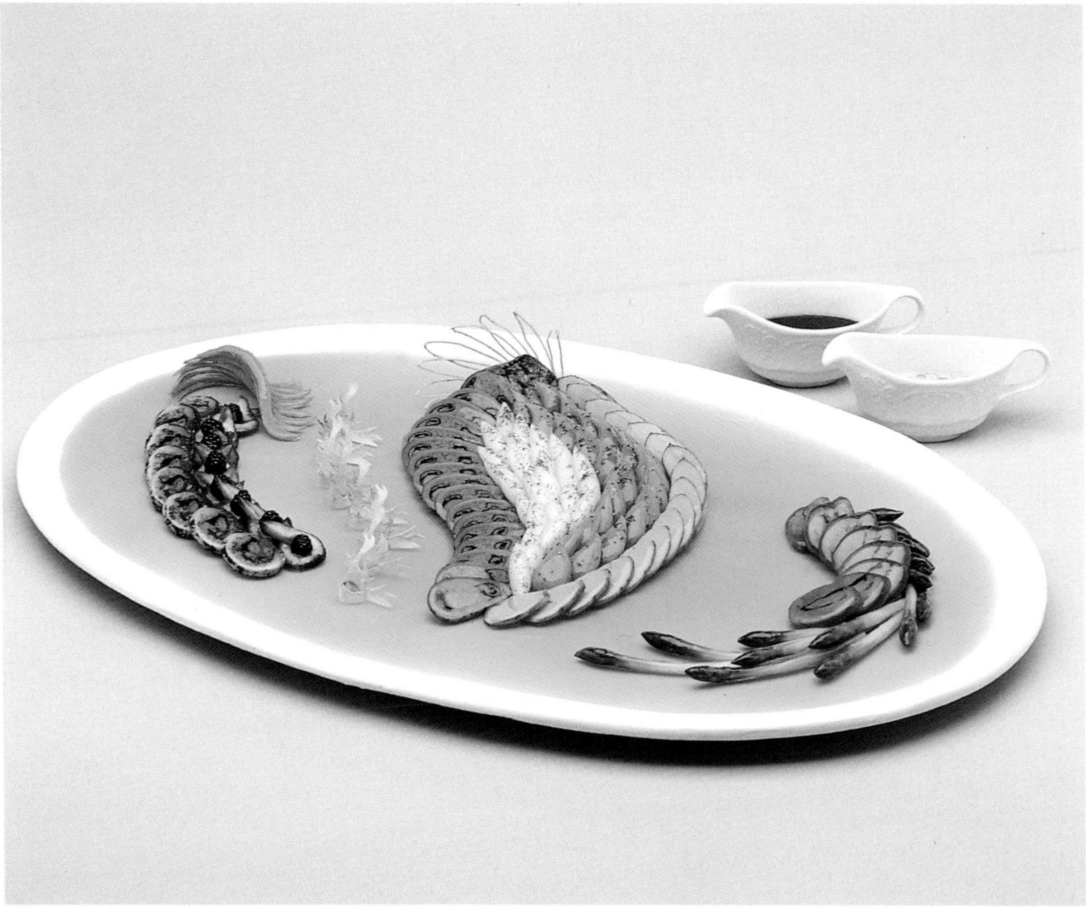

Truthahnvariationen. Brust vom Rost; Schlegel, mit Spinat gefüllt; Galantine vom geräucherten Flügel; Gemüse, Früchte.

Turkey Variations. Grilled breast; drumstick stuffed with spinach; galantine of smoked poultry; fruit and vegetables.

Variations de dinde. Suprême grillé; cuisse farcie d'épinards; galantine d'aile fumée; légumes, fruits.

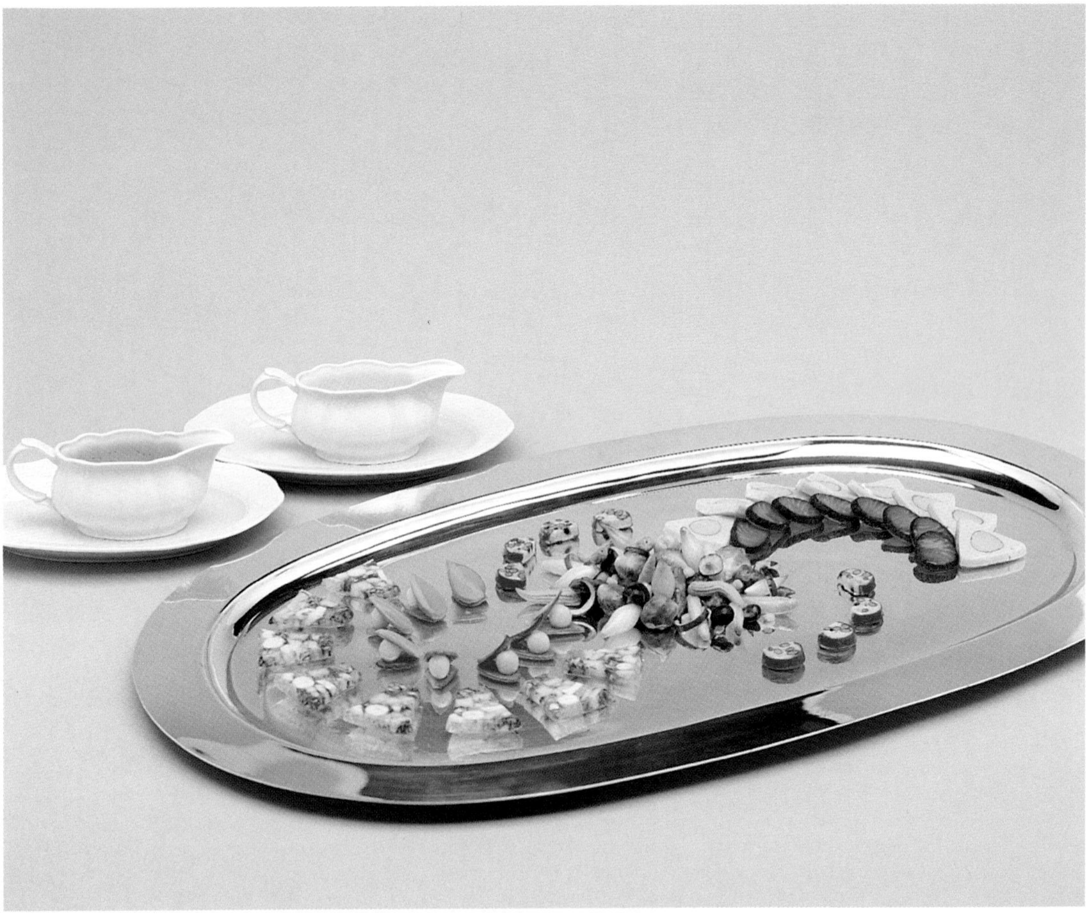

„Moderne Präsentation von Meeresfrüchten". Lachs in der Pfefferkruste; Aspik mit Meeresfrüchten; Seezungenterrine mit Bohnen; Buntes Gemüse als Salat.

"Modern Presentation of Seafood". Salmon in a pepper crust; seafood in aspic; terrine of sole with beans; mixed vegetable salad.

«Présentation moderne des fruits de mer». Saumon en croûte de poivre; aspic de fruits de mer; terrine de sole des fruits de aux haricots; légumes multicolores en salade.

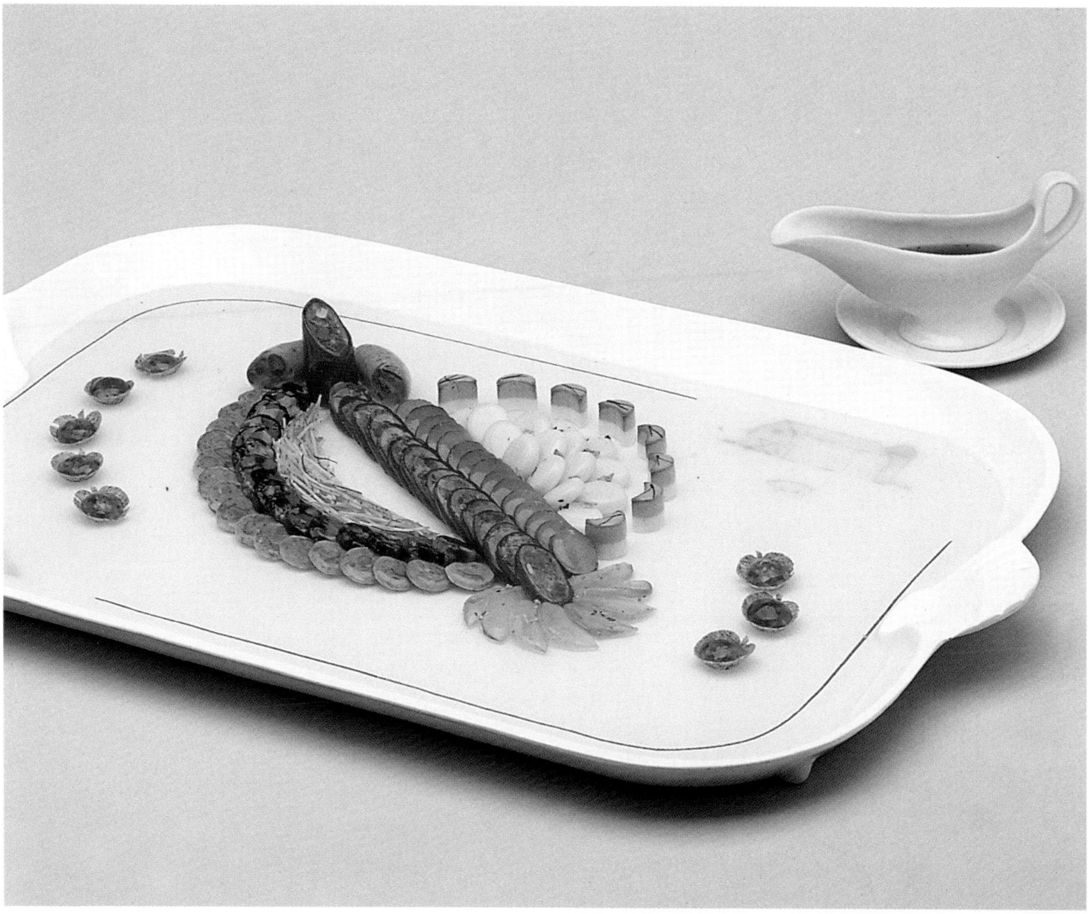

Schweinefleischplatte „Landmetzgerei". Speck nach Bauernart; Eingelegter Wurstring; Lebermousse auf Apfel; Barbecue-Aufschnitt mit Beilagen.

Pork Platter "Country-Butcher's". Farmhouse bacon; marinated sausage ring; liver mousse on apples; barbecue cold cuts with garnishings.

Plat de porc et «charcuterie de campagne». Lard à la paysanne; anneau de saucisse marinée; mousse de foie sur pomme; charcuterie barbecue et garniture.

Team Maryland USA

Truthahnplatte. Truthahnbrust mit Kruste von Pilzen; Truthahnschinken; Geräucherte Truthahnwurst; Ländlicher Gemüsesalat.

Turkey Platter. Breast of turkey with a mushroom crust; turkey ham; smoked turkey sausage; country vegetable salad.

Plat de dinde. Suprême de dinde en croûte de champignons; jambon de dinde; saucisson fumé de dinde; macédoine paysanne de légumes.

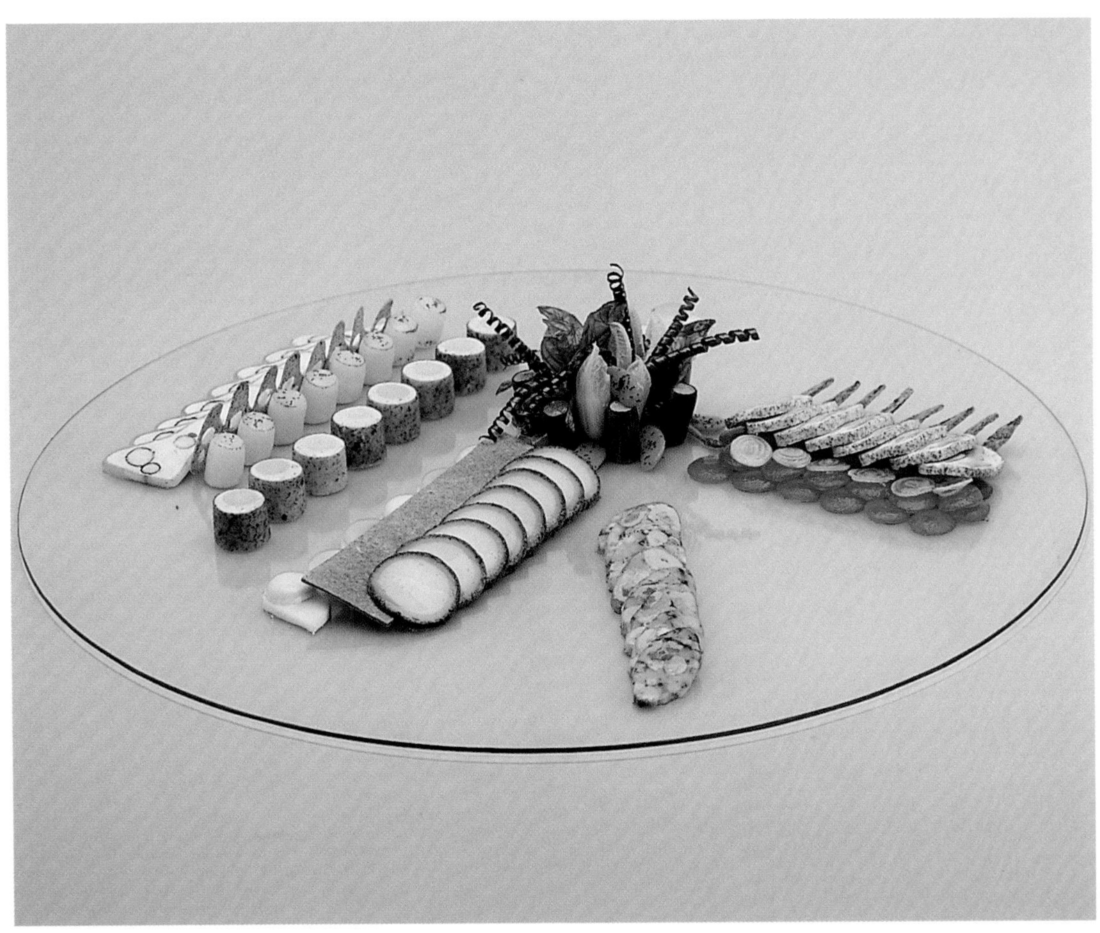

Cornwall-Meeresfrüchteplatte. Austerngelee; Mulletterrine auf Tomate; Muschel im Kräutermantel; Fischterrine.

Cornish Catch Platter of Seafood. Oyster jelly; terrine of mullet on tomato; mussels in a herb crust; fish terrine.

Cornish Catch Platter of Seafood. Gelée d'huîtres; terrine de mulet sur tomate; moule en chemise de fines herbes; terrine de poisson.

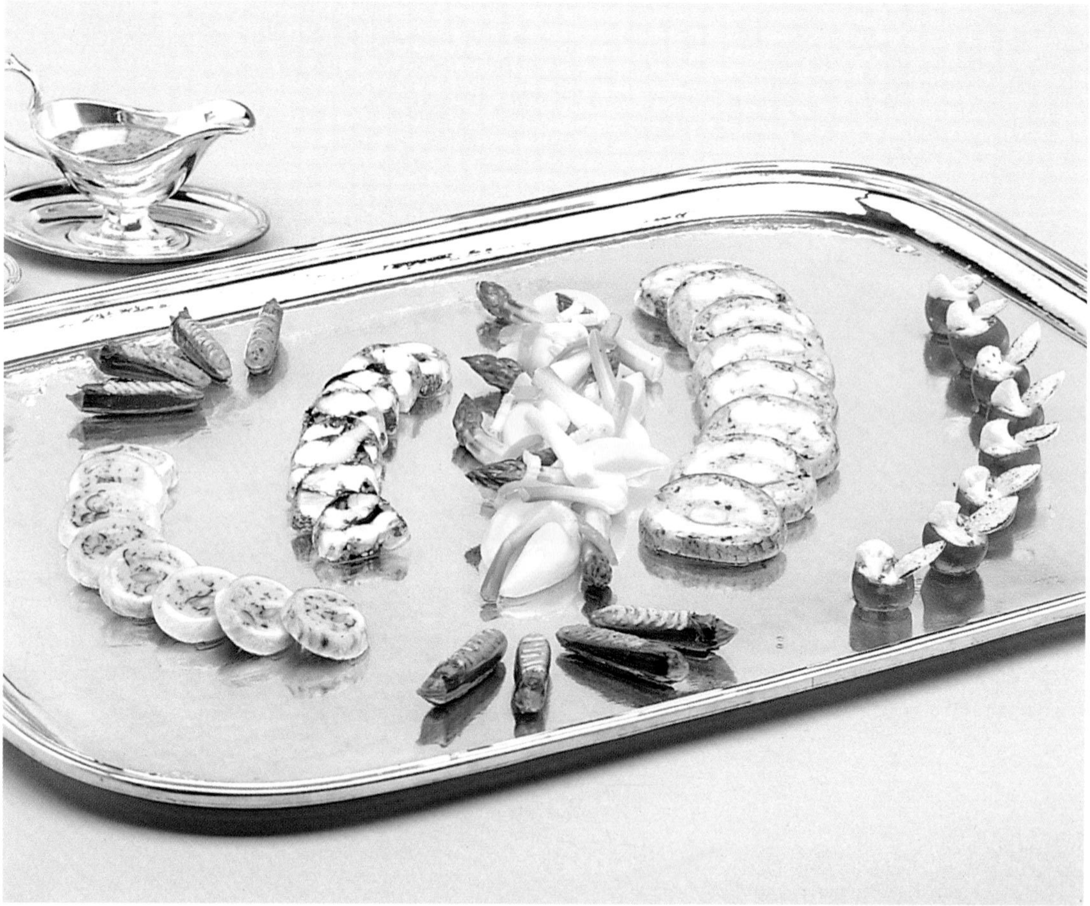

Fischallerlei „St. Marco". Drachenkopffilet mit Meeresfrüchten; Steinbuttrolle mit Steinpilzen; Tintenfischeier in Aspik; Gemüsegarnitur.

"St. Marco" Fish Variations. Fillet of scorpion fish with seafood; roulade of turbot with ceps; squid roe in aspic; vegetable garnish.

Arrangement de poissons «Saint-Marco». Filet de scorpène aux fruits de mer; rouleau de turbot aux cèpes; œufs de seiche en aspic; garniture de légumes.

„Von der Ost- zur Westküste". Timbale von Neufundlandhummer; Bay-Fundy-Lachsfilet; Terrine von Madawaska-Flußhecht; Gemüseschnitzerei.

"East to West Coast". Timbale of Newfoundland lobster; fillet of Bay Fundy Salmon; terrine of Madawaska River pickerel; carved vegetables.

«East to West Coast». Timbale de homard de Terre-Neuve; filet de saumon de la baie de Fundy; terrine de brochet de la rivière Madawaska; sculptures de légumes.

Nicholas Vadis United Kingdom

„Geflügelplatte". Brust im Spinatmantel auf Paprikagemüse; Gefüllte Roulade im Schinkenmantel mit grünem Spargel; Gerauchte Brustterrine; Truthahnwurst; Zwei Saucen.

"Poultry Platter". Breast in a spinach crust with mixed peppers; stuffed roulade in a ham crust with green asparagus; terrine of smoked breast; turkey sausage; two sauces.

«Plateau de volaille». Suprême en chemise d'épinards sur poivrons; roulade farcie d'asperges vertes en chemise de jambon; terrine de suprême fumé; saucisse de dinde; deux sauces.

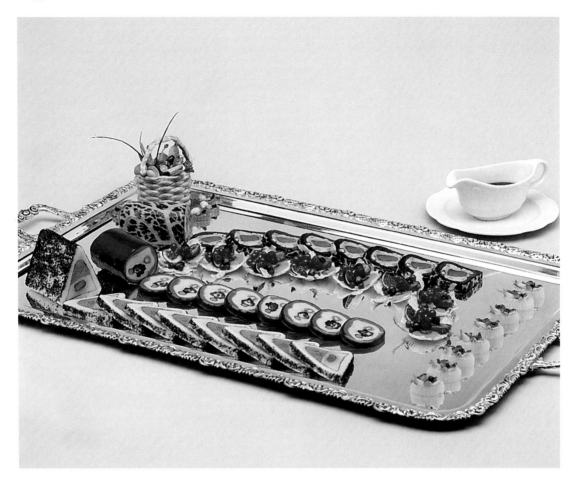

Festliche Platte aus den Karpaten.

Festive Carpathian Platter.

Plat de fête des Carpates.

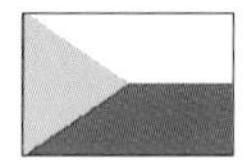

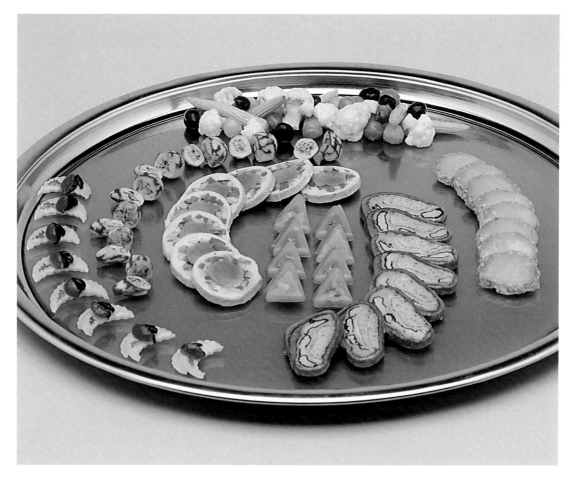

Festliche Platte aus Tschechien. Truthahnroulade mit Schweinefleisch und Gemüse; Marinierter Schweinerücken im Gemüsemantel; Gefüllter Lungenbraten mit schwarzen Pilzen; Orangensauce mit Preiselbeeren, Kapernsauce.

Festive Czech Platter. Turkey roulade with pork and vegetables; marinated loin of pork in a vegetable crust; stuffed roast lung with black mushrooms; orange sauce with cranberries, caper sauce.

Plat de fête tchèque. Paupiette de dinde à la viande de porc et aux légumes; filet de porc mariné en chemise de légumes; rôti de poumons farci de champignons noirs; sauce orange aux airelles, sauce aux câpres.

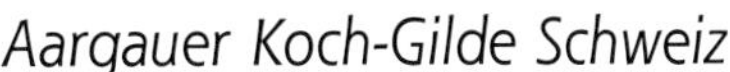

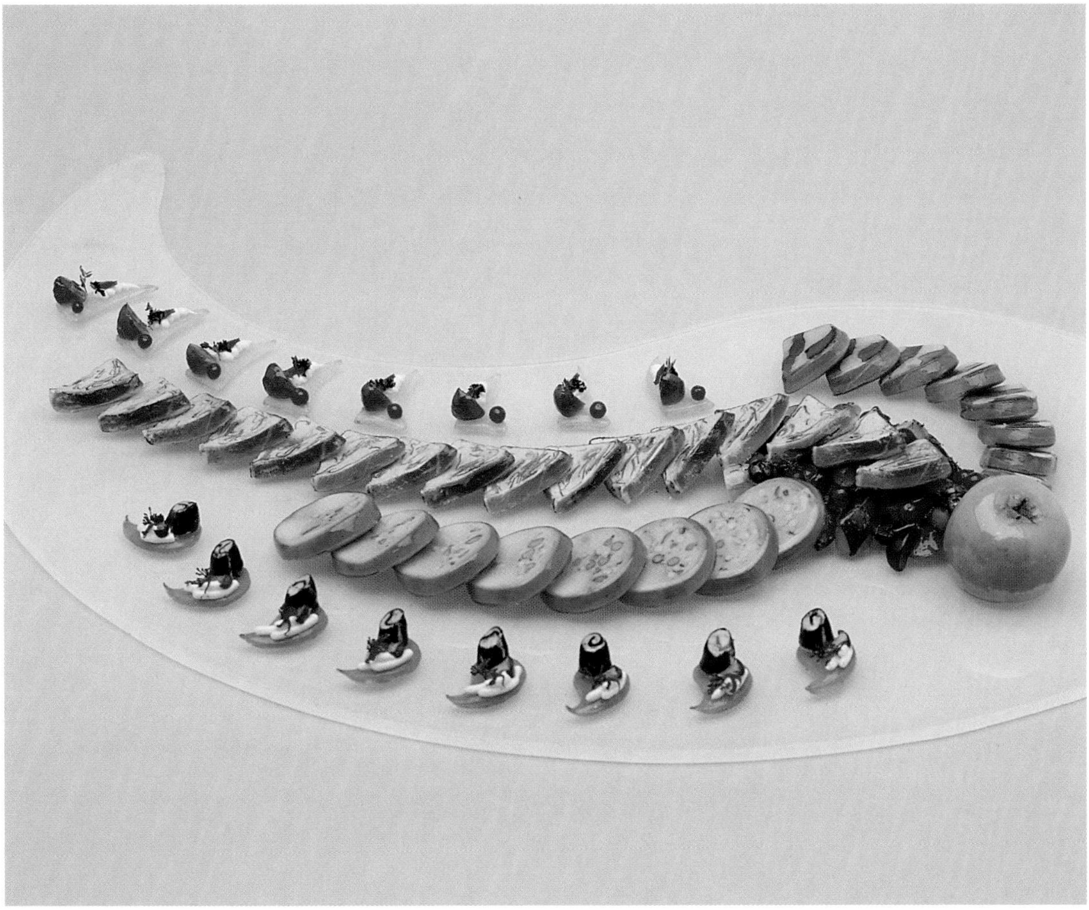

Herbstliche Wildplatte. Taube und Poulet; Wildhasenrücken, mit Kernen gefüllt; Hirschparfait im Wildschwein-Rohschinken-Mantel, marinierte Gemüse und Früchtegarnituren.

Autumn Game Platter. Pigeon and chicken; saddle of wild hare with granary stuffing; venison parfait wrapped in ham of wild boar, marinated vegetables and fruit garnishes.

Plat de gibier automnal. Pigeon et poulet; râble de lièvre farci d'amandes; parfait de cerf en chemise de jambon cru de sanglier, légumes marinés et fruits en garniture.

Team Alberta Kanada

Truthahnplatte „Alberta Tom". Brust mit Kürbis und Preiselbeermousse, Käsekorb, Gemüsesalat und Feta; sauer eingelegter Schlegel; Chanterelles und rosa Pfefferkörner, Rüben, Kirschtomaten, Wachteleier mit Kerbelblättchen; Flügel mit Leberfarce und Limabohnen, Melone.

"Alberta Tom" Turkey Platter. Breast with pumpkin and cranberry mousse, cheese basket, vegetable salad and feta cheese; pickled leg, Chanterelles and pink peppercorns, turnips, cherry tomatoes, quail egg with chervil; wings with liver farce and Lima beans, melon.

Plateau de dinde «Alberta a Tom». Suprême au potiron et à la mousse de canneberges, corbeille de fromage, salade de légumes et feta; cuisse marinée, chanterelles et grains de poivre rose, navets, tomates cerises, œufs de caille au cerfeuil, l'ailes farcies de foie et haricots de Lima, melon.

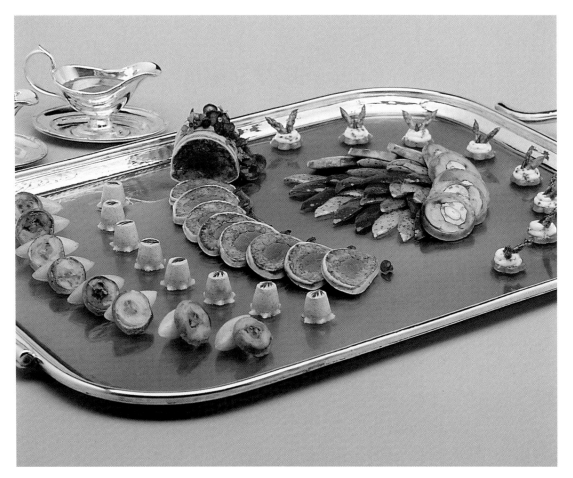

„Paduanische Land-Phantasien". Putenkeule mit Pistazien; Entenbrust im Pfifferlingsmantel; Perlhuhnschenkel; Ricotta-Schnittlauch-Mousse mit grünem Spargel.

"Paduan Country Phantasies". Leg of turkey with pistachios; breast of duck with chanterelles; leg of guinea fowl; ricotta and chive mousse with green asparagus.

«Créations de la région de Padoue». Cuisse de dinde aux pistaches; magret de canard en chemise de girolles; cuisse de pintade; mousse de ricotta et ciboulette aux asperges vertes.

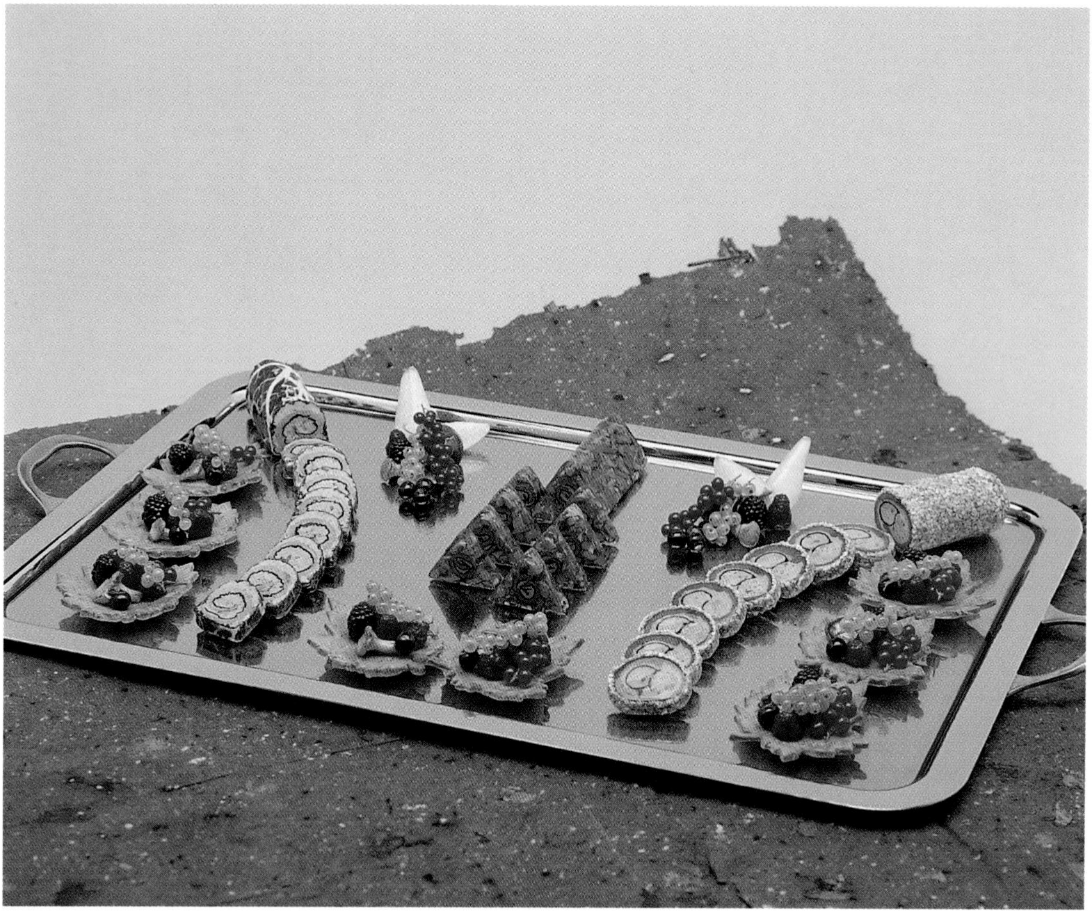

Team Berlin-Brandenburg II Deutschland

Regionale Wildplatte. Fasanenbrust, gefüllt mit Kürbis, im Wirsingnetz; Hasenrückenfilet im Buchweizenmantel; Sülze vom Rehrückenfilet mit Pfifferlingen; Teigblätter, Beeren, Pilze und Waldfrüchte.

Regional Game Platter. Breast of pheasant with pumpkin stuffing wrapped in savoy leaves; filleted saddle of hare in a buckwheat crust; chaud-froid of venison fillet with chanterelles; pastry leaves, berries, mushrooms, and fruits of the forest.

Plat de gibier régional. Suprême de faisan farci de potiron en crépine de chou frisé; filet de râble de lièvre en chemise de sarrasin; filet de chevreuil en aspic aux girolles; feuilles en pâte, baies, champignons et fruits de la forêt.

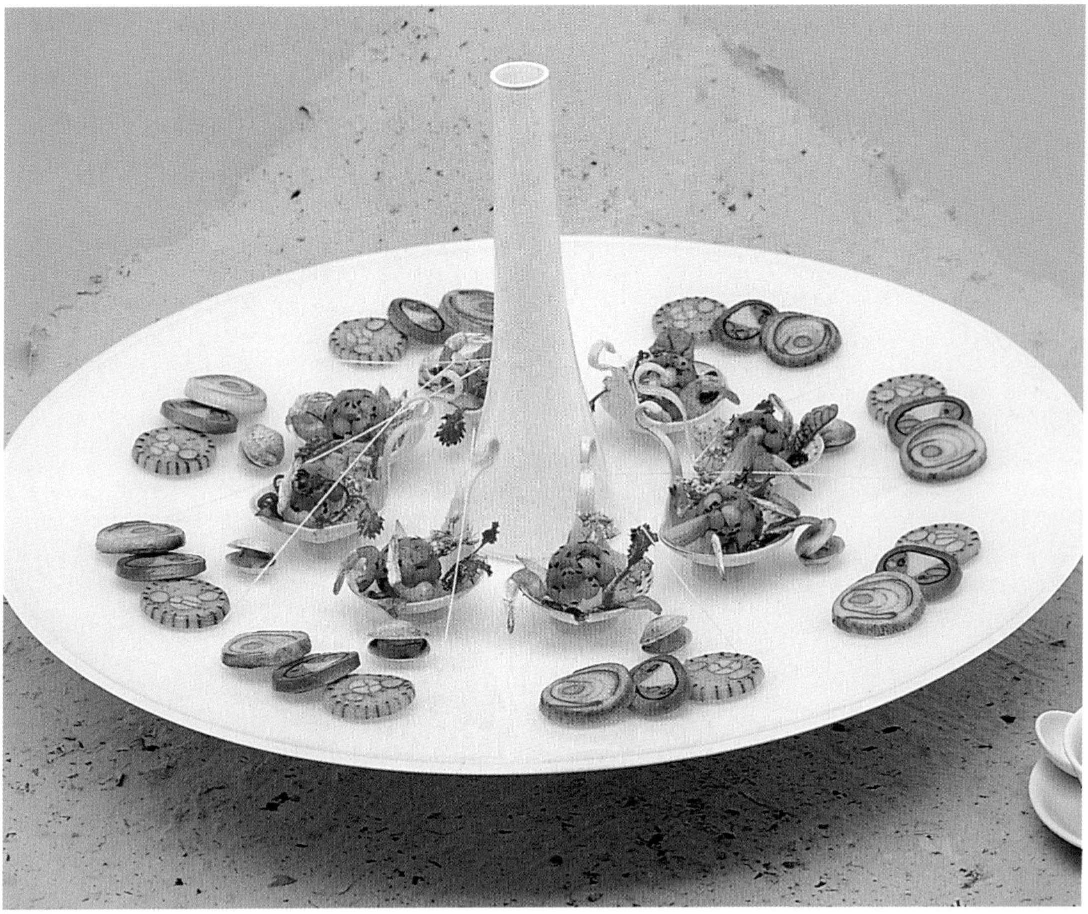

„Western Style Chinese Steamboat Platter". Schinken nach Yünan-Art mit Gewürzbohnen-Tofu, Tintenfisch, mit Huhn gefüllt, Languste und Erdnußkloß, marinierte Merlanrolle mit Shiitake und Spargel; Steamboat-Geleekugel, Meeresfrüchtesalat in chinesischem Teigkorb, Austernsauce mit Ingwer, Salatdressing mit süßem Chili.

"Western Style Chinese Steamboat Platter". Yunnan style ham with spice bean tofu, cuttle fish filled with chicken, rock lobster and peanut dumpling; marinated whiting roll with shiitake and asparagus; steamboat jelly ball, seafood salad in a chinese pastry basket, gingered oyster sauce, sweet chilli salad dressing.

«Western Style Chinese Steamboat Platter». Jambon à la Yunnan au tofu, seiche farcie de poulet, homard et boulettes d'arachides; rouleau mariné aux shiitake et asperges; boulette de gelée, salade de fruits de mer en corbeille chinoise de pâte, sauce gingembre aux huîtres, assaisonnement salade au piment doux.

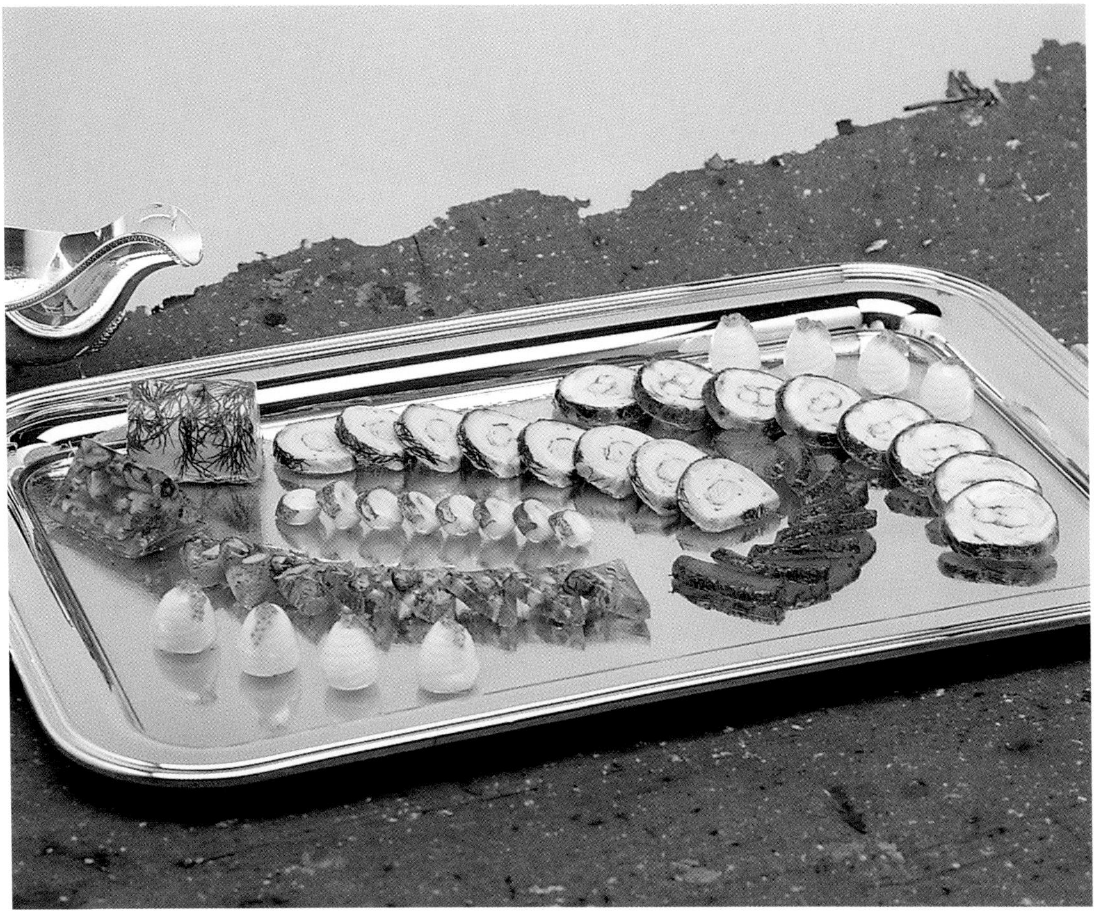

Festplatte aus Monti Lattar. Terrine von Lachs mit gefülltem Seebarsch im Kohlmantel und Hummermedaillon; Vesuvkartoffeln, Aspik von Meeresfrüchten; Schnittlauchsauce.

Festive Platter from Monti Lattar. Terrine of salmon with stuffed bass wrapped in cabbage, lobster medallion; Vesuvian potatoes, seafood in aspic; chive sauce.

Plat de fête de Monti Lattar. Terrine de saumon au bar farci en chemise de chou et médaillon de homard, pommes de terre du Vésuve, fruits de mer en aspic; sauce ciboulette.

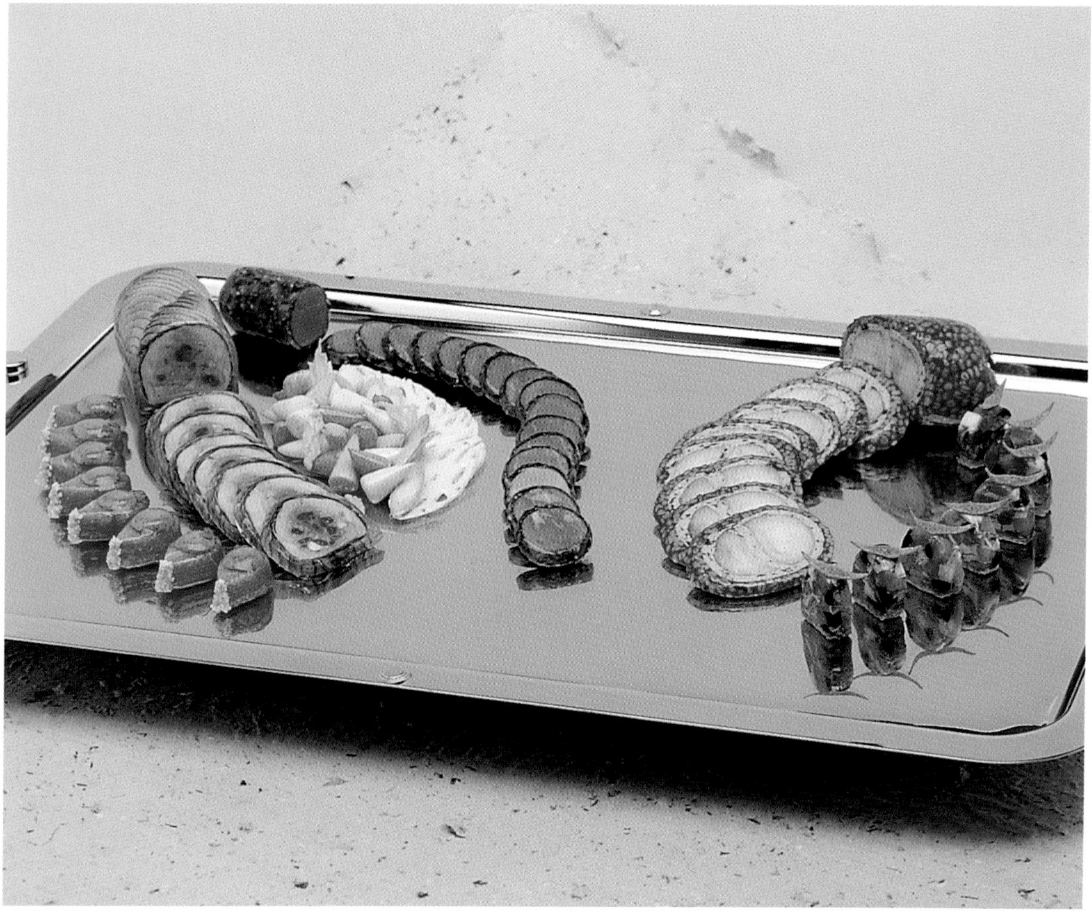

Inspiration von der kanadischen Prärie.

Inspiration from the Canadian Prairie.

Inspiration de la praire canadienne.

„Shabat"-Fischvariation. Geflochtener gefüllter Seebarsch; Seezungenfilet mit Lachs; Kartoffeln mit Fischrogen, gefüllte Gurke; Senfsauce.

"Shabat" Fish Variations. Pleated, stuffed sea bass; fillet of sole with salmon; potatoes and roe, stuffed cucumber; mustard sauce.

«Sabbat» poissons variés. Bar farci tressé, filet de sole au saumon; pommes de terre aux œufs de poissons, concombre farci; sauce moutarde.

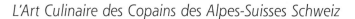

Festliche Fischplatte. Rotbarbenfilet mit Spargel; Hechtterrine im Karottenmantel; Fischterrine mit Schnecken; Lachs im Lauchmantel; Pilzrahmgugelhupf.

Festive Fish Platter. Fillet of red mullet with asparagus; terrine of pike in a carrot crust; fish terrine with snails; salmon in leek crust; cream of mushroom gugelhupf.

Plateau de poissons de fête. Filet de rouget aux asperges; terrine de brochet en chemise de carottes; terrine de poisson aux escargots; saumon en chemise de poireaux; kouglof à la crème de champignons.

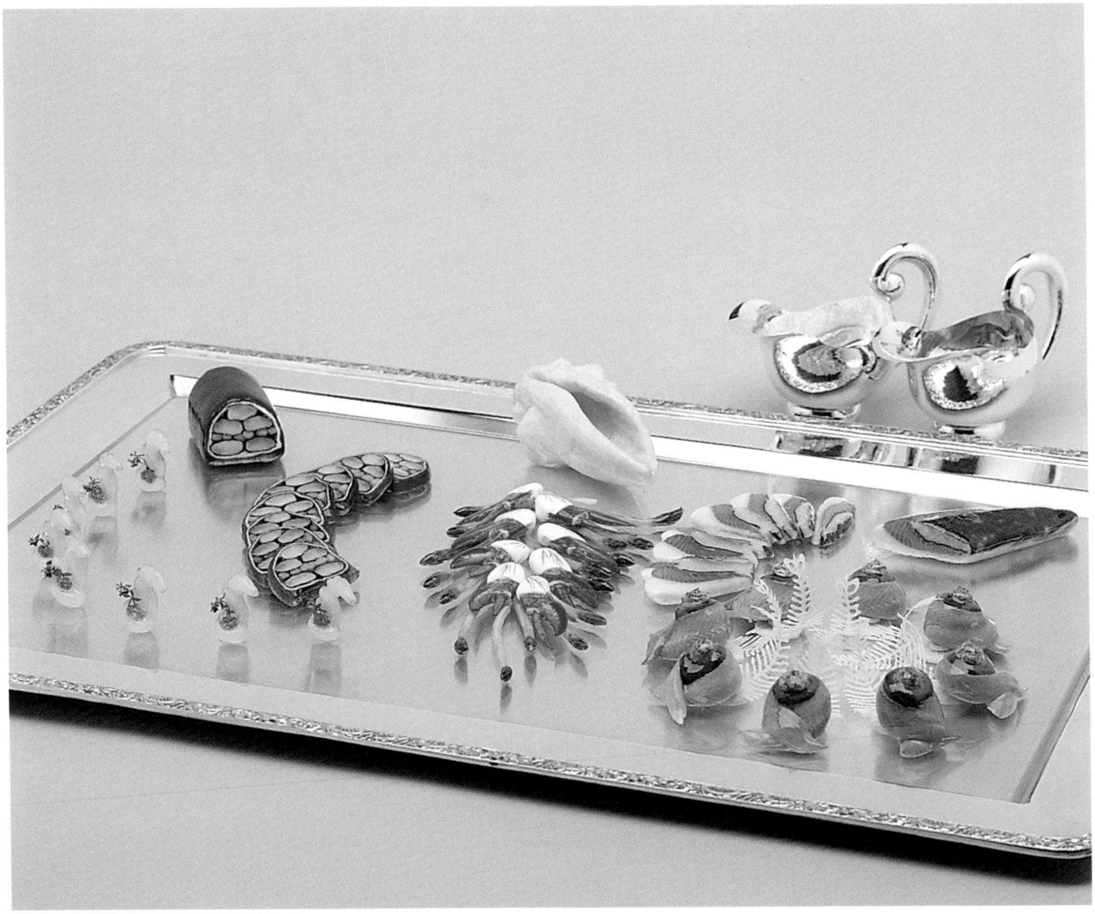

Kanadische festliche Fischplatte. Duo von Heilbutt und Lachs mit Safran-Trüffel-Mousse, Rübchen, rogengefüllte Seepferdchen; geräucherter Winnipeg-Gold-Eye und Terrine von jungem Porree; Tarowurzel in Muschelschale, Hummerscheren, Roulade von Rocky-Mountains-Forelle, gefüllt mit Mousse von Spinat und rosa Pfeffer, Maismousse, Teigmuschel.

Canadian Festive Fish Platter. Halibut salmon duo with saffron and truffle mousse, turnip, seahorses filled with roe; smoked Winnipeg gold-eye and baby leek terrine, taro root in conch shell, lobster claws; Rocky Mountains trout paupiettes filled with spinach and pink pepper, corn mousse, pastry shell.

Festin canadien de poissons. Duo de saumon et de flétan au safran et à la mousse de truffes, hippocampes en navet farcis d'œufs de poissons; «gold-eye» fumé de Winnipeg, mini terrine de poireau; pinces de homard; paupiettes de truites des Montagnes Rocheuses farcies de mousse d'épinards et de poivre rose, mousse de maïs, coquille de pâte.

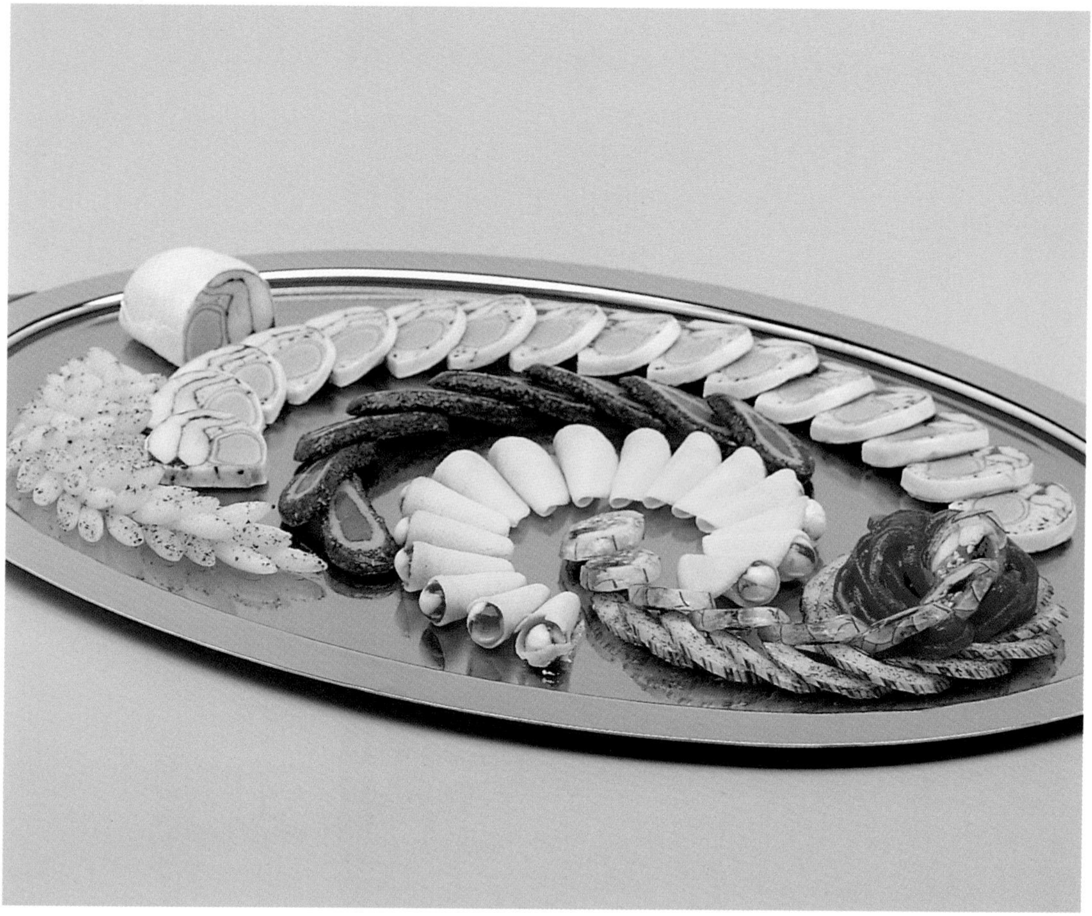

Festliche Fischplatte aus österreichischen Flüssen und Seen. Fischvariationen „Kaiserin Sissi".

Festive Fish Platter from Austrian Rivers and Lakes. Fish variations "Empress Sissi".

Festin de poissons des rivières et des lacs autrichiens. Arrangements de poissons à l'«impératrice Sissi».

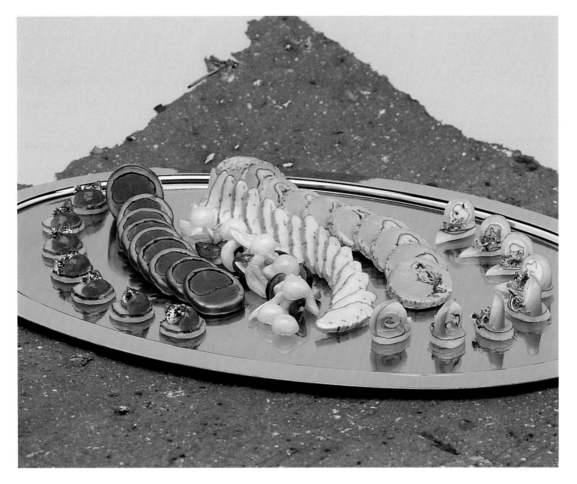

Festliche Schlachtfleisch- und Geflügelauswahl. Variationen „Kaiser Franz Joseph".

Festive Butcher's Platter and Selection of Poultry. Variations "Emperor Franz Joseph".

Volaille et viande de boucherie sur plat de fête. Variations «Empereur Franz Joseph».

Mediterrane Büfettplatte. Terrine von gebeiztem Lachs, Pfeffermakrelenfilet und Kräuterthunfisch in Schafskäse; Tintenfisch mit Kaiserfischfilet, Kürbis- und Pekanfarce; Tintenfisch, in Rotwein gedünstet, mit Flußkrebsen an Champagnergelee.

Mediterranean Style Buffet Platter. Pressed terrine of cured river salmon, peppered mackerel fillet and herbed tuna in sheep curd cheese; squid with red emperor fillet, pumpkin and pecan farce; red wine braised squid with fresh water crayfish and champagne jelly.

Plateau de buffet à la méditerranéenne. Terrine pressée de saumon de rivière fumé, filet de maquereau poivré et thon aux herbes en fromage caillé de brebis; calmar au filet d'empereur rouge, farce de potiron et noix de pécan; calmar braisé au vin rouge aux écrevisses et à la gelée de champagne.

Meeresfrüchteplatte Pazifikküste. Duo von Seebarsch und Pazifiklachs; Tigergarnelen und Hummer-Champignon-Terrine; marinierte Kartoffelmedaillons und rote Perlzwiebeln; Golden-Beet-Schnecken; Gourmet-Bohnensalat; Zitronen-Kapern-Creme.

Pacific Rim Seafood Platter. Seabass and pacific salmon duo; tiger prawn and lobster mushroom terrine; marinated potato medaillons and pearl red onions; golden beet snails; gourmet beans salad; citrus caper cream.

Plateau de fruits de mer du Pacifique. Duo de bar et de saumon; terrine de crevettes, homard et champignons; médaillons de pommes de terre marinées et oignons perlés; escargots golden beet; salade de haricots gourmet; crème citron aux câpres.

„Hava-Nagila"-Platte. Gefüllter Kalbsrücken mit Kalbsfilet; Hühnerbrust mit Gänseleber; Lammrücken, Timbale mit Wildreis; Buntes Gemüse, Reiskörbchen.

"Hava-Nagila" Platter. Stuffed saddle of veal with veal fillet; breast of chicken with goose liver; saddle of lamb, timbale of wild rice; mixed vegetables, rice baskets.

Plateau «Hava-Nagila». Longe de veau farcie de filet de veau; suprême de poulet au foie gras; longe d'agneau, timbale de riz sauvage; légumes multicolores, petites corbeilles de riz.

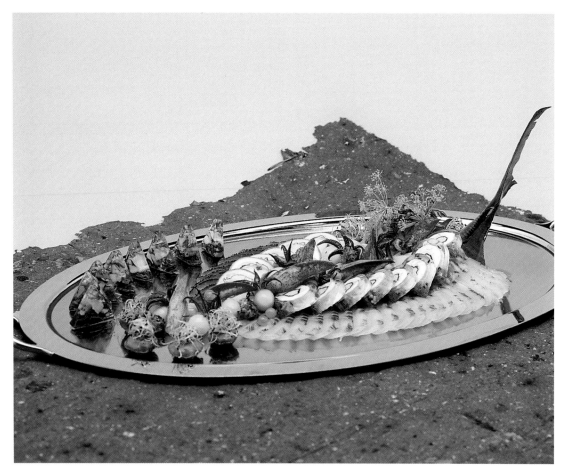

Festliche Mischung von Fluß- und Meeresfischen. Hausgeräuchertes Stör- und Lachsfilet; Hummerpastete; Steinbutt-Lachs-Sülze; Meeresfrüchte mit Waldpilzen in Gelee.

Festive Selection of Fresh and Saltwater Fish. Home smoked sturgeon and salmon fillet; lobster pâté; chaud-froid of salmon and turbot; seafood with wild mushrooms in aspic.

Mélange de poissons de rivières et de mer en habit de fête. Esturgeon et filet de saumon fumés maison; pâté de homard; aspic de turbot et de saumon; fruits de mer aux champignons des bois en gelée.

Meeresfrüchte vom Kap. Heißgeräucherter Lachs mit einer Forellenterrine, Lachsforelle auf Gravelachsart, in Rooibos-Tee mariniert.

Cape Seafood Bounty. Hot smoked salmon with a kingclip and brook trout terrine and gravlax style salmon trout marinated in rooibos tea.

Fruits de mer du Cap. Saumon fumé à chaud et terrine de truite de ruisseau et truite saumonée marinée au thé de rooibos.

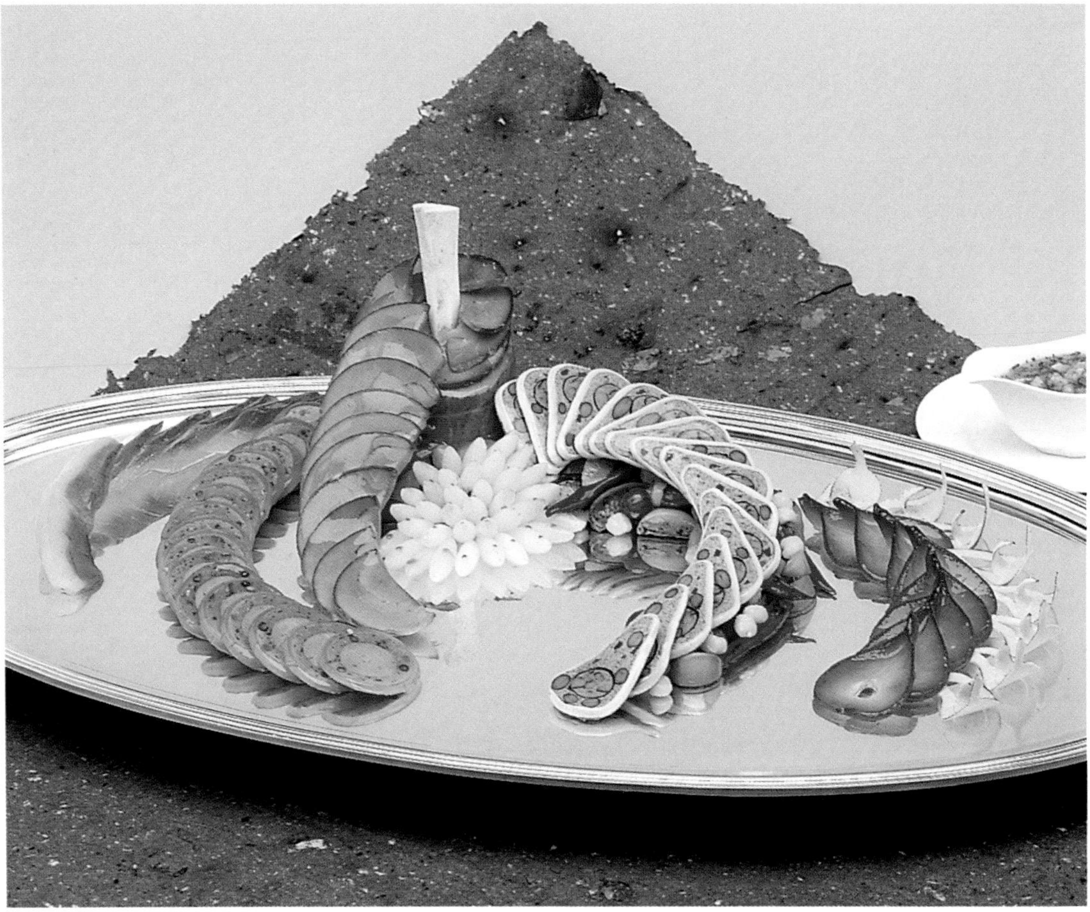

Spanferkelplatte „Rio Grande". Frischer Rauchschinken, gespickt mit Chipolata-Pfeffer; Schweinelende, gespickt mit Anchovis; Chorizo-Würstchen und Gelee von gelbem Pfeffer; Wassermelone, mariniert mit Tequila.

Suckling pig "Rio Grande". Chipolata pepper infused smoked fresh ham; Anchovy larded pork loin; Chorizo sausage and yellow pepper jelly; Tequilla pickled watermelon.

Cochon de lait «Rio Grande». Jambon frais fumé macéré dans le poivre Chipolata; filet de porc Ancholardet; saucisse au chorizo et gelée au poivre jaune; pastèque marinée à la Tequila.

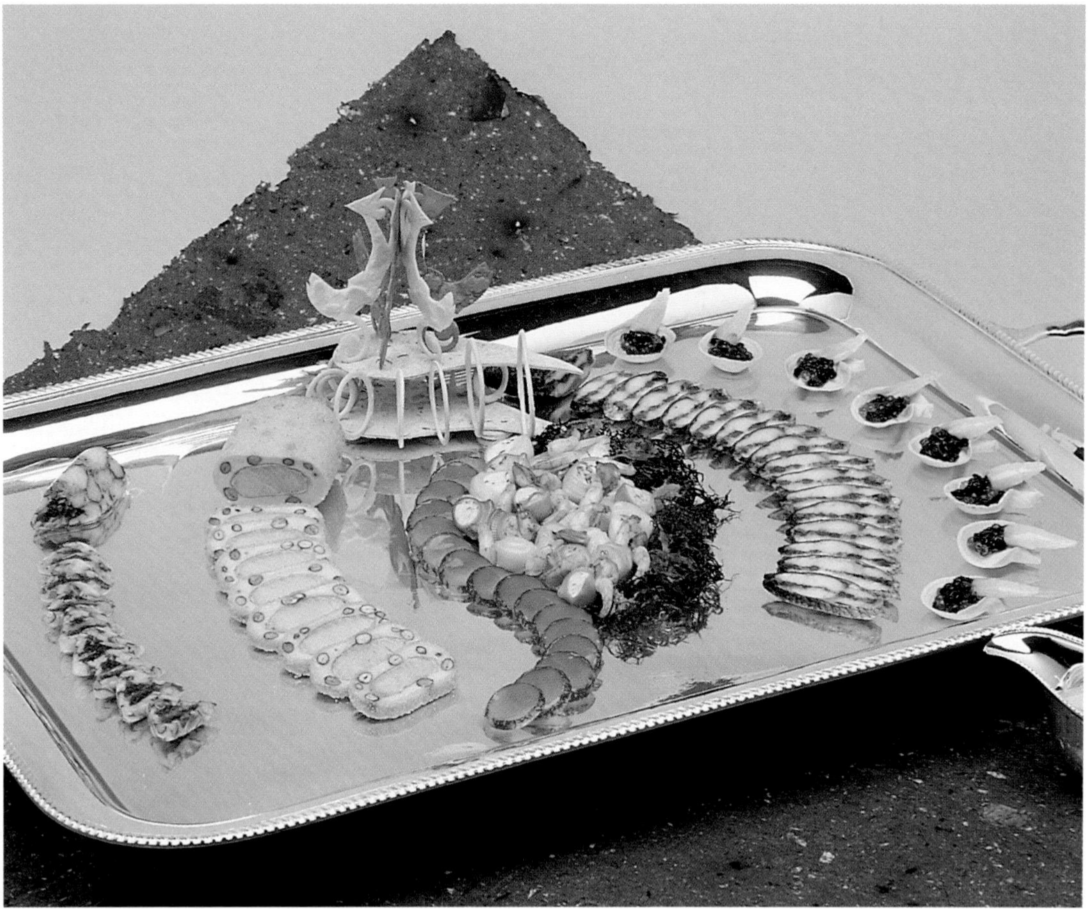

Italienische Fischplatte. Lachsterrine im Polentamantel; Marinierter Thunfisch; Gefüllte Barschschnitte; Sülze von Seealgen, Seespargel und Krabbenfleisch; Teigblatt mit Fischeiern; Meeresfrüchtesalat mit gefüllten Nudeln.

Italian Fish Platter. Terrine of salmon in polenta; marinated tuna fish; stuffed perch steaks; chaud-froid of seaweed, sea asparagus and prawns; pastry leaf with roe; seafood salad with stuffed pasta.

Plateau italien de poissons. Terrine de saumon en chemise de polenta; thon mariné; tranches de perches farcies; algues, asperges de mer, et chair de crevettes en aspic; feuilletés aux œufs de poissons; salade de fruits de mer aux nouilles farcies.

Golfküsten-Fischplatte.

Golf Coast Fish Platter.

Plateau de poissons des côtes du Golfe.

Fischplatte „Jules Verne". Symphonie von der Forelle und Rötel; Seespinne im Stangensellerie; Snapper auf Safranmousse; Lachsmousse im Sprossenpfannkuchen; Gemüsegarnitur mit Kräuterquark; Bunter Gemüsesalat; Tomatenvinaigrette, Bifidussauce mit rosa Pfeffer und Zitronenmelisse.

Fish platter "Jules Verne". Symphony of trout and redfish; sea spider in celery; snapper with saffron mousse; salmon mousse in beansprout pancake; vegetable garnish with herb curd cheese; mixed vegetable salad; tomato vinaigrette, bifidus sauce with pink pepper and lemon balm.

Plateau de poissons «Jules Verne». Symphonie de truite et de sanguine; araignée de mer en céleri en branches; snapper sur mousse au safran; mousse de saumon en crêpe aux pousses; garniture de légumes et fromage blanc aux fines herbes; salade multicolore de légumes; vinaigrette à la tomate, sauce bifidus au poivre rose et à la mélisse citronnée.

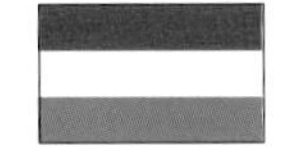

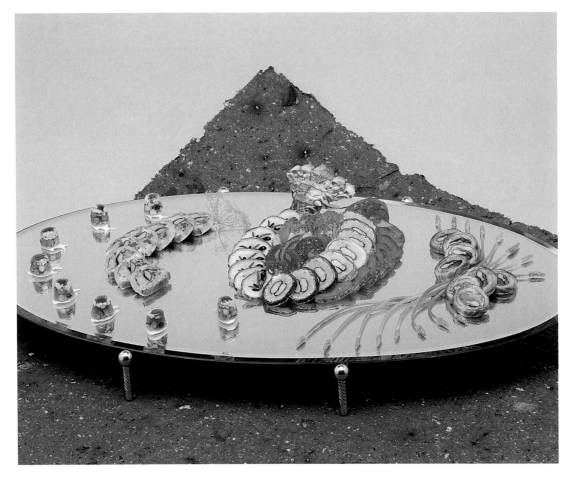

Ungarische Festplatte von Fischen. Hechtbarschroulade, mit geräucherter Forelle gefüllt; Marinierter Lachs; Langustenschwanz mit marinierten Tomaten und Seealgen; Fischterrine mit Gemüsegelee; Gefüllter Sterlet mit grünem Spargel.

Hungarian Festive Fish Platter. Pike-perch roulade stuffed with smoked trout; marinated salmon; lobster tail with marinated tomatoes and seaweed; fish terrine with vegetable jelly; stuffed sterlet with green asparagus.

Plateau hongrois de poissons en présentation de fête. Paupiette de sandre, farcie de truite fumée; saumon mariné; queue de langouste aux algues et tomates marinées; terrine de poisson à la gelée de légumes; sterlet farci aux asperges vertes.

Frank Gulewitsch Deutschland

Der Schwung aus dem Wasser. Steinbutt natur; Saiblingsterrine mit Kartoffelfüllung; Lachsforellenroulade im Mangoldblatt; gegrillter Seeteufel auf Ratatouillesalat.

Swinging out of the Water. Turbot au naturel; terrine of char with potato stuffing; salmon trout roulade in chard leaf; grilled monkfish with ratatouille salad.

Elan aquatique. Turbot nature; terrine d'omble farcie de pommes de terre; truite saumonnée en feuille de bettes; lotte grillée sur salade de ratatouille.

Küche 3
Küche 2

Fischsymphonie mit Früchten des Meeres. Forellenterrine in Porree; Gefüllter Hecht; Langustenpastete; Früchte des Meeres in Geleekugel; Paprika-Whisky-Sauce; Gefüllte Karotten, Zucchini und grüner Spargel.

Fish Symphony with Seafood. Terrine of trout with leeks; stuffed pike; crawfish pâté; seafood in a ball of jelly; paprika and whisky sauce; stuffed carrots, courgettes and green asparagus.

Symphonie de poissons aux fruits de la mer. Terrine de truite en poireau; brochet farci; pâté de langouste; fruits de la mer en bille de gelée; sauce poivron au whisky; carottes farcies, courgettes et asperges vertes.

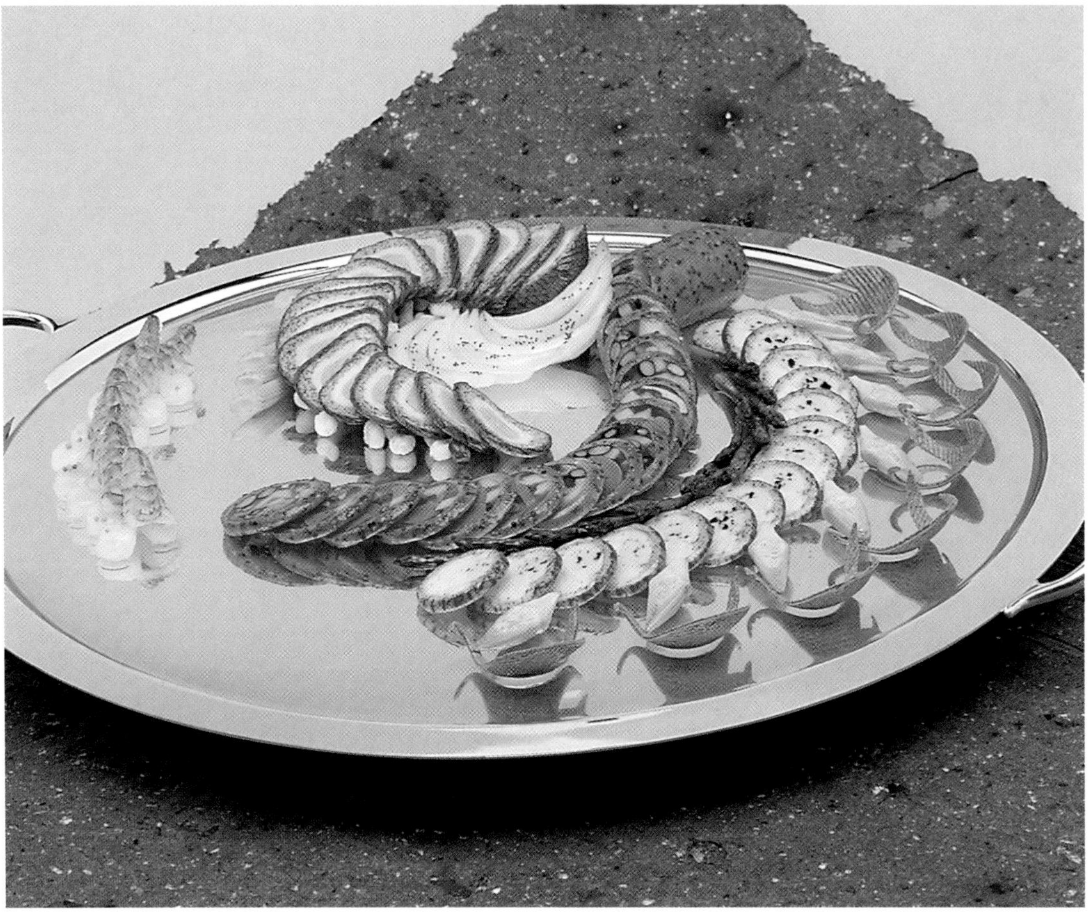

Hummerplatte „Vera Cruz".

Baja Lobster Platter "Vera Cruz".

Plateau de homard Baja «Vera Cruz».

David Taylor United Kingdom

Versteckte Tiefen. Rostbraten von Heringshaifilet; Parfait von geräuchertem Marlin; Terrine von Meeraal, gegrilltes Thunfischfilet; Wurst aus gemischtem Wildfisch; knusprige Olivenkekse und verschiedene Salate.

Hidden Depths. Roast loin of porbeagle shark; Parfait of smoked marlin; Terrine of conger eel; Griddled fillet of tuna; Mixed game fish sausage; Crisp olive biscuit and various salad.

Abîmes insondables. Filet de lamie en grillade; parfait de marlin fumé, terrine de congre, filet de thon, saucisse de poissons divers, biscuits croustillants aux olives et salades variées.

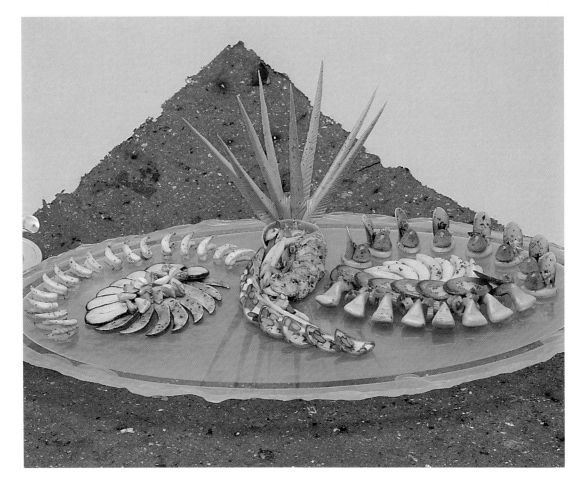

Kalifornische Wildplatte. Gepfefferte Fasanenbrustpastrami; Geräucherte Keule und Filetstück vom Fasan, gefüllt mit Spinat; Terrine von Magen und roten Bohnen mit Wachsbohnensalat; Geröstete Keule mit Sesamkruste mit grünen und schwarzen Oliven; Lebermousse mit grünen Salaten; Marinierter gelber Kürbis und Rübchen mit Eigelbcreme.

Californian Game Platter. Peppered pastrami breast of pheasant; smoked leg and tenderloin of pheasant with spinach stuffing; terrine of gizzards and red beans with wax bean salad; roast sesame crusted leg with green and black olives; livermousse with salad greens; marinated yellow pumpkin and turnip with egg yolk cream.

Plateau de gibier californien. Pastrami de suprême de faisan poivré; cuisse fumée et filet de faisan farci d'épinards; terrine de gésiers et de haricots rouges à la salade de haricots beurre; cuisse grillée en croûte de sésame aux olives vertes et noires; mousse de foie et salade verte; potiron jaune mariné et petites raves à la crème de jaune d'œuf.

Festliche Kaninchenplatte „Schloß Burgistein".

Festive Rabbit Platter "Burgistein Palace".

Lapin «Schloß Burgistein» sur plateau de fête.

Asiatische Fischplatte. Geräuchertes Lachsfilet und Muschelfarce, Bonitogelee, Seetang und Krabben; Lengfischfilet und Lauchterrine; roter Garoupa mit Kürbismousse; zwei Saucen.

Asian Fish Platter. Smoked fillet of salmon and scallops farce, bonito jelly, seaweed and shrimp; fillet of ling fish and leek terrine; red garoupa with pumpkin mousse; two sauces.

Plateau de poissons asiatique. Filet de saumon fumé farci de coquille Saint-Jacques, gelée bonito, algues et crevettes; filet de lingue et terrine de poireau; filet de garoupa à la mousse de potiron; deux sauces.

Team ARGE Bayern Deutschland

Bayrische regionale Fischplatte von Chiemseefischen.

Bavarian Regional Platter of Fish from Lake Chiem.

Plateau bavarois de poissons du Chiemsee.

Festliche Platte. Entenbrust, gedörrte Preiselbeeren, Pistazien- und Kurkuma-Farce, Honig und Cantaloupetropfen mit Erdbeeren und Trauben; Schweinefilet in Getreidekruste; Terrine von wilden Champignons, Apfel-Minze-Relish in Pastetchen.

Festive Platter. Duck breast, sundried cranberry, pistachio and turmeric farce, honey and cantaloupe tear drop with strawberry and grapes; pork tenderloin wrapped in mixed grains crust; wild mushroom terrine, apple mint relish in a pastry cup.

Plat de fête. Magret de canard, canneberges séchées au soleil, farce de pistaches et curcuma; larmes de miel et cantaloup aux fraises et raisins; filet de porc en croûte de grains; terrine de champignons sauvages, saveur pomme et menthe en tasse de pâte.

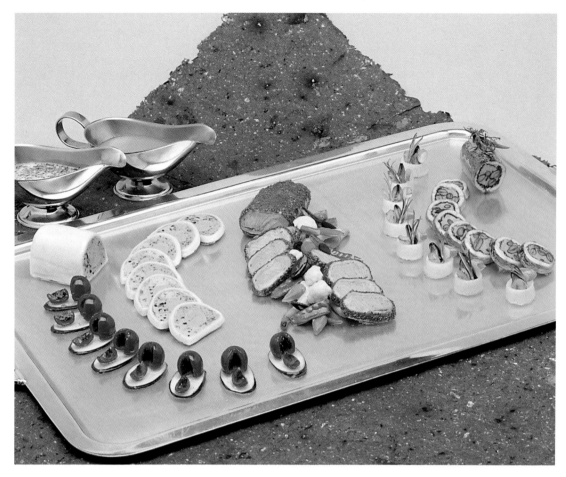

Böhmische Fischplatte. Hecht mit schwarzen Bohnen und Spinat; Graved-Lachs im Samenmantel; Radieschenkörbchen mit Meeresfrüchten; Zander-, Aal- und Karpfenparfait; Kressesauce, Hummersauce.

Bohemian Fish Platter. Pike with black beans and spinach; graved salmon in a granary crust; radish baskets with seafood; parfait of pike-perch, eel and carp; cress sauce, lobster sauce.

Plateau bohémien de poissons. Brochet aux haricots noirs et aux épinards; saumon mariné en chemise de graines; petite corbeille de radis aux fruits de mer; parfait de sandre, anguille et carpe; sauce cresson, sauce au homard.

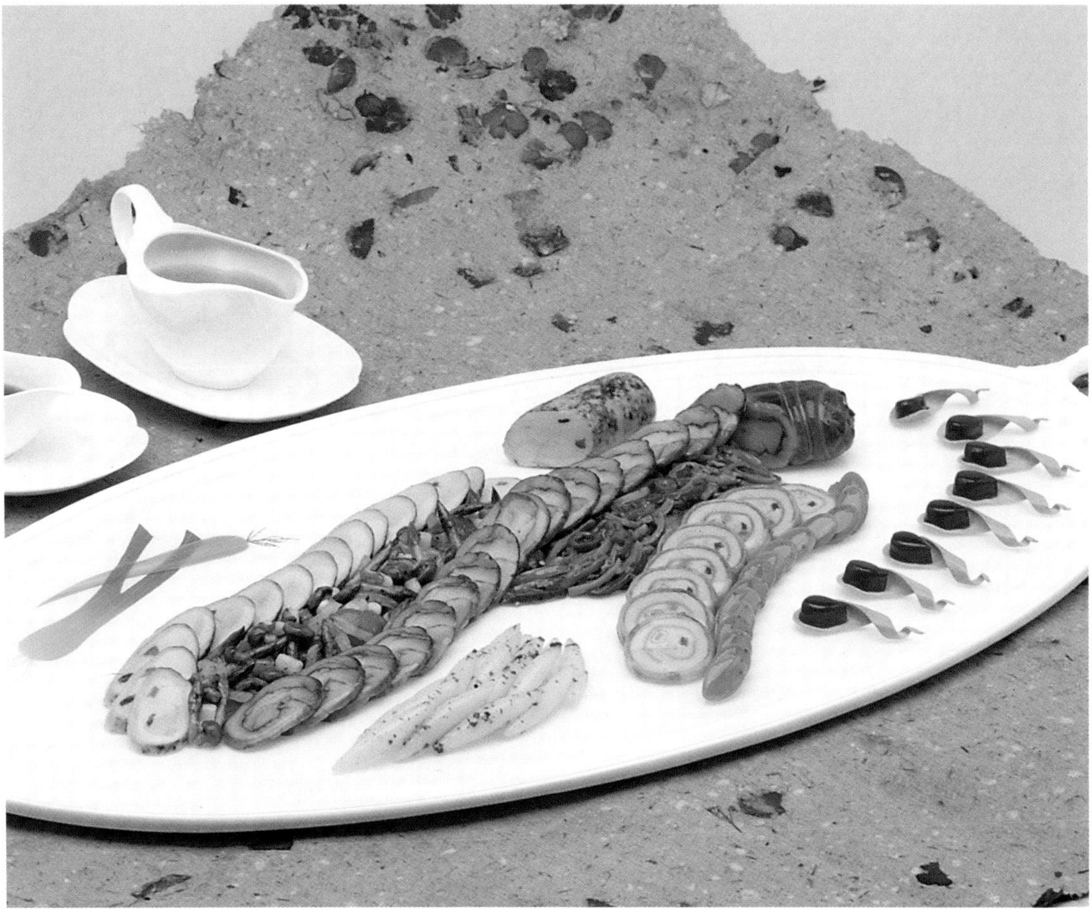

„Michigan"-Festplatte. Hühnerbrustroulade mit Einlage von Hühnerklein, gelbe sonnengetrocknete Tomaten; Geräucherter Hühnerschinken von Bein und Keule; Gebratene Brust, mit Karotten gespickt, Gemüse-Pilz-Salat, Kartoffelsalat; Preiselbeerpüree in Teig, zwei Saucen.

Michigan Festive Platter. Roulade of chicken breast stuffed with giblets, yellow sun-dried tomatoes; smoked chicken ham from leg and haunch; roast breast larded with carrots, vegetable and mushroom salad, potato salad; cranberry purée in a pastry case, duo of sauces.

Plat de fête «Michigan». Roulade de blanc de poulet aux abattis, tomates jaunes séchées au soleil; jambon fumé de poule de la cuisse et du pilon; suprême rôti piqué de carottes, salade de champignons aux légumes, salade de pommes de terre; purée de canneberges en pâte, deux sauces.

Vadis Nicholas United Kingdom

Delikates vom Schwein.

Pork Delicacies.

Délices de porc.

Mike Bersell USA 

Zellwood Pork Platter. Geräuchertes Filet in Tarragon-Farce; Bourbon-Barbeque-Schweineschinken; „Butt-head cheese"; Miniaturwurst.

Zellwood Pork Platter. Smoked loin in tarragon farce; Bourbon barbeque pork; butt-head cheese; miniature sausage.

Plat de porc de Zellwood. Filet fumé farci à la Tarragon; porc Bourbon Barbeque; «butt-head cheese»; saucisse miniature.

Komposition aus Wildbret zu Ende des Sommers.

Composition of Game at the End of Summer.

Composition de gibier à la fin de l'été.

Regionale Fleischauswahl. Schweinelende mit Spinat und wilden Champignons, Birnen mit einheimischen Beeren; Milchkalbshüfte, Farn-Mousse, geröstete Haferflockenhülle; Rücken vom Quebec-Lamm, Hühnchen und Auberginenmousse, Maismehlhülle, Preiselbeeren und Apfelsauce.

Assortment of our "Regional Meats". Loin of pork with spinach and wild mushrooms, pears with local berries; milk fed veal flank, fiddle head mousse, roasted oatmeal crust; saddle of Quebec lamb, chicken and eggplant mousse, cornmeal coating, cranberry and apple sauce.

Assortiment de nos «viandes régionales». Filet de porc aux épinards et aux champignons sauvages, poires aux baies locales; romsteck de veau de lait, mousse de fougère, chausson de flocons d'avoine grillés; longe d'agneau du Québec, poulet et mousse d'aubergines, chausson de farine de maïs, airelles et sauce à la pomme.

„Herbstliche Symphonie". Roulade vom Surschnitzel mit Hirschschinken; Gamsfilet mit Schwammerlkruste; Kalbsfilet natur; Terrine von Geflügel und Entenbrustfilet mit Gemüse; Mango-Preiselbeer-Sauce mit Meerrettich und Kräutern; Mascarino-Frischkäsecreme.

"Autumn Symphony". Roulade of marinaded escalope with smoked venison; fillet of chamois with mushroom crust; fillet of veal au naturel; terrine of poultry and filleted breast of duck with vegetables; mango and cranberry sauce with horseradish and herbs; Mascarino cream cheese.

«Symphonie automnale». Roulade d'escalope au jambon de cerf; filet de chamois en croûte; filet de veau nature; terrine de volaille et magret de canard aux légumes; sauce de mangue et d'airelles au raifort et aux fines herbes; crème de fromage frais au Mascarino.

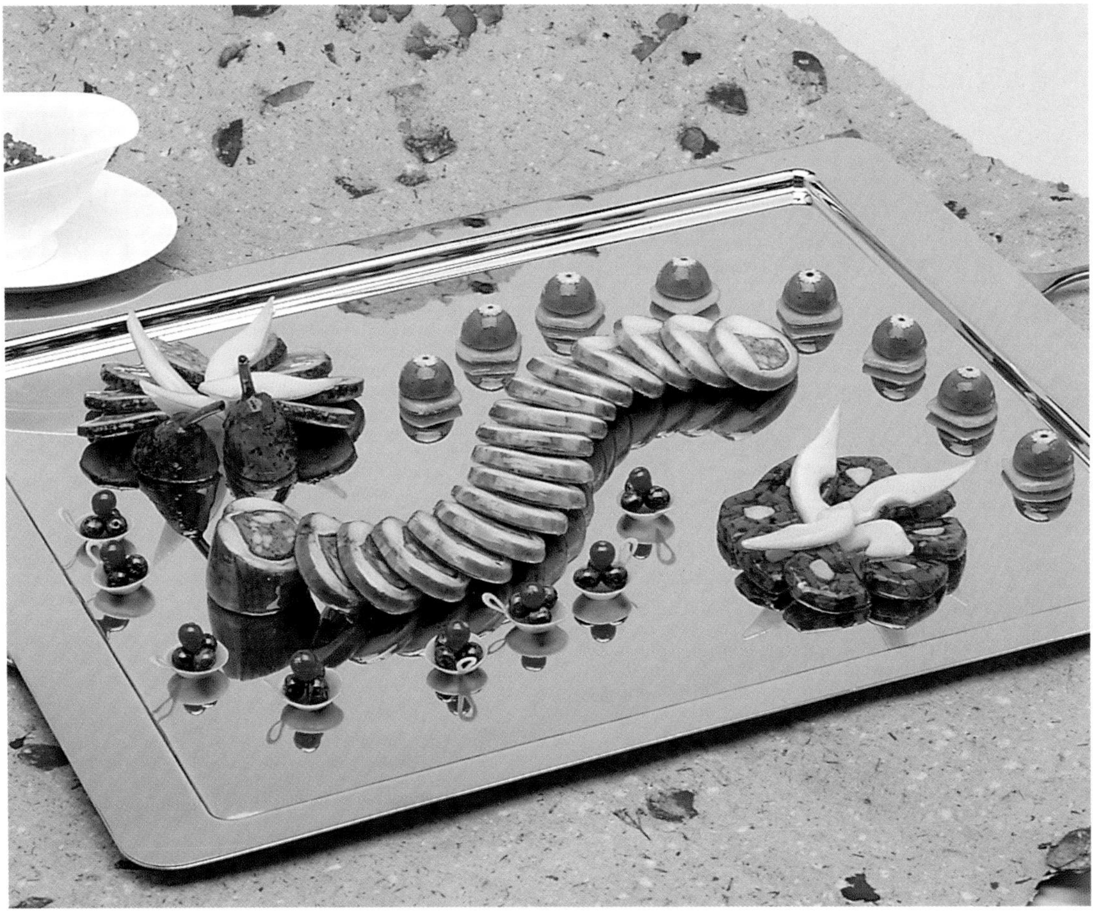

Festliche Platte „Hidden Valley". Gebratene Kaninchenlende mit Speck und Wildhasenfarce; Geräucherte Kaninchenkeule mit Nußfüllung und Pfefferkruste; Sülze vom Wildhasen und Pilzen; Wildhasenleber-Parfait, Beerenkörbchen, Birne, Feigen, Tomaten-Kräuter-Sauce.

Festive Platter "Hidden Valley". Roast loin of rabbit with bacon and wild hare farce; smoked haunch of rabbit with nut stuffing and pepper crust; chaud-froid of wild hare and mushrooms; wild hare liver parfait, berry baskets, pear, figs, tomato and herb sauce.

Plat de fête «Hidden Valley». Filet de lapin rôti farci de lard et de lièvre; cuisse de lapin fumé farci de noix et en croûte de poivre; aspic de lièvre et de champignons; parfait de foie de lièvre, petites corbeilles de fruits rouges, poire, figues, sauce tomate aux fines herbes.

Hauptgericht-Platte. Festliche Truthahn- und Schinkenplatte, garniert mit saisonalen Früchten und verschiedenen Salaten.

Main Course Platter. Festive platter of turkey and ham, garnished with fruits of the season and various salads.

Plat principal. Plat de fête au dindon et au jambon, garniture de fruits de saison et salades diverses.

Koreanische festliche Platte. Thunfisch mit Kräuterkruste; Flußaal-Terrine, gefüllt mit Meeresfrüchten, Salat im Teigkörbchen.

Korean Festive Platter. Tuna fish in a herb crust; terrine of eel with seafood stuffing, salad in pastry baskets.

Plat de fête coréen. Thon en croûte de fines herbes; terrine d'anguille de rivière farcie de fruits de mer, salade dans petit panier de pâte.

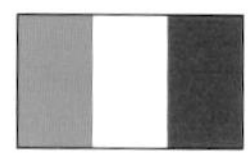

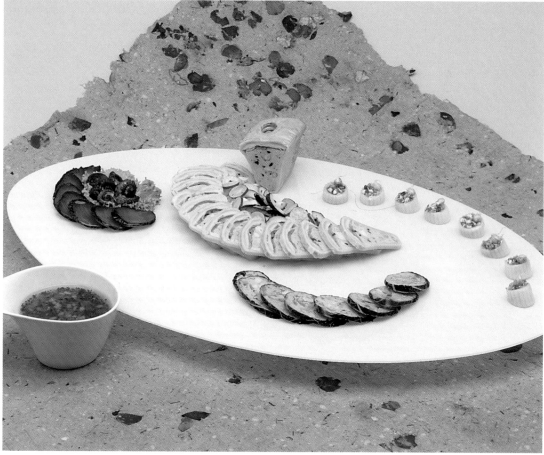

Kaltes Festival „Lombardia". Pastete von Polyp und Harmonie des Meeres; Tomatensauce mit Basilikum.

Cold Festival "Lombardia". Pâté of squid and harmony of the sea; tomato sauce with basil.

Festival froid «Lombardia». Pâté de polype et harmonie de la mer; sauce tomate au basilic.

Joachim Kersten Deutschland

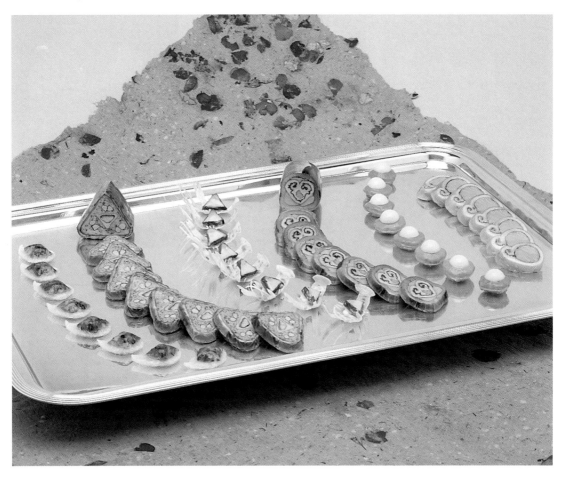

Feines aus Fluß und Meer. Terrine vom Bachsaibling; Dialog von Seezunge und Lachs; Feines vom Zander im Aalmantel; Jakobsmuscheln im Dillmantel auf Teigkrebs; Sülzchen von Meeresfrüchten; Limonensauce im Zierkürbis.

Fine Fare from River and Sea. Terrine of brook char; dialogue of sole and salmon; pike-perch wrapped in eel; scallops in dill on a pastry crab; chaud-froids of seafood; lime sauce in a baby squash.

Délices du fleuve et de la mer. Terrine d'omble de ruisseau; dialogue de sole et de saumon; délices de sandre en chemise d'anguille; coquilles Saint-Jacques en chemise d'aneth sur crevettes en pâte; petits aspics de fruits de mer; sauce au limon en potiron ornemental.

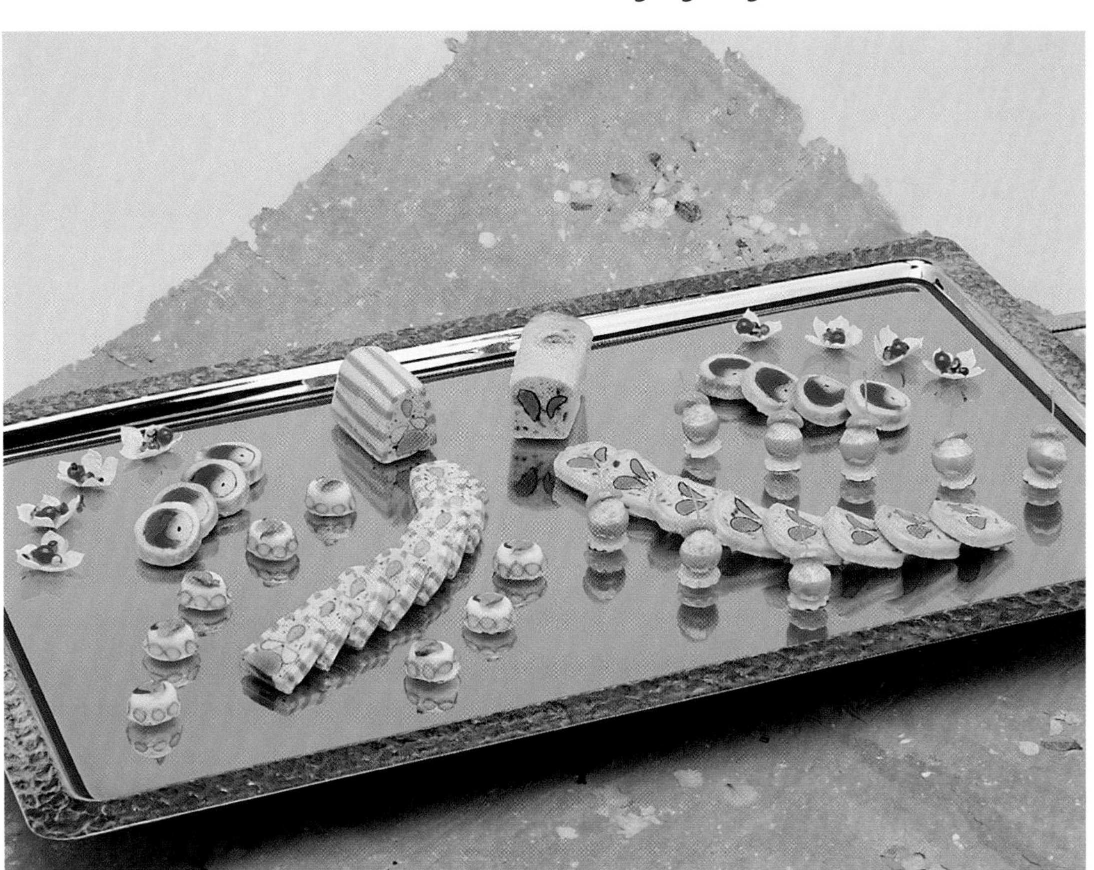

Kulinarisches aus Wald und Flur. Dialog von Hase und Kaninchen im Wirsingmantel, Pilzsalat und Sanddornsauce; Rehpastete in Quarkteigkruste, Zwergapfel, Johannisbeersauce; Terrine vom Frischling mit Gemüse, Spargelcharlotte und Orangensauce.

Culinary Delights from Forest and Field. Dialogue of hare and rabbit wrapped in savoy, mushroom salad and sea buckthorn sauce; venison pâté in a curd crust, dwarf apple, redcurrant sauce; terrine of wild piglet with vegetables, asparagus charlotte and orange sauce.

Spécialités culinaires de la forêt et des champs. Dialogue de lièvre et de lapin en feuille de chou frisé, salade de champignons et sauce aux argouses; pâté de chevreuil en croûte de pâte au fromage blanc, pomme naine, sauce à la groseille; terrine de marcassin aux légumes, charlotte d'asperges et sauce à l'orange.

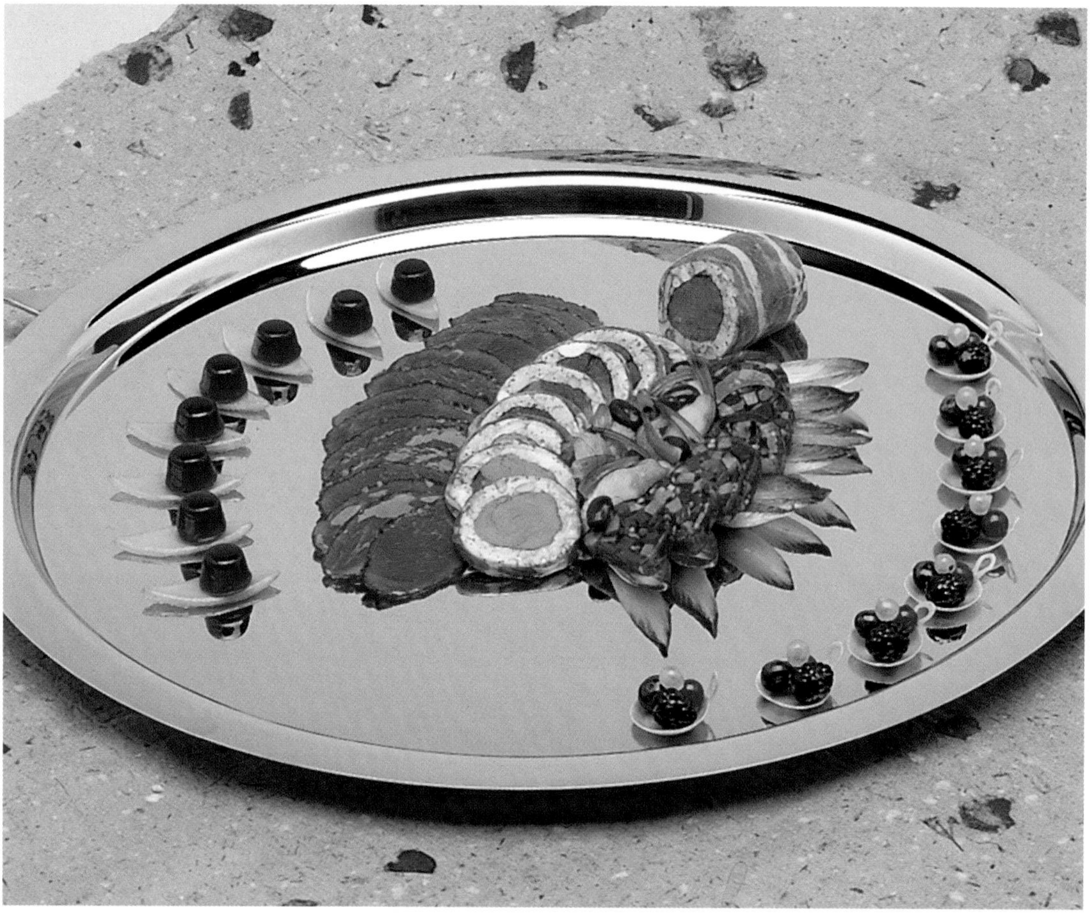

Australische Köstlichkeiten „Outback". Geräuchertes Büffelfleisch mit Pfefferkruste; Känguruh mit Bunya-Nuß-Farce im Lammschinken; Gepökeltes Emu in Portweinsülze; Teigkörbchen mit wilden Beeren; Pilz-Sojabohnen-Salat mit Senfrahmdressing; Mit Ingwer marinierter Kürbis mit Rosella-Chutney.

Australian Delicacies from the Outback. Smoked buffalo with a pepper crust; kangaroo with bunya nut farce in smoked lamb; marinaded emu in port wine jelly; pastry baskets with wild berries; mushroom and soya bean salad with mushroom and cream dressing; squash marinaded in ginger with Rosella chutney.

Délices d'Australie «Outback». Filet de buffle fumé en croûte de poivre; kangourou farci de noix de Bunya en jambon d'agneau; émeu salé en aspic au porto; petite corbeille de pâte remplie de fruits sauvages; salade de soja et de champignons à la sauce crème et moutarde; potiron mariné au gingembre au chutney de rosella.

Kanadische festliche Fischplatte. Gedämpfter Red-Rock-Fisch, Eier von fliegenden Fischen und Dill, Gemüsesalat; Monkfischschwanz in Petersilienmousse und Mantel von rotem Pfeffer, Hummer und Zitronengrascreme; Meeresforellenfilet, Seezungenmousse mit Kurkuma und Hülle von dreierlei Pfeffer, gefüllte Daikon-Rettichhülle, Teigmuschel, mit Gemüsen gefüllt.

Canadian Fish Platter. Steamed Red Rock fish, flying fish eggs and dill, marinated vegetable salad; monk fish tail in a parsley mousse and red pepper mantle, lobster and lemon grass cream; filet of sea trout, turmeric sole mousse, and three-pepper coating, Daikon radish, pastry shell filled with greens.

Plat canadien de poissons pour une fête. Poisson «Red Rock» à l'étouffée, œufs de poissons volants et aneth, légumes en salade; queue de poisson moine en mousse de persil et chemise de poivre rouge, homard et crème à la mélisse; filet de truite de mer, mousse de sole au curcuma et chausson aux trois poivres, radis Daikon, coquille de pâte farcie de légumes.

Schauplatte von Königsseefischen. Lachsterrine mit Krebsen; Lachsforellenfilet im Körnermantel; Fenchel-Dill-Sülze, Tomaten-Radicchio-Sülze; Fisch-Tomaten-Terrine mit Wildblüten, Kirschtomaten und Zuckerschoten-Salat.

Show Platter of "Königssee Fish". Terrine of salmon with prawns; salmon trout fillet with a grain crust; fennel and dill in aspic; tomato and radicchio in aspic; fish and tomato terrine with wild flowers, cherry tomatoes and sugar pea salad.

Plat décoratif de poissons du «Königssee». Terrine de saumon aux écrevisses, filet de truite saumonée en habit de céréales; aspic de fenouil à l'aneth, aspic de trévise et tomates; terrine de tomate et poisson aux fleurs sauvages, salade de tomates cerises et petits pois mange-tout.

Festliche Truthahnplatte. Getrüffelte Truthahnschenkelgalantine; gerösteter Flügel mit Leinsamen; geräucherte Brust; Preiselbeergelee, würzige Innereienwurst; Apfel-Sellerie-Salat; Relish von Strauchtomaten.

Festive Turkey Platter. Galantine turkey leg truffle; roast wing with linseed smoked breast; cranberry jelly; spicy giblet sausage; apple and celery salad, bush tomato relish.

Plat de fête au dindon. Galantine truffée de cuisse de dinde; aile rôtie aux linettes; suprême fumé; gelée d'airelles, saucisse aux abats épicée; salade de pomme et de céleri; relish de tomates en branches.

Variationen aus Fluß und Meer. Seezungenroulade im Lauchmantel, Krebsparfait, Noilly-Prat-Sauce; Galantine von der Lachsforelle, kleines Gemüse, Koriander-Kurkuma-Sauce; Terrine vom Moselhecht, Jakobsmuschel in Gemüsesülze, Kerbelsauce.

Variations from River and Sea. Roulade of sole in a leek crust, crab parfait, Noilly Prat sauce; galantine of salmon trout, dainty vegetables, coriander and curcuma sauce; terrine of Moselle pike, scallops with vegetables in aspic, chervil sauce.

Variations de la rivière et de la mer. Paupiette de sole en feuille de poireau, parfait d'écrevisse, sauce Noilly-Prat; galantine de truite saumonée, petits légumes, sauce curcuma à la coriandre; terrine de brochet de la Moselle, coquille Saint-Jacques en aspic de légumes, sauce au cerfeuil.

Geflügel „Barneveld-Art". Junge Truthahnbrust mit Champignons; leicht gepökelte Truthahnkeule, gefüllt mit Taube und Hühnchen; Perlhuhn, gefüllt mit Gänseleber; Staudensellerie und Kürbis mit einer Entenmousse; Salate; Calvadossauce.

Poultry "Barneveld" style. Young turkey breast with mushrooms; light pickled turkey leg stuffed with pigeon and chicken; guinea fowl stuffed with goose liver; branch celery and pumpkins with a duck mousse; salads; calvados sauce.

Volailles à la mode du «Barneveld». Suprême de dindonneau aux champignons; cuisse de dinde légèrement salée farcie de pigeon et de poulet; pintade farcie de foie gras d'oie; céleri en branches et potiron à la mousse de canard; salades; sauce au calvados.

Manfred Benger Deutschland

Schauplatte „Südostasien". Red-Snapper-Mousse mit Shiitakepilzen, Bohnen und schwarzem Moos in Chinakohlblättern; Ingwer-Anis-Sülze mit Meeresfrüchten und Sesam im Karottennetz; Steinbutt, in der Pfefferkruste angeräuchert; Karamelisierte Entenbrust; Asiatischer Gemüsesalat, Vietnamreis mit Tee-Eiern und Baumpilzen, Chinakohl mit Mu-Err.

Show Platter "South East Asia". Red snapper mousse with shiitake mushrooms, beans, and black moss in Chinese cabbage leaves; chaud-froid of ginger and aniseed with seafood and sesame in a carrot net; lightly smoked turbot in a pepper crust; caramelized breast of duck; Asian vegetable salad, Vietnamese rice with tea eggs and wood mushrooms, Chinese cabbage leaves with mu-err.

Plat de prestige «Asie du sud-est». Mousse de snapper rouge aux champignons shiitake, haricots et mousse noire en feuilles de chou chinois; aspic de gingembre et anis aux fruits de mer et sésame en filet de carottes; turbot fumé en croûte de poivre; magret de canard caramélisé; salade de légumes asiatiques, riz vietnamien aux œufs à thé et champignons, chou chinois au mu-err.

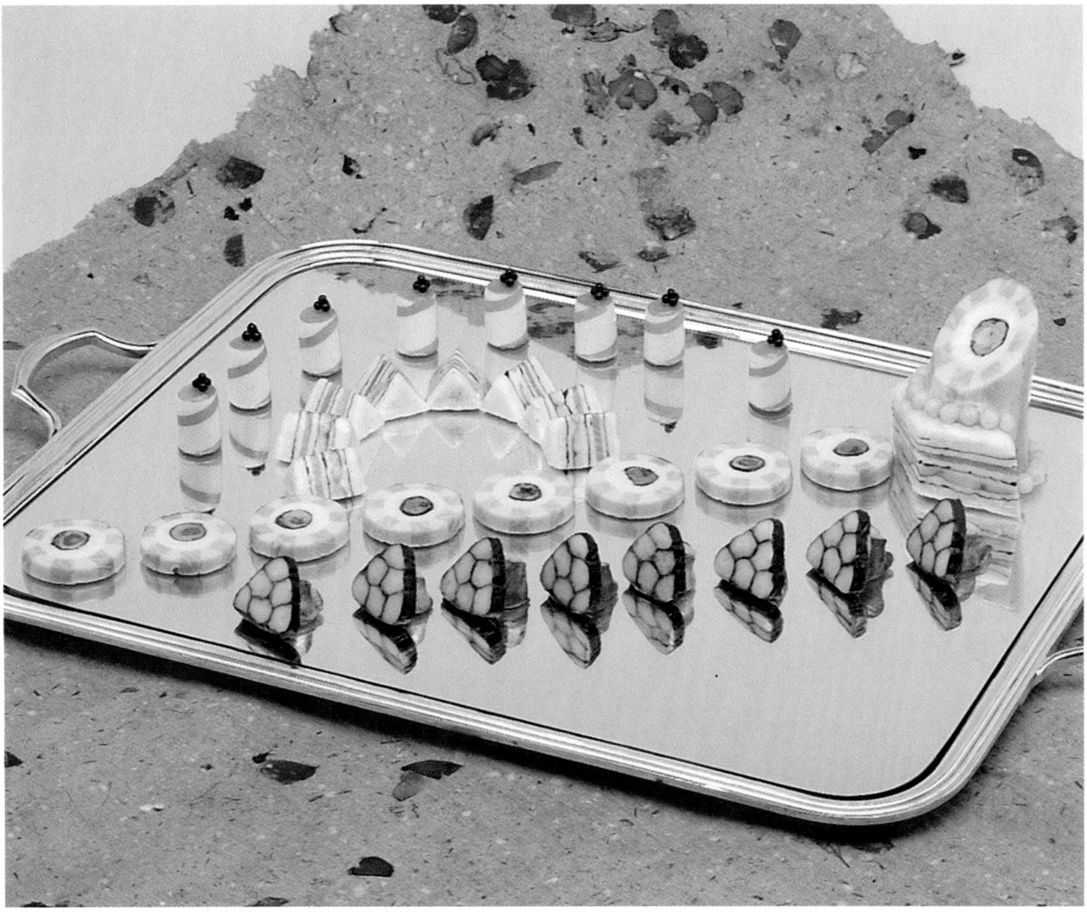

„Fischertraum". Lasagne von Seezungenfilet; Farce von Räucheraal und Lachs; Lachsroulade, gefüllt mit Flußhecht und Seeland-Austernschälchen; Meeräschenfilet an Langostinos; Muschelmousseline in einer Hülle.

"A Fisherman's Dream". Lasagne of sole fillet; forcemeat of smoked eel and salmon; salmon rouleau stuffed with pike perch and cupped Zeeland oysters; fillet of mullet complemented by langoustines; scallop mousseline in its coat.

«Le rêve d'un pêcheur». Lasagne de filet de sole; farce d'anguille fumée et de saumon; paupiette de saumon farcie de brochet et huîtres de Zélande; filet de mulet aux langoustines; mousseline de coquillages en chemise.

Fischplatte nach festlicher irischer Tradition. Westküstenlachs, Angelthunfisch und Schellfisch.

Traditional Irish Festive Fish Platter. West coast salmon, line-caught tuna fish and haddock.

Plat de poissons selon la tradition de fête irlandaise. Saumon de la côte occidentale, thon de pêche et églefin.

Fernöstliche Fleischplatte. Gebackene Schweinelende mit Gemüsefüllung; gekochte Kalbshaxe „Aufsteigender Stern"; Gemüseterrine „Ost trifft West".

Oriental meat Platter. Roasted pork loin, stuffed with vegetables; boiled veal shank "Rising Star"; vegetable terrine "East meets West".

Plat de viande d'Extrême-Orient. Filet mignon de porc cuit au four farci de légumes; jarret de veau bouilli «etoile levant»; terrine de légumes «l'Orient recontre l'Occident».

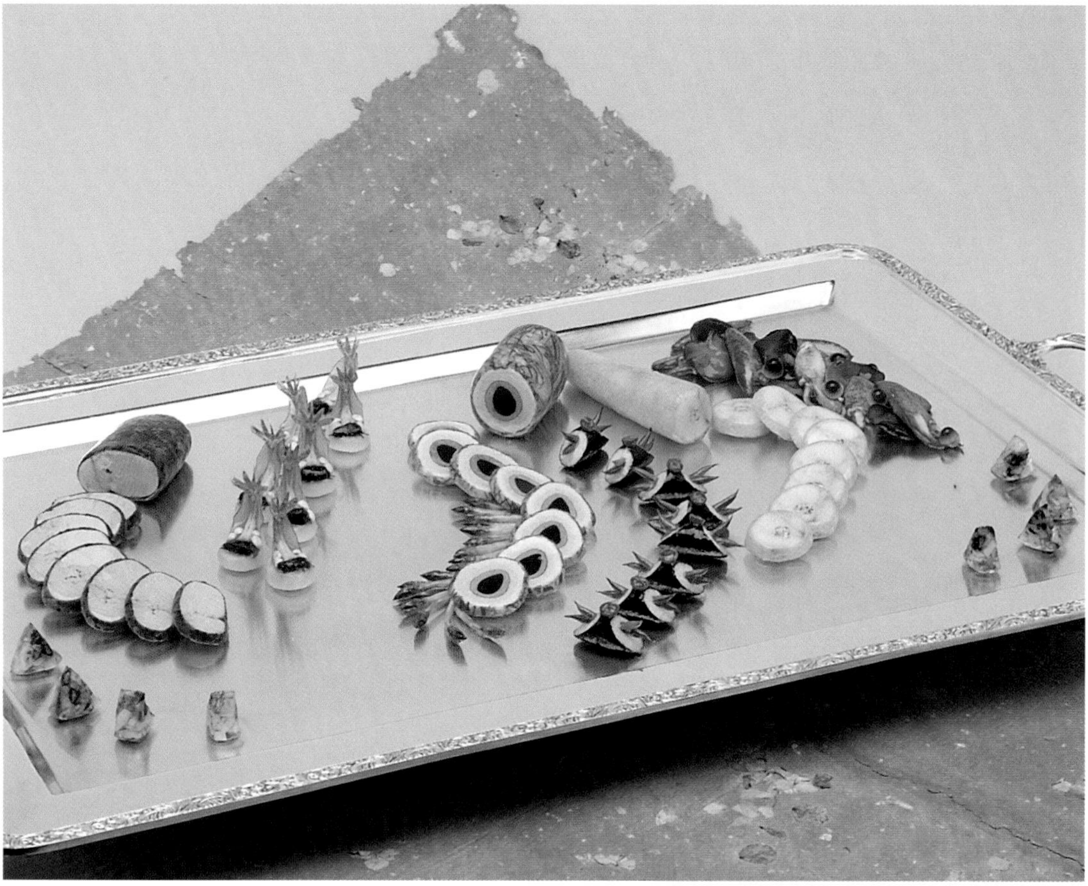

Farandole aus Fisch und Meeresfrüchten von der Gaspé-Küste.

Fish and Seafood Farandole from the Gaspé Coast.

Farandole de poissons et de fruits de mer de la côte du Gaspé.

Italienische Fischplatte. Hummer in Spinatfarce und Tomatencoulis; Artischockenherzen; Gefüllter Tintenfisch; Lachseier im Kartöffelchen; Gelee „Frutti di Mare".

Italian Fish Platter. Lobster with spinach farce and tomato coulis; artichoke hearts; stuffed calamary; salmon roe in baby potatoes; "Frutti di Mare" jelly.

Plat italien de poissons. Homard farci d'épinards et coulis de tomates; cours d'artichauts; calmars farcis; œufs de saumon en petites pommes de terre; gelée de fruits de mer.

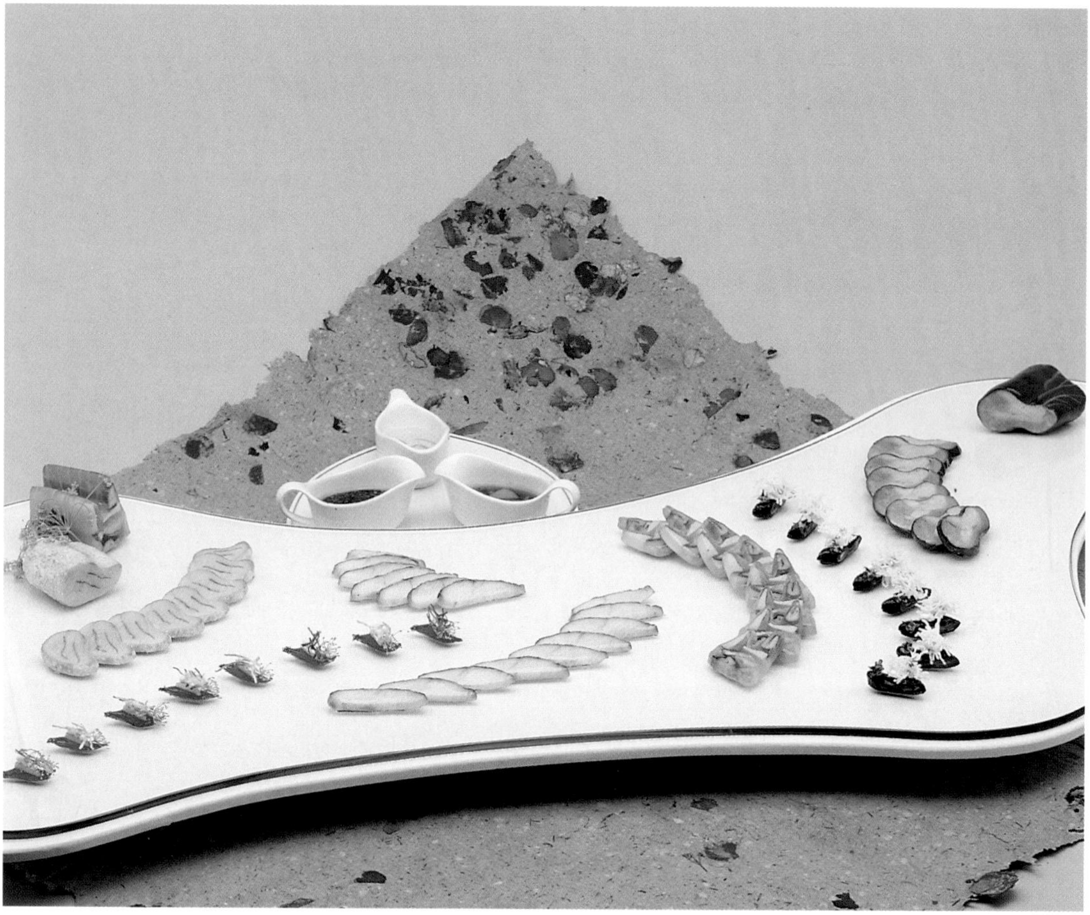

Süß-und-Salzwasserfisch-Variation „Karina". Geräucherter Steinbutt, mit Orangen und Vanille parfümiert; Wildlachsfilet im Kokosnußmantel; Meeresfrüchte und Gemüse in Ingwersülze; Zander und Thunfischfilet in Porree; Roulade vom Graved-Lachs mit Jakobsmuscheln; Süßkartoffelgitter mit Stör- und Currymousse; Meeresfrüchtesalat; Mangokompott mit Balsamico, Essig-Kräuter-Sauce, Sauerrahmsauce mit Limetten.

Fresh and Saltwater Fish Variations "Karina". Smoked turbot, flavoured with orange and vanilla; wild salmon fillet in a coconut crust; seafood and vegetables in ginger jelly; pike-perch and tuna fillet in leeks; roulade of graved salmon with scallops; sweet potato lattice with sturgeon and curry mousse; seafood salad; mango compote with balsamico, vinegar and herb dressing, sour cream sauce with limes.

Variation de poissons d'eau douce et de poissons de mer «Karina». Turbot fumé parfumé aux oranges et à la vanille; filet de saumon sauvage en chemise de noix de coco; fruits de mer et légumes en aspic au gingembre; sandre et filet de thon en feuille de poireau; roulade de saumon mariné aux coquilles Saint-Jacques; grille de patate douce à la mousse d'esturgeon au curry; salade de fruits de mer; compote de mangues au balsamico, vinaigrette aux fines herbes, sauce crème aux limettes.

Erlesenes aus See, Fluß und Meer. Seeteufelfilet mit Sesam; Lachs und Zander im Lauchmantel; Terrine von Hummer, Viktoriaseebarsch und Jakobsmuscheln; Red-Snapper-Filet; Pestosauce mit Gemüsewürfeln, Tomaten-Sauerrahm-Sauce mit Dill und Knoblauch.

The Pick of Lake, River, and Sea. Fillet of monkfish with sesame; salmon and pike-perch in a leek coating; terrine of lobster, Lake Victoria perch and scallops; red snapper fillet; pesto sauce with diced vegetables, tomato and sour cream sauce with dill and garlic.

Délices de lacs, de rivière et de la mer. Filet de lotte au sésame; saumon et sandre en enveloppe de poireau; terrine de homard, bar de lac Victoria et coquilles Saint-Jacques; filet de snapper rouge; sauce pesto aux dés de légumes, sauce crème à la tomate à l'aneth et à l'ail.

Mark Lombardini USA

Mississippi-Delta-Katfisch-Platte. Katfisch in Senfhülle mit schwarzen Bohnen und Korianderblättern, Chorizo von Schalentieren und Cajun-Katfisch.

Mississippi Delta Catfish Platter. Mustard red catfish with black beans and cilantro, shellfish chorizo and cajun catfish.

Plat de poissons chats du delta du Mississippi. Poisson-chat en chemise de moutarde aux haricots noirs et feuillets de coriandre, chorizo de crustacés et poisson-chat cajun.

Spanferkel auf verschiedene Art. Rücken mit Rosmarin; Filet im Mangomantel; Mit Kürbiskernen gefüllter Bauch; Leber, mit Zwiebeln gefüllt; Aspik von Pilzen, rote Früchte und Kartoffelsterne.

Variations of Suckling Pig. Saddle with rosemary; fillet in a mango crust; belly stuffed with pumpkin seeds; liver with onion stuffing; mushrooms, red fruit and potato stars in aspic.

Variations sur le thème du cochon de lait. Longe au romarin; filet en habit de mangue; poitrine farcie de graines de potiron; foie farci d'oignons; aspic de champignons, fruits rouges, étoiles de pommes de terre.

Chinesische Vorspeise im traditionellen Stil. Bunte Gemüseschmetterlinge fliegen in den Frühling.

Traditional Chinese Hors d'oeuvres. Colourful vegetable butterflies fly into spring.

Hors-d'œuvre chinois dans le style traditionnel. Des papillons multicolores faits de légumes volent au printemps.

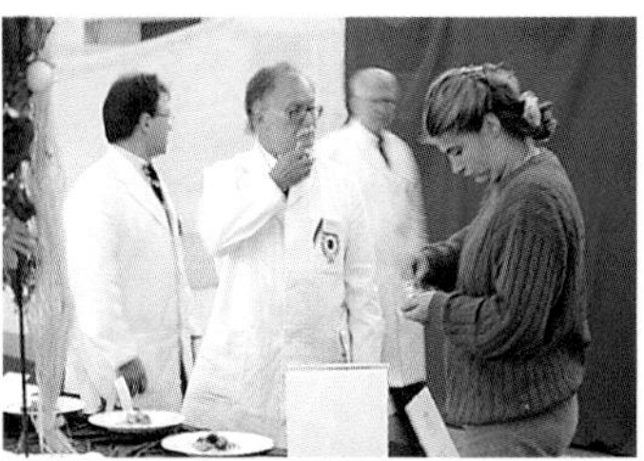

Vorspeisenauswahl. Lachs mit Wildreis-Buttermilch-Pfannkuchen; Hummer mit Fenchel; Schweinefleischroulade mit Gemüsen und Zwiebelconfit.

Selection of Hors d'oeuvres. Salmon with wild rice, buttermilk pancake; lobster with fennel; pork olive with vegetables and onion preserve.

Choix de hors-d'œuvre. Saumon aux crêpes de lait ribot et riz sauvage; homard au fenouil; paupiette de porc aux légumes et confit d'oignons.

Auswahl von Vorspeisen. Feld- und Wildhase im Kürbiskleid, Wildkräutersalat; Marinierter Lachs und geräucherter Heilbutt im Staudenselleriemantel; Bündner-Fleisch-Schaum mit lauwarmem Waldpilzsalat.

Selection of Hors d'oeuvres. Brown and wild hare in a pumpkin coat, salad of wild herbs; marinated salmon and smoked halibut in a celery crust; smoked meat pâté with warm wild mushroom salad.

Choix de hors-d'œuvre. Lièvre et lapin de garenne en chemise de potiron, salade d'herbes sauvages; saumon mariné et flétan en chemise de céleri en branches; mousse de viande séchée des Grisons à la salade tiède de champignons des bois.

Vorspeisenauswahl auf drei Tellern. Kalbfleisch im Safran-Kuttel-Mantel; Perlhuhnterrine, Gemüsesalat mit Kräutern; Mousse vom Stör und Räucherfisch, Tofukreation.

Choice of Hors d'oeuvres on Three Platters. Veal in saffron and tripe; terrine of guinea fowl, vegetable salad with herbs; mousse of sturgeon and smoked fish, tofu creation.

Choix de hors-d'œuvre sur trois assiettes. Viande de veau en chemise de tripes au safran; terrine de pintade, salade de légumes aux fines herbes; mousse d'esturgeon et poisson fumé, création de tofu.

Israelische festliche Fischplatte. Forelle „Dan"; Filet „Sharaton Style"; Gemüsemousse.

Israeli Festive Fish Platter. Dan trout; fillet "Sharaton Style"; "Homely" salmon trout; vegetable mousse.

Plateau de poissons israëlien en présentation de fête. Truite «Dan»; filet «Sharaton Style»; truite saumonée «Homely»; mousse de légumes.

Verschiedene Vorspeisen. Lauwarmer Fischsalat mit gegrilltem Gemüse und leichtem Pesto; Italienischer Käse: Gorgonzola, Taleggio, Hüttenkäse, frischer Pecorino und Mascarpone; Kaninchenlende in Aromaessig, mariniert mit Gemüsesprossen.

Selection of Hors d'œuvres. Tepid fish salad with grilled vegetables and light "Pesto"; Italian cheese: Gorgonzola, Taleggio, cottage cheese, fresh Pecorino and Mascarpone; rabbit loin marinated in aromatic vinegar with vegetable sprouts.

Hors-d'œuvre variés. Salade tiède de poissons aux légumes grillés et au pesto léger; fromages italiens: gorgonzola, taleggio, fromage mou, pecorino frais et mascarpone; filet de lapin mariné dans un vinaigre aromatique aux pousses de légumes.

Auswahl aus sechs Vorspeisen. Pochierte Königinnenmuscheln im Lauchmantel; Schottischer Räucherlachs mit Kräuterkäsecreme; Mariniertes Cutlassfilet mit roter Bete, Apfel-Gurken-Salat.

Selection of Six Hors d'œuvres. Poached queen scallops in a leek coat; smoked Scottish salmon with herb cream cheese; marinated fillet of cutlass-fish with beetroot, apple & gherkin salad.

Six hors-d'œuvres au choix. Moules royales pochées en chemise de poireau; saumon fumé écossais à la crème de fromage aux fines herbes; filet de cutlass aux betteraves rouges, salade de concombre aux pommes.

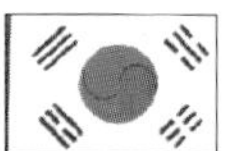

Cho Hyung Hak Südkorea

Vorspeisenauswahl aus Thailand. Marinierte Rinderzunge auf Frühlingsgrün, Champagneressig und Olivenöldressing; Meeresfrüchtekombination in Kraftbrühe mit Safran; Hummerschwanzmedaillons mit Muschelfüllung, Spinat-Chili-Sauce.

Selection of Hors d'œuvres from Thailand. Marinated beef tongue on spring greens, champagne vinegar and olive oil dressing; seafood combination in a saffron flavoured broth; lobster tail medaillons stuffed with mussels, spinach chilli sauce.

Assortiment de hors-d'œuvre thaïlandais. Langue de bœuf marinée sur verdure printanière, assaisonnement au vinaigre de champagne et à l'huile d'olive; choix de fruits de mer en consommé au safran, médaillons de queues de homard farcis de coquillages, sauce épinards au chili.

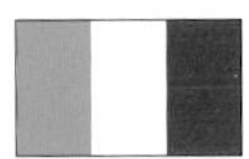

Fischvorspeisen der Jahreszeit. Garnelen aus Oneglia mit Zucchini; Gefüllter Tintenfisch mit grünem Spargel; Sardellenfilets im Fischgelee und Dill.

Selection of Fresh Fish Salads in Cups. Oneglia prawns with courgettes; stuffed squid with green asparagus; anchovy fillets in fish jelly and dill.

Choix saisonnier de salades de poissons en gobelets. Crevettes d'Oneglia aux courgettes; seiche farcie aux asperges vertes; filets d'anchois en gelée de poissons et aneth.

Drei Vorspeisen aus der Schweiz. Gemüse-Trikolore mit Salatgarnitur an Sprossendressing; Steinbutt-Saltimbocca auf Peperonata, Olivennudeln und Tomaten; Meeresfrüchte, Hirseklößchen und Gemüse in Pernod-Sauce.

Three Hors d'œuvres from Switzerland. Vegetable tricolore with salad garnish and beansprout dressing; saltimbocca of turbot with peperonata, olive pasta, and tomatoes; seafood, millet dumplings, and vegetables in Pernod sauce.

Trois hors-d'œuvre de la Suisse. Légumes tricolores à la garniture de salades assaisonnées aux pousses; turbot à la saltimbocca sur peperonata, pâtes aux olives et tomates; fruits de mer, boulettes de millet et légumes à la sauce Pernod.

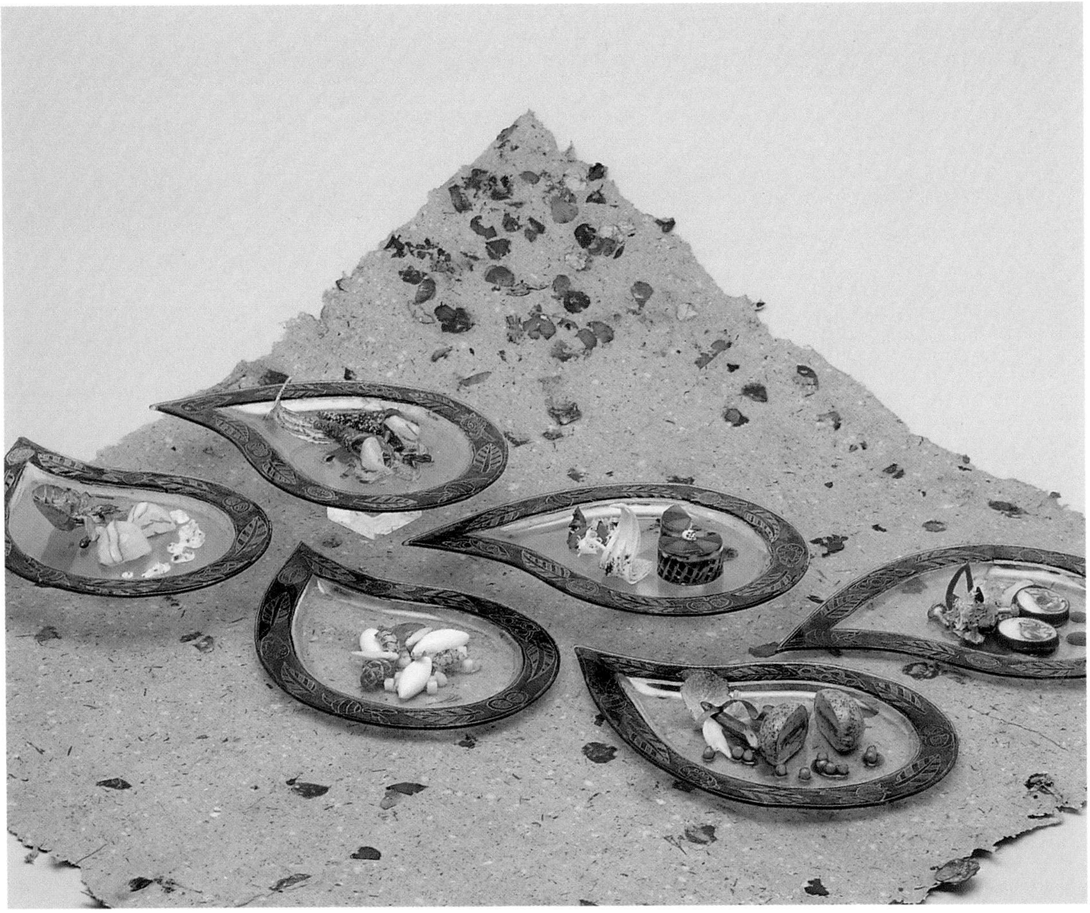

Verschiedene Vorspeisen. Geräuchertes Hühnchen und Mangomousse mit Sauerampfer und Spargel im Süßkartoffelkörbchen; Filet vom Kaninchen mit wilden Pflaumen, Lillypilly-Frucht-Püree, Jamswurzel und Salat; Thunfisch mit Jakobsmuschel-Salat und Rosellefrucht; Auberginentorte mit Feta und Balsamicodressing.

Selection of Hors d'œuvres. Smoked chicken and mango mousse with sorrel and asparagus in sweet potato baskets; fillet of rabbit and wild plums, lillipilly fruit puree, yams and salad; tuna fish with scallop salad and roselle fruit; aubergine tart with feta and balsamico dressing.

Hors-d'œuvre variés. Poulet fumé et mousse de mangue à l'oseille et aux asperges en petite corbeille de patate douce; filet de lapin et prunes sauvages, fruits de Lillipilly en purée, racine de yam et salade; thon à la salade de coquilles Saint-Jacques et fruit roselle; tourte d'aubergines à la féta et assaisonnement au balsamico.

Vorspeisenauswahl. Salat von Jakobsmuscheln, Hummer und Austern; Ballotine von Taube und Ente; Rochen, gefüllt mit Shrimps, Muscheln und Gemüse.

Selection of Hors d'œuvres. Salad of scallops, lobster and oysters; ballotine of pigeon and duck; ray filled with shrimps, mussels and vegetables.

Choix de hors-d'œuvre. Salade de coquilles Saint-Jacques, de homard et d'huîtres; ballotine de pigeon et de canard; raie farcie de crevettes, coquillages et légumes.

Vorspeisen aus Australien. Korallen- und Ozeanforelle auf Zitronen-Schnittlauch-Beurre blanc; Känguruh-Torte in Sülze mit „Lavosch-Brot" und Aprikosen-Koriander-Chutney; Lauch, grüner Spargel, Bärenkrebsterrine mit Himbeervinaigrette.

Hors d'œuvres from Australia. Coral and ocean trout on lemon and chive beurre blanc; kangaroo tart in with "Lavosch" bread and apricot in coriander chutney; leeks, green asparagus, and slipper lobster terrine with raspberry vinaigrette.

Hors-d'œuvre australiens. Truite de mer coralienne sur beurre blanc au citron et à la ciboulette; tourte au kangourou en aspic au pain «Lavosch» et au chutney d'abricots à la coriandre; poireau, terrine d'écrevisses et d'asperges vertes à la vinaigrette de framboise.

PALUX
KÜCHEN MIT KONZEPT
RÖSLE

PALUX
RÖSLE

PALUX

Kategorie B

Restaurationsplatten und Menüs
Restaurant platters and Menüs
Plats de restauration et menus

Nagata Shigeru Japan

„Fruitful Nature". „Suppentopf" von Meeresfrüchten.

"Fruitful Nature". "Seafood" soup tureen.

«Fruitful Nature». «Marmite» de fruits de mer.

Japanische Restaurationsplatte. „Der Duft und die Schätze der Erde".

Japanese catering platter. "The scent and the treasures of the earth".

Plat de restauration japonais. «Les senteurs et les trésors de la terre».

Tauernplatte. Das Beste vom Tauernlamm im Kräutermantel auf Thymiansaft, Erdäpfelstrudel und buntem Saisongemüse.

Tauern Platter. The pick of alpine lamb in a herb crust with thyme juice, potato strudel, and mixed fresh vegetables.

Plateau de Tauern. Le meilleur de l'agneau de Tauern en chemise de fines herbes sur jus de thym, strudel de pommes de terre et légumes multicolores de saison.

Nantucket Shore Dinner. Pochierter Seebarsch; Fenchel, gefüllt mit Schalentieren; Safran-Dill-Brühe.

Nantucket Shore Dinner. Poached sea bass; shellfish stuffed fennel; saffron & dill broth.

Dîner «Nantucket Shore». Brème de mer pochée; fenouil farci de crustacés; bouillon au safran et à l'aneth.

Restaurantplatte mit Geflügel für zwei Personen. Mit Karotten gespickte Poulardenbrust; Wachtel mit Pilz-Leber-Nuß-Füllung; Entenbrust mit Meerrettichkruste, Rotwein-Thymian-Sauce, Kartoffelvariationen, Romanescogemüse.

Restaurant Poultry Platter for Two. Breast of poulard larded with carrots; quail with a mushroom, liver and nut stuffing; breast of duck with horseradish crust, red wine and thyme sauce, potato variations, romanesco vegetable.

Plat de restaurant à la volaille pour deux personnes. Suprême de poularde piqué de carottes; caille farcie de foie, champignons et noix; magret de canard en croûte de raifort, sauce vin rouge au thym, variations de pommes de terre, légume Romanesco.

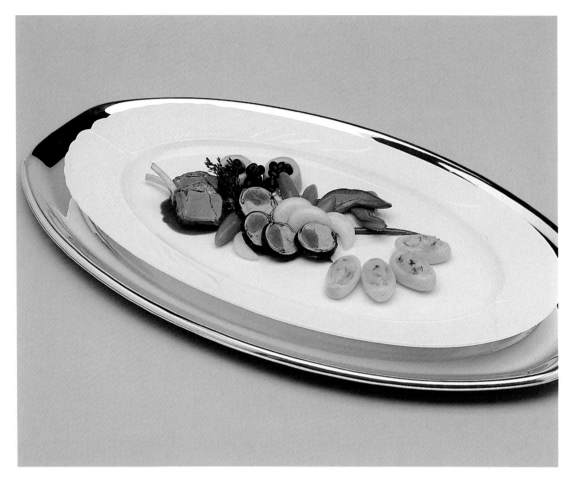

Variationen vom Milchlamm. Milchlamm unter der Kräuterhaube; Milchlamm mit seinem Bries im grünen Mantel; Lammzüngle, Thymianjus, Kartoffelschiffchen und Gemüse.

Variations of Spring Lamb. Spring lamb under a herb topping; spring lamb with sweetbreads in a green coat; lamb's tongue, thyme jus, potato wedges and vegetables.

Variations d'agneau de lait. Agneau de lait sous une couche de fines herbes; agneau de lait avec son ris en chemise verte; petite langue d'agneau, jus de thym, petit bateau de pommes de terre et légumes.

Platte für zwei. Wildschweinrücken im Sesamkleid; Rote-Bete-Kartoffeln, kleines Gemüse und Wildsauce.

Platter for Two. Saddle of wild boar in a sesame crust; beetroot potatoes, dainty vegetables and game fumet.

Plat pour deux. Longe de sanglier en chemise de sésame; betteraves rouges, petits légumes et sauce de gibier.

Verschiedene Meeresfrüchte „Chesapeake".

Selection of Seafood "Chesapeake".

Fruits de mer variés «Chesapeake».

Festliche Fischrestaurantplatte. Weißfisch vom Ontario-See und Lachs im eigenen Saft.

Festive Fish Restaurant Platter. Lake Ontario white fish and salmon in their own juices.

Fête de poissons sur plat de restaurant. Blanchaille du lac Ontario et saumon dans leurs jus.

Restaurantplatte „Portobello". Gefüllter Schweinerücken mit gebratener Leber, Kartoffeln, gefüllt, und buntes Gemüse.

Restaurant Platter "Portobello". Stuffed pork loin with fried liver, stuffed potatoes, and mixed vegetables.

Plat de restaurant «Portobello». Longe de porc farcie de foie rôti, pommes de terre farcies et légumes multicolores.

Team Alberta Kanada

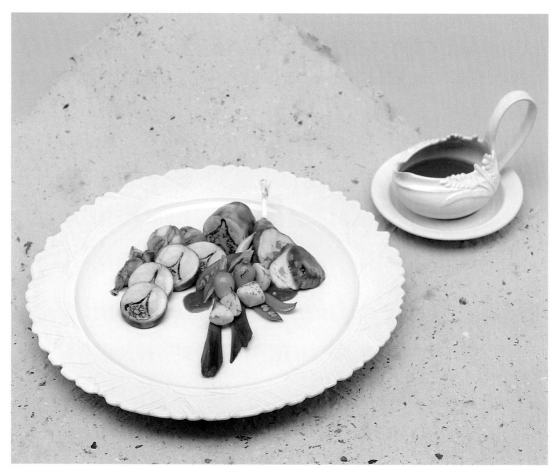

Duo vom Kaninchen. Gefüllter Kaninchenrücken und Keule; Gemüseauswahl, Briochescheiben mit Pekannüssen, gebackene Aprikose, Moosbeerensauce.

Duo of Rabbit. Stuffed saddle and haunch of rabbit; selection of vegetables; brioche slices with pecan nuts, baked apricot, cranberry sauce.

Duo de lapins. Râble farci et cuisse de lapin; assortiment de légumes, tranches de brioche aux noix de pécan, abricots cuits au four, sauce de canneberges.

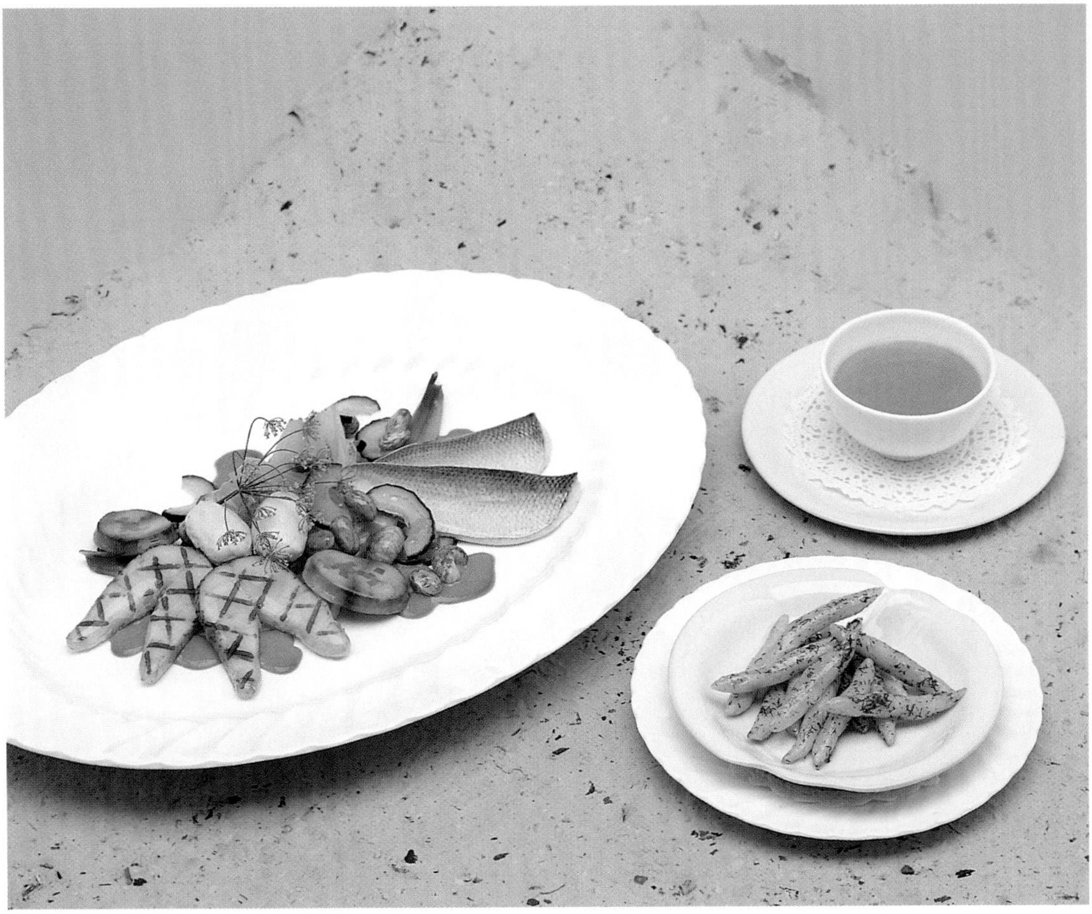

Moderne Bodenseefischplatte. Gegrillte Hechttranchen mit Hechtklößchen; pochierte Felchenfilets; gespickter Wels mit zweierlei Karotten; Schupfnudeln mit Dill; Safranfenchel, Lauch und Barlotti-Bohnen.

Modern Lake Constance Fish Platter. Grilled pike steaks with pike dumplings; poached whitefish fillet; larded catfish with duo of carrots; potato noodles with dill; saffron fennel, leeks, and Barlotti beans.

Plat moderne de poissons du lac de Constance. Tranches et quenelles de brochet grillées; filet de féra poché; silure piqué de deux sortes de carottes; nouilles aux pommes de terre à l'aneth; fenouil au safran, poireau et haricots Barlotti.

Thailändische warme Platte. Hühnerbrust, gefüllt mit roten Bohnen, Pistazien und Ziegenkäse, asiatisches Gemüse.

Thailand Hot Platter. Breast of chicken stuffed with red beans, pistachios, and goat's cheese, Asian vegetables.

Plat chaud de thaïlandais. Suprême de poulet farci de haricots rouges, de pistaches et de fromage de chèvre, légumes asiatiques.

Vegetarische Platte. Getrüffelte Kartoffel-Karotten-Terrine auf Blattspinat mit Topfenwürstchen und Polenta-Tomaten-Auflauf, Safransauce und Pilze.

Vegetarian Platter. Potato and carrot terrine with truffles and spinach, sausages made of curd cheese, polenta and tomato gratin, saffron sauce and mushrooms.

Plat végétarien. Terrine truffée de pommes de terre et de carottes sur épinards en branches, petites saucisses de fromage blanc et gratin de polenta à la tomate, sauce safran et champignons.

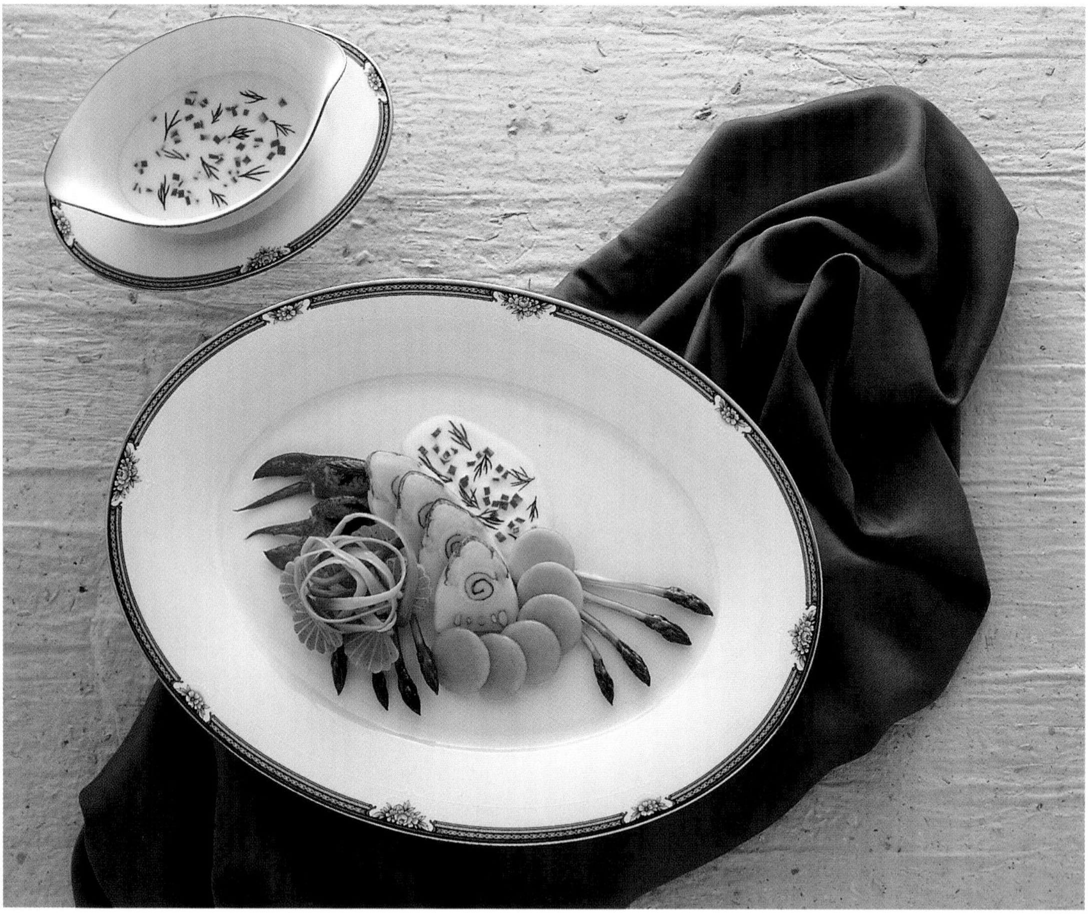

Kanadische Restaurationsplatte. Hummer- und Heilbutt-Terrine mit Muschelkartoffeln und feinen Gemüsen.

Canadian Restaurant Platter. Lobster and halibut terrine with mussel potatoes and fine vegetables.

Plat canadien de restauration. Terrine de homard et de flétan aux pommes de terre coquillages et légumes fins.

Restaurationsplatte für zwei Personen. Gefüllter Rücken vom Mpumalanga-Wildhasen mit gegrillten Gemüsen und traditioneller Sauce.

Restaurant Platter for Two. Stuffed saddle of Mpumalanga wild hare with grilled vegetables and traditional sauce.

Plat de restauration pour deux personnes. Râble farci de lièvre sauvage de Mpumalanga aux légumes grillés et sauce traditionnelle.

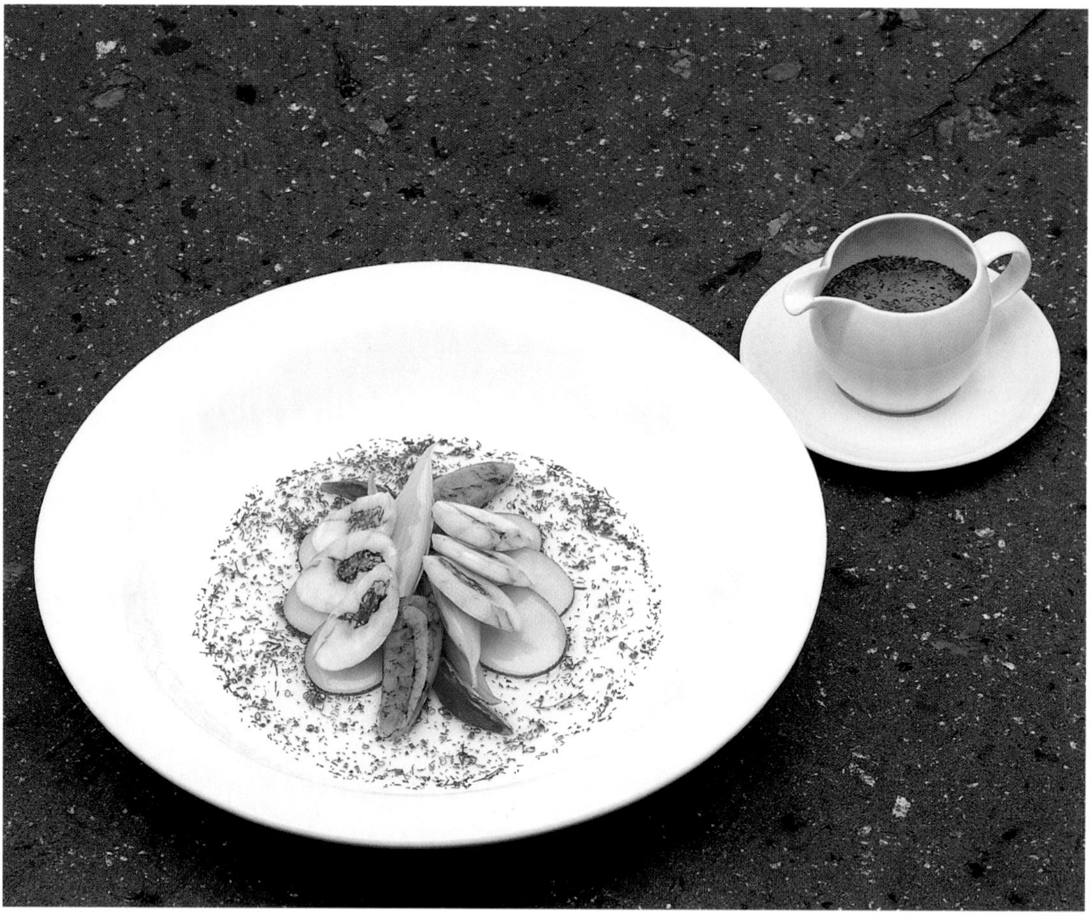

Louis Charest Kanada

Eine kanadische Fischplatte. Monkfischroulade und Mantane Shrimpswurst.

Canadian Fish Platter. Monkfish roulade and Mantane shrimp sausage.

Plateau de poissons canadien. Paupiette de poisson moine et saucisse de crevettes de Mantane.

Lammgericht. Im Netz gebratenes Lammkarree, geflochtenes Lammfilet, Schafskäse-Polenta, Hülsenfrüchte und Gemüse.

Lamb Delight. Rack of lamb roast in a net, plaited fillet of lamb, ewe's milk cheese polenta, pulses and vegetables.

Plat d'agneau. Carré d'agneau rôti en crépine, filet d'agneau tressé, polenta au fromage de brebis, légumes secs et légumes.

California Team North USA

Hummerplatte. Hummerschwanz mit Gemüse und gefülltem Fenchel.

Lobster Platter. Lobster tail with vegetables and stuffed fennel.

Plat de homard. Queue de homard aux légumes et fenouil farci.

OLYMPIADE DER KÖCHE
Ofelia Audry Sanchez

Fritz Fuhrmann

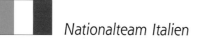

Fischplatte für zwei. Lachsforelle mit Dillcreme, Morchelroulade, Forellen-Kroketten mit Gemüse, Safrankartoffeln, Zucchini, Sellerie und sautierte Bohnen.

Fish Platter for Two. Salmon trout with dill cream, morel roulade, trout croquettes with vegetables, saffron potatoes, courgettes, celery and sautéed beans.

Plateau de poissons pour deux. Truite saumonée à la crème d'aneth, paupiette aux morilles, croquettes de truites aux légumes, pommes de terre au safran, courgettes, céleri et haricots sautés.

Louisiana-Catfish-Platte. Serviert mit Schalentieren, Reis und Catfishbrühe.

Louisiana Catfish Platter. Served with crayfish, rice, and crawfish broth.

Plat de Catfish de la Louisianne. Accompagné de crustacés, de riz et de bouillon de catfish.

Jean Remy Butterlin Deutschland

Poesie von Lachs und Seezunge. Lachsfilet Yin-Yang auf Dillsauce; Seezunge im Reisblattsäckchen; Wildreis im Kürbis.

Poetry of Salmon and Sole. Filet of salmon yin-yang with dill sauce; sole in a rice leaf jacket; wild rice in squash.

Poésie de saumon et de sole. Filet de saumon Yin-Yang sur sauce à l'aneth; sole en petit sachet de feuille de riz; riz sauvage en potiron.

Platte vom Bison. Bisonfilet und Hase im Mantel von Kräutern und Mangold; Verschiedene Pilze und Rosinen; Sellerieherzen; Karotten; Junge Rübchen; Kartoffel- und Selleriegnocchi; Honig und Meaux-Senf-Sauce.

Bison platter. Bison tenderloin and hare in a jacket of herbs and chard; assorted mushrooms and currants; celery hearts; carrots; baby beets; potato and celeriac gnocchi; honey and Meaux mustard sauce.

Plateau de bison. Filet de bison et lièvre dans une enveloppe de fines herbes et de bettes; champignons variés et raisins secs; cœurs de céleri; carottes; raves jaunes; gnocchi de pommes de terre et de céleri; miel et sauce de moutarde de Meaux.

Köstliches vom Oberpfälzer Spanferkel. Rücken mit Pilzen; Filet natur; Lauwarme Terrine mit Innereien; Gepökelte Zunge; Bockbiersauce, Gartengemüse, Kartoffel-Kräuter-Törtchen.

The Best of Suckling Pig of Upper Palatinate. Saddle with mushrooms; fillet au naturel; lukewarm terrine with offal; pickled tongue; bock beer sauce, garden vegetables, potato and herb tartlets.

Délices de cochon de lait du Haut Palatinat. Selle aux champignons; filet nature; terrine tiède aux abats; langue salée; sauce à la bière forte, légumes du jardin, tartelettes aux pommes de terre et aux fines herbes.

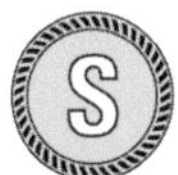

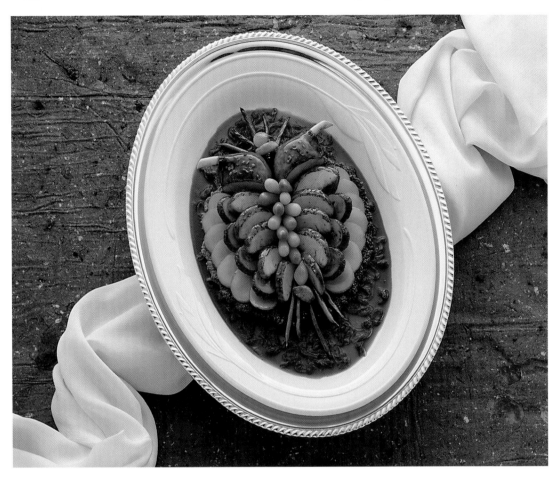

Fasanenplatte für zwei Personen. Fasanenbrust im Körnermantel; Gefüllter Fasanenhals, Country-Kartoffeln, Wirsing, Gemüse und Zwiebelsauce.

Pheasant Platter for Two. Breast of pheasant in a granary crust; stuffed neck of pheasant, country potatoes, savoy cabbage, vegetables and onion sauce.

Plat de faisan pour deux personnes. Suprême de faisan en habit de grains; cou de faisan farci, pommes de terre paysannes, chou frisé, légumes et sauce à l'oignon.

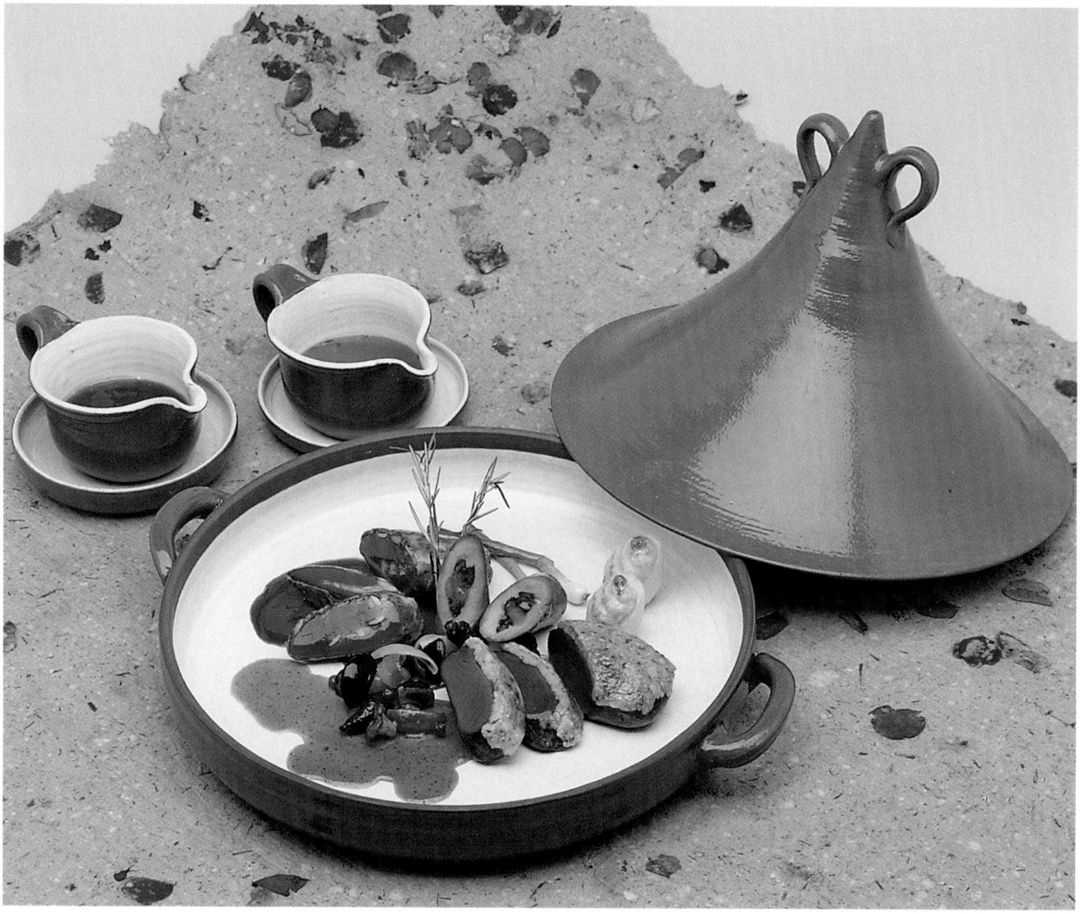

Herbstliche Harmonie aus Wildbret.

Autumn Harmony of Game.

Harmonie automnale de gibier.

Kombination von Geflügel und Krustentieren.

Combination of Poultry and Shellfish.

Combinaison automnale de gibier.

Gary Farrell Australien

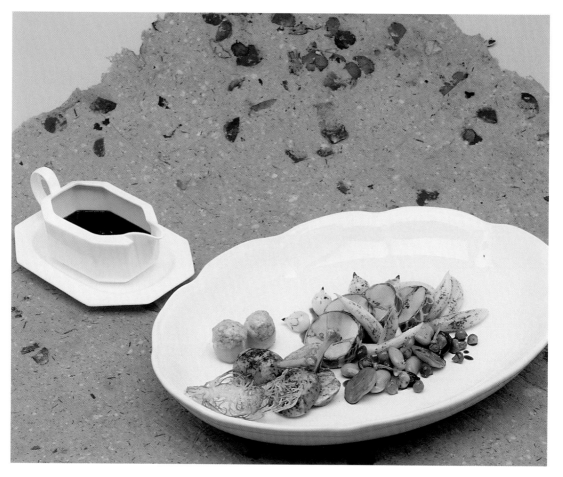

Australische Geflügelplatte. Poulardenbrust mit wilden Pilzen, Spinat und Proscinto; Über Kirschholz geräucherte Poulardenkeule, mit Traubenkonfit gefüllt; Bohnencassoulet, Birnensoufflé, Madeira-Thymian-Sauce.

Australian Poultry Platter. Poulard breast with wild mushrooms, spinach, and proscinto; cherrywood-smoked leg of poulard stuffed with pickled grape; bean cassoulet, pear soufflé, Madeira and thyme sauce.

Plat australien de volailles. Suprême de poularde aux champignons sauvages, épinards et proscinto; cuisse de poularde fumée au bois de cerisier, farcie de confit de raisins; cassoulet de haricots, soufflé aux poires, sauce madère au thym.

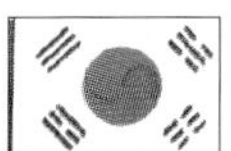

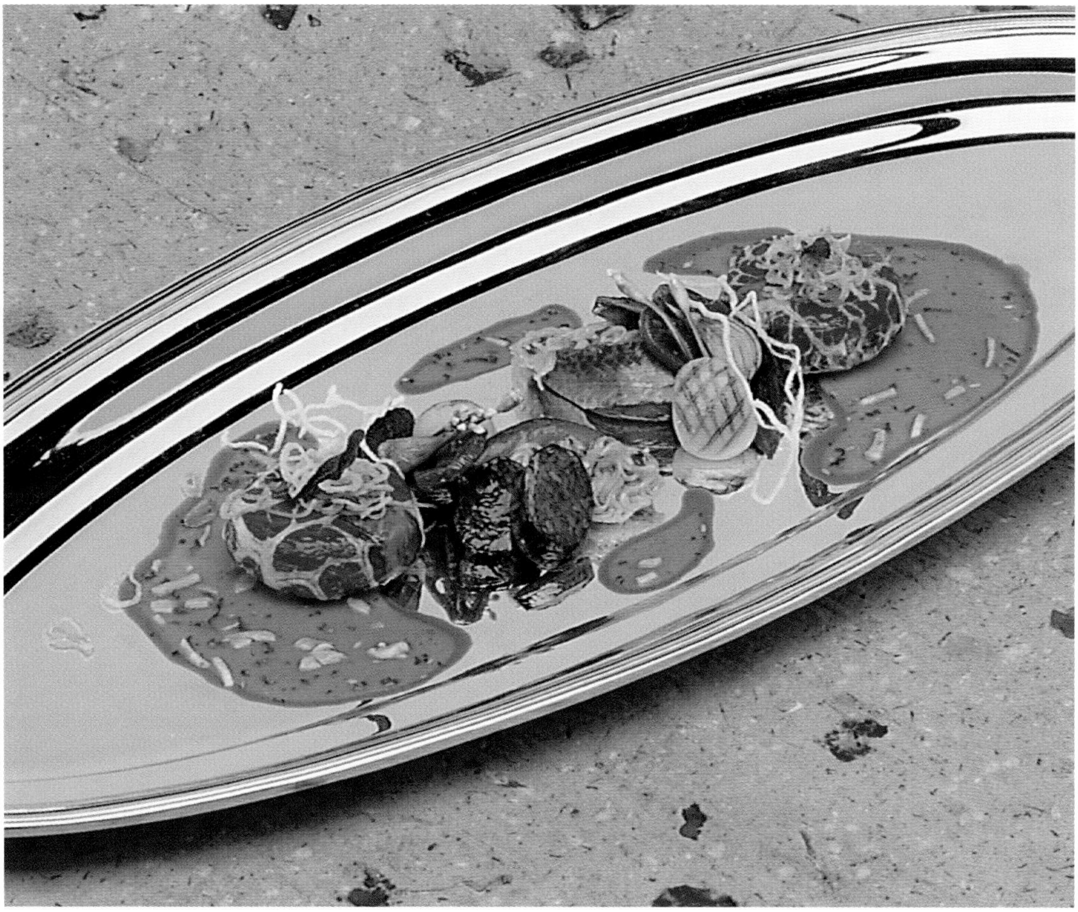

Platte von Meeresfrüchten. Gemischte Meeresfrüchte mit Gemüse, Reisküchle und Krebs-Nuß-Sauce.

Seafood Platter. Mixed seafood with vegetables, rice cakes, and crab and nut sauce.

Plat de fruits de mer. Fruits de mer variés aux légumes, petit gâteau de riz et sauce crabe aux noix.

Apulische Fischplatte. Mit gelbem Paprika gefüllter Fisch; Muschelragout mit Bohnen; Sardinen auf Tomaten mit Oliven und Kapern.

Apulian Fish Platter. Fish with yellow paprika stuffing; ragout of mussels and beans; sardines on tomato with olives and capers.

Plat de poissons des Pouilles. Poisson farci de poivrons jaunes; ragoût de moules aux haricots; sardines sur tomates aux olives et aux câpres.

Neuengland-Küstendinner „Hampton Beach". Gekochter Maine-Hummer, Seeteufel, mit Safran gewürzt, und Atlantiklachs-Ravioli, serviert in Tomatenbrühe.

New England Shore Dinner "Hampton Beach". Boiled Maine lobster, saffron infused monkfish and Atlantic salmon ravioli, served in tomato broth.

«Hampton Beach» – un plat du littoral de Nouvelle-Angleterre. Homard du Maine cuit, poisson-moine épicé au safran et ravioli de saumon de l'Atlantique servis dans un bouillon de tomates.

Feine Hühnerplatte. Gebratene Hühnerbrust mit Kräuterfarce; Geräucherte Hühnerkeule und Chipolatas mit Gemüse und Polenta.

Fine Chicken Platter. Roast chicken breast with herb farce; smoked leg of chicken and chipolatas with vegetables and polenta.

Plat de poulet raffiné. Suprême de poulet rôti farci de fines herbes; cuisse de poulet fumé et chipolatas aux légumes et à la polenta.

Baden-württembergische Festmenüauswahl. Delikatesse von der Wachtel mit Pfifferlingen und buntem Salat; Variationen von Krustentieren mit Apfel-Staudensellerie-Salat; Vollwertteller mit Frischkäseterrine, Tomatengelee, gefüllter Zucchiniblüte, Kaiserschoten, Körnersalat.

Selection from a Baden-Württemberg Festive Menu. Delicacy of quail with chanterelles and mixed salad; seafood variations with apple and celery salad; wholefood platter with cream cheese terrine, tomato jelly; stuffed courgette flower, mange-touts, granary salad.

Sélection d'un menu de fête du Bade-Wurttemberg. Délices de caille aux girolles et salade multicolore; variations de crustacés à la salade de céleri en branches et de pommes; assiette santé à la terrine de fromage frais, gelée de tomates, fleurs de courgettes farcies, petits pois mange-tout, salade de céréales.

Aus dem Schweizer Festmenü. Geräucherter Frischlachs auf Salat mit grüner Sauce, Parmesangebäck; Gelierte Tomate mit Kalbsbries und Pfifferlingen, Sauce ravigote; Geräucherte Rentierroulade mit Preiselbeeren, Trüffelchips und Frühlingszwieben.

Swiss festive menu. Smoked fresh salmon with salad and green sauce, Parmesan biscuits; jellied tomato with veal sweetbread and chanterelles, ravigote sauce; smoked reindeer roulade with cranberries in truffle crisps and spring onions.

Menu de fête suisse. Saumon frais fumé sur salade à la sauce verte, sablés au parmesan, tomate en gelée au ris de veau et aux girolles, sauce ravigote; paupiette de renne fumée aux airelles, chips de truffe et oignons nouveaux.

Auswahl aus einem japanischen Festmenü. Krebsfleisch in Aspik mit kleinem Gemüse; Gefüllte Zucchiniblüte mit Gänseleber und Filetkern; Gerauchter Salm und Muscheln mit Brokkoli in Gelee, Salat.

Selection from a Japanese Festive Menu. Crab meat in aspic with dainty vegetables; stuffed courgette flower with goose liver and fillet; smoked salmon and mussels with broccoli in jelly, salad.

Sélection d'un menu de fête japonais. Chair de crabe en aspic aux petits légumes; Fleurs de courgettes farcies au foie gras et cœur de filet; Saumon fumé et moules aux brocolis en gelée, salade.

Ruedi Fischbacher Ontario Team Kanada

Festmenüauswahl. Gefüllte Pintelle mit Gemüse im Nest, Morcheln; Variationen von Seafood mit Chips, kleinem Gemüse und Saucenduett; Geräucherter Atlantiklachs mit Regenbogenforellenmousse, Salat im Brot, Rogenvinaigrette.

Festive Menu Selection. Stuffed pintelle with a nest of vegetables, morels; variations of seafood with crisps, dainty vegetables and duo of sauces; smoked Atlantic salmon with rainbow trout mousse, salad served in bread, roe vinaigrette.

Sélection d'un menu de fête. Pintelle farcie de légumes en nid, morilles; variations de fruits de mer aux chips, petits légumes et duo de sauces, saumon fumé de l'Atlantique à la mousse de truite, arc-en-ciel, salade en pain, vinaigrette aux œufs de poissons.

Auswahl aus einem schweizerischen Festmenü. Terrine von Ochsenschwanzaspik mit Brunnenkressemousse; Variationen von Rehrückenfilet und Fasanenbrust, Holundersauce, Maronen, Schupfnudeln und Herbstgemüse; Quittensalat im Schokoladenkörbchen mit Hagebuttenparfait.

Selection from a Swiss Festive Menu. Terrine of oxtail in aspic with watercress mousse; variations of fillet of venison and breast of pheasant, elderberry sauce, chestnuts, potato noodles, and autumn vegetables; quince salad in a chocolate basket with rosehip parfait.

Sélection dans un menu de fête suisse. Terrine de queue de bœuf en aspic à la mousse de cresson; variations de filet de selle de chevreuil et suprême de faisan, sauce au sureau, cèpes, «Schupfnudeln» et légumes d'automne; salade de coings en petite corbeille de chocolat au parfait de cynorrhodons.

John Perraton Australien

Menü aus Australien. Reistimbale in Zucchini mit Jakobsmuscheln; Gerauchte Geflügelkeule mit Spargel und Kornsprossen; Passionsfruchtcreme im Hippenblatt mit Früchten.

Menu from Australia. Rice timbale in courgette with scallops; smoked leg of chicken with asparagus and corn sprouts; passionfruit cream in almond wafer leaf with fruit.

Menu australien. Timbale de riz en courgette aux coquilles Saint-Jacques; cuisse de volaille aux asperges et pousses de céréales; crème de fruits de la passion en feuille de pâte à tuiles.

Dreigängemenü. Lachsfilet vom Grill mit kleinem Salat und Cassisvinaigrette; Kalbsmedaillons in Nußkruste mit Gemüse und Oriental-Tee-Sauce; Mangomousse im Hippenblatt mit Fruchtsauce.

Three-course Menu. Grilled fillet of salmon with small salad and cassis vinaigrette; medallions of veal in a nut crust with vegetable and oriental tea sauce; mango mousse in an almond wafer leaf with fruit sauce.

Menu à trois plats. Filet de saumon grillé et petite salade à la vinaigrette de cassis; médaillons de veau en croûte de noix aux légumes et à la sauce orientale au thé; mousse de mangue sur feuille de pâte à tuiles au coulis de fruits.

Menü aus Berlin. Spreewälder Gurke; Modernes Leipziger Allerlei; Süßes Finale.

Menu from Berlin. Spreewälder gherkin; modern mixed vegetable; sweet finale.

Menu berlinois. Concombre de la Spreewald; jardinière de légumes moderne; finale sucrée.

VKD

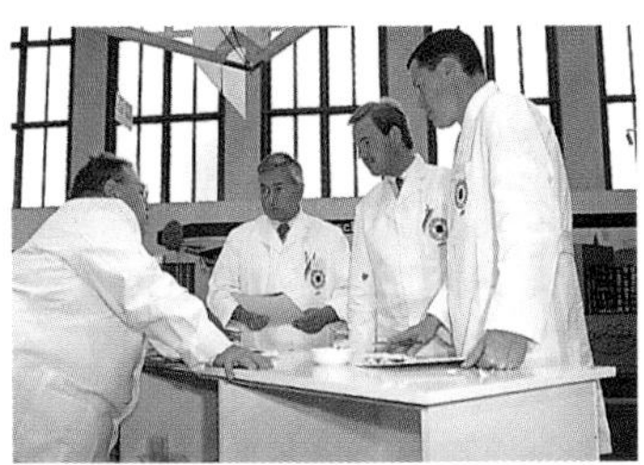

Daniel Horisberger Schweiz

Drei Teller aus einem Langenthaler Festmenü. Rotbarbenfilet auf moderne Art mit bunten Linsen; Kombination von Kaninchen und Milchlamm, feines Gemüse und Hirseküchlein; Flammeri „Monoka" mit Zwetschgen und Aprikosen.

Three Dishes from a Langenthal Festive Menu. Modern-style fillet of red mullet with mixed lentils; combination of rabbit and spring lamb, fine vegetables and millet cakes; flummery "Monoka" with plums and apricots.

Trois assiettes d'un menu de fête de Langenthal. Filet de rouget à la moderne aux lentilles multicolores; combinaison de lapin et d'agneau de lait, légumes fins et petite galette de millet; entremets «Monoka» aux quetsches et aux abricots.

Dreigängemenü. Lamm-Dörrfrüchte-Wurst auf Lauch-Kürbis-Gemüse; Hallwyler Fischtöpfchen mit Hecht, Egli, Felchen und Krebsen, Safrankartoffeln, Saisongemüse; Krokanteis, Heidelbeersauce, Großmutters Fotzelschnitte.

Three-Course Menu. Lamb and dried fruit sausage with leek and pumpkin; fish stew à la Hallwyl with pike, Lake Constance trout, whitefish and crabs, saffron potatoes and fresh vegetables; praline ice-cream and bilberry sauce, Grandma's French toast.

Menu à trois plats. Saucisse d'agneau aux fruits secs sur potiron et poireau; cassolette «Hallwyler» de poisson au brochet, à la perche et aux écrevisses, pommes de terre au safran et légumes de saison; glace pralin, coulis de myrtilles, tranche de croûtes dorées à la grand-mère.

Menüauswahl aus Australien. Ceviche-Terrine von Krabben; Kaiserforellen-Spieße, geröstet, mit Zuckerrohr und Kruste von Paradiesfeigen und grünem Pfeffer; Parfait von Tequila und Limonen mit knusprigem Teig-Wigwam, Früchte- und Kaktuscoulis.

Australian Menu Selection. Ceviche of prawn terrine; roasted sugarcane skewered emperor trout with plantain and green peppercorn crust; tequila and lime parfait with crisp tuille wigwam, fruits, and cactus coulis.

Sélection d'un menu australien. Terrine ceviche de crevettes; brochette de truite impériale grillée au sucre de canne à la banane et en croûte de poivre vert; parfait de limette à la téquila et wigwam en tuiles, coulis de fruits et cactus.

Teile eines festlichen Menüs. Havelfischernetz, Aalsülze, Flußkrebspastete, Zander, Salatherzen mit Dillrahm; Michelsdorfer Frischlingrückenfilet in Sesamhülle mit Maronensauce, Oderbrucher Rübchengemüse und Kartoffelbirne; Harmonie von Bauernpflaumen, Mirabellen und Zwetschgen auf Zimtsahne.

Extracts from a Festive Menu. Havel fisherman's net, chaud-froid of eel, crayfish pâté, pike-perch, lettuce hearts with creamed dill; filleted saddle of young wild boar in a sesame crust with chestnut sauce, baby turnips, and potato pear; harmony of orchard plums, mirabelles, and garden plums with cinnamon cream.

Extrait d'un menu de fête. Filet de poissons du Havel, anguille en aspic, pâté d'écrevisses, sandre, cœurs de salade en crème d'aneth; filet de râble de marcassin de Michelsdorf en étui de sésame à la sauce de cèpes, petits légumes d'Oderbruch et poire en pomme de terre; harmonie de prunes paysannes, mirabelles, quetsches sur crème à la cannelle.

Gerrit Mansholt Deutschland

Drei Teller eines Fünfgängemenüs. Moderne Perlhuhnvariation auf Keimlingen, Paprikavinaigrette; gefüllter Kaninchenrücken auf Roter-Rettich-Sauce, Gemüse und Kartoffeltorte; Charlotte von Mango und Haselnuß auf Pfefferminzsauce.

Three Dishes from a Five-Course Menu. Modern variations of guinea fowl with beansprouts, paprika vinaigrette; stuffed saddle of rabbit with red radish sauce, vegetable, and potato flan; mango and hazelnut charlotte with peppermint sauce.

Trois assiettes d'un menu à cinq plats. Variation moderne de pintade sur germes, vinaigrette au paprika; râble de lapin farci sur sauce rouge de radis, légumes et tourte de pommes de terre; charlotte de mangues et de noisettes sur sauce à la menthe.

Dreigängemenü aus Rosenheim. Festtagssuppe; Kaninchenrücken, gefüllt, mit Zitronen-Thymian-Jus, Kaiserschoten und Annakartoffeln; Charlotte royale.

Three-Course Menu from Rosenheim. Festive soup; stuffed saddle of rabbit with lemon and thyme jus, mange-touts and potatoes Anna; charlotte royale.

Menu à trois plats de Rosenheim. Soupe de fête; râble de lapin farci au jus de thym et de citron, petits pois mange-tout et pommes de terre Anna; charlotte royale.

Eda Hisashi Deutschland

Auswahl aus einem Festmenü. Gerösteter Lammrücken, gegrilltes Gemüse und Bohnen, Bratensauce mit Knoblauchduft; Matelote von Schalentieren in Rotweinsauce, Brandteigbogen; Endivie, gefüllt mit Hummer mit Zitronengras.

Selection from a Festive Menu. Roasted rack and saddle of lamb, grilled vegetables, and beans, garlic perfumed gravy; matelote of shellfish in red wine sauce, choux pastry arch; stuffed endive with lobster flavored with lemon grass.

Extrait d'un menu de fête. Rack grillé et selle d'agneau, légumes grillés et haricots, sauce parfumée à l'ail; matelote de crustacés en sauce au vin rouge, arche en pâte à choux; Endive farcie au homard à l'herbe citronnée.

Gourmet-Menüauswahl. Klare Zitronen-Ingwer-Kraftbrühe mit Blutwurst-Lauch-Nudeltascherl; Variationen von Lamm und Kalb mit Weißbrotkruste auf Rosmarinsauce, Kartoffeltorte mit Schwarzwurzel-Paprika-Gemüse; Mozartcharlotte mit Eierlikörsauce.

Gourmet Menu Selection. Clear consommé of lemon and ginger with black pudding and leek dumplings; variations of lamb and veal in a bread crust and rosemary sauce, potato flan with black salsify and paprika; Mozart charlotte with advocaat sauce.

Extrait d'un menu de gourmet. Consommé citron et gingembre aux ravioli de boudin et poireaux; variations d'agneau et de veau en croûte de pain blanc sur sauce romarin, tourte de pommes de terre aux salsifis et paprika; charlotte Mozart, sauce à la liqueur aux œufs.

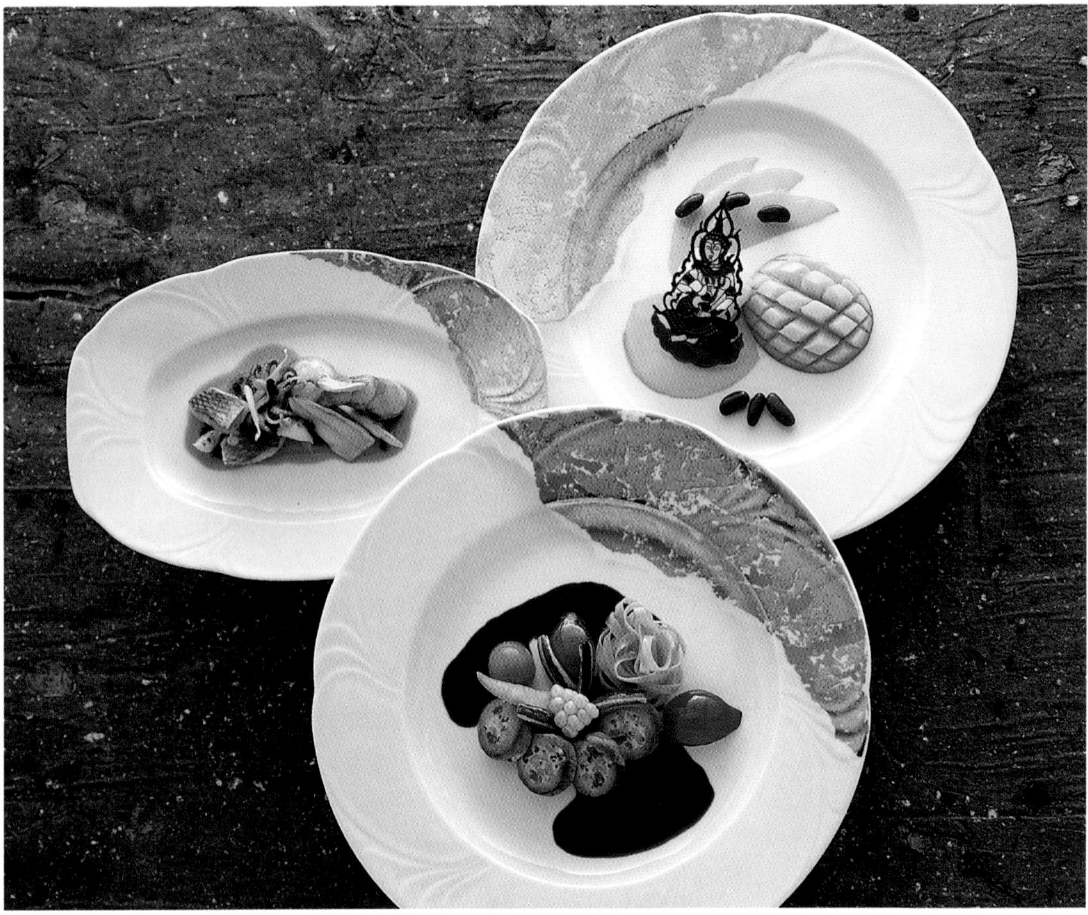

Königlich thailändische Küche der Gegenwart. Auswahl von Meeresfrüchten, kurzgebraten, serviert auf Bohnensprossen, Lauchfondue und Aïoli von schwarzen Oliven; geschmorte Kalbsroulade mit Barnee-Nudeln; Mango und Klebreis.

Contemporary Royal Thai Cuisine. Selection of stir-fried seafood, served on bean sprouts, leek fondue and black olive aioli; braised veal roulade with Barnee noodles; mango and sticky rice.

Cuisine royale thaï contemporaine. Sélection de fruits de mer frits, fondue de poireaux et aïoli d'olives noires; paupiette de veau braisée aux nouilles Barnee; mangue et riz collant.

Drei Teller eines Festmenüs. Jakobsmuscheln und Seeteufel mit Gurken an Dillschaum; Kalbsfilet an Limonensauce, Getreidereis, Marktgemüse; Dessertsymphonie.

Three Dishes from a Festive Menu. Scallops and monkfish with cucumbers and whipped dill sauce; fillet of veal with lime sauce, granary rice, fresh vegetables; dessert symphony.

Trois assiettes d'un menu de fête. Coquilles Saint-Jacques et lotte aux concombres et à la mousse d'aneth; filet de veau en sauce au limon, riz aux céréales, légumes du marché; symphonie de desserts.

Dreigängemenü. Kraftbrühe mit Graupen, Gemüse und geräucherter Entenbrust; Fischzopf mit Gurkengemüse und Kartoffelsäckchen; Savarin mit Früchtequark.

Three-Course Menu. Consommé with barley, vegetables, and smoked breast of duck; fish plait with cucumbers and potato sacks; savarin of curd cheese and fruit.

Menu à trois plats. Consommé à l'orge perlé, légumes et magret de canard fumé; natte de poissons aux concombres et sachets de pommes de terre; savarin au fromage blanc et aux fruits.

Menü aus Österreich. Rinderbrühe mit Wiener Einlagen; Poulardenbrüstchen mit Kräutermousseline, Rübenkarree und Reiskroketten; Kabinettpudding mit Obst und Vanillecreme.

Menu from Austria. Beef consommé with Viennese garnish; breast of poulard with herb mousseline, baby turnips and rice croquettes; cabinet pudding with fruit and custard.

Menu autrichien. Bouillon de bœuf aux ingrédients viennois; petits suprêmes de poularde à la mousseline de fines herbes, carré de raves et croquettes de riz; pouding de cabinet aux fruits et à la crème vanille.

Team ARGE Bayern Deutschland

Regionales Dreigängemenü. Roulade von Lachs und Bachforelle im Wirsingblatt mit glacierten Zwiebeln; Wachtelvariationen auf buntem Linsengemüse, Kürbis und Champignonkartoffeln; Pistazien-Bayrisch-Creme im Biskuitmantel, Waldbeeren im Schokoladenkörbchen.

Regional Three-Course Menu. Roulade of salmon and brown trout in savoy cabbage with glacéed onions; variations of quail on mixed lentils, pumpkin and mushroom potatoes; pistachio bavarois in a sponge case; wild berries in chocolate baskets.

Menu régional à trois plats. Paupiette de saumon et truite de ruisseau en feuille de chou frisé aux oignons glacés; variations de caille sur lentilles multicolores, potiron et pommes de terre aux champignons de Paris; bavaroise aux pistaches en biscuit, fruits des bois en petit panier de chocolat.

Italienisches Menü. Spaghetti-Timbale mit Hummer, Bohnenkernen und Trüffel; Entenbrust im Kohlmantel mit gegrillten Kartoffeln, grünen Bohnen, Zwiebeln und Pilzen; Zimtbiskuit, mit Joghurtmousse und Apfelgelee gefüllt, Früchte und Vanillesauce.

Italian Menu. Spaghetti timbale with lobster, bean kernels, and truffles; breast of duck wrapped in cabbage with grilled potatoes, green beans, onions, and mushrooms; cinnamon sponge filled with yoghurt mousse and apple jelly, fruit and custard.

Menu italien. Timbale de spaghetti au homard, haricots en grains et truffes; magret de canard en feuille de chou aux pommes de terre grillées, haricots verts, oignons et champignons; biscuit à la cannelle fourré de mousse au yaourt et de gelée de pommes, fruits et sauce à la vanille.

Dreigängemenü. Raviolisuppe mit Gemüse; Thunfischspieß nach Mittelmeerart; Fruchttörtchen in Himbeersauce.

Three-Course Menu. Ravioli soup with vegetables; Mediterranean style tuna kebabs; fruit tartlets with raspberry sauce.

Menu à trois plats. Soupe de ravioli aux légumes; brochette de thon à la méditerranéenne; tartelette de fruits au coulis de framboises.

Auswahl aus einem Festmenü. Waldpilz-Cappuccino; Taube und Stubenküken in Mangold mit buntem Gemüse, Sanddornsauce; Müsli-Quark-Törtchen mit Himbeeren.

Selection from a Festive Menu. Wild mushroom cappuccino; pigeon and chicks in chard with mixed vegetables, sea buckthorn sauce; muesli and curd cheese tartlets with raspberries.

Extrait d'un menu de fête. Cappuccino de champignons des bois; pigeon et poussins en feuilles de bettes aux légumes multicolores, sauce à l'argouse; tartelette de fromage blanc et muesli aux framboises.

Afrikanisches Menü. Gerösteter Langustenschwanz auf Kap-Malay-Reis mit Hummer- und Kokosnußsauce; Impalalende mit Waldbeerenjus-Panzerotti und gegrillten Gemüsen mit einer Pfeffersalsa; Trio von Tränen, gekühlte Orangencreme, Ingwereis-Meringe, frisches Früchtegratin.

African Menu. Roasted crayfish tail on Cape Malay rice with lobster and coconut sauce; loin of impala with a Woodland berry jus panzerotti and grilled vegetables with a pepper salsa; trio of teardrops, chilled naartjie and Bavarois cream, ginger ice meringue, fresh fruit, and sabayon.

Menu africain. Queue d'écrevisse grillée sur riz malais du Cap à la bisque de homard et sauce à la noix de coco; filet d'impala au jus de fruits des bois, panzerotti et légumes grillés en sauce poivrée; trio de larmes, naartjie glacé et bavarois, meringue glacée au gingembre, fruits frais et sabayon.

Erntedankfest-Menüauswahl. Essenz aus Mais-Austern-Brühe; Babytruthahnschenkel mit Salbeifüllung und Pecankruste; Verschiedenes von Quitten; Preiselbeer-Aprikosen-Törtchenschnitte.

Thanksgiving Menu. Essence of corn-oyster broth; sage infused and pecan in crusted baby turkey leg; variety of quince; cranberry-apricot tartlet slice.

Choix de menu d'action de grâce pour la récolte. Essence de bouillon d'huîtres, cuisse de dindonneau macérée dans la sauge et incrustée de noix de pécan, variété de coings, parts de tartelettes aux abricots et aux canneberges.

Festliche Menüauswahl. Blauer und Cremekäse in Parmaschinkenmantel, Balsamessig-Vinaigrette und knusprige Waffel von roter Bete; geschmorter gefüllter Kalbsschwanz und pfannengebratene Brieschen mit Thymianjus, Marktgemüse; Honig-Kokosnuß-Pudding mit Himbeereis, Maracujasauce und Schokoladengitter.

Festive Menu Selection. Blue and cream cheese in Parma ham coat, balsamico vinaigrette and crisp beetroot wafer; braised filled veal tail an panfried sweetbread with thyme jus and market vegetables; honey and coconut pudding with raspberry ice cream, passionfruit sauce and wattle chocolate.

Choix de menu pour une fête. Fromage bleu et à la crème en chemise de jambon de Parme, vinaigrette et gaufrette de betterave rouge; queue de veau braisée et farcie de ris de veau frit à la poêle au jus de thym et légumes; pudding au miel et à la noix de coco à la crème glacée de framboises, coulis de fruits de la passion et chocolat.

Südflorida-Sommer-„Picknick". „South-beach"-Muscheln Seviche; Barbecue-Schweinelende mit Feigenkruste; Apfelkuchen nach der Art von Miami South Beach.

South Florida summer "picnic". "South beach" scallop seviche; plantain crusted "BarBQ" pork tenderloin; Apple pie à la mode Miami South Beach.

Pique-nique estival en Floride du Sud. Coquilles Saint-Jacques «South Beach»; filet de porc «BBQ» en croûte de plantai; tourte aux pommes à la mode de la plage sud de Miami.

Regionales aus Berg und Tal. Feines von Meer und Fluß; Zarter Rehrücken mit Kräuterspätzle und Preiselbeersauce; Herbstliche Dessertvariationen mit Früchtespiegel.

Regional Dishes from Mountain and Valley. The pick of river and sea; tender saddle of venison with herb spätzle and cranberry sauce; autumn dessert variations with fruit garnish.

Spécialités régionales de la montagne et de la vallée. Délices de la mer et de la rivière; longe de chevreuil et spätzle aux fines herbes, sauce aux airelles; variations automnales de desserts et miroir de fruits.

Berlin

Berlin

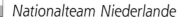

Original holländisches Menü. Klare Fischbrühe mit Rochenflossen, Muscheln, Shrimps und Algen; Holländisches Filet und Perlhuhn mit holländischen Gemüsen; Apfel-Honig-Dessert mit Früchten der Saison.

Typical Dutch Menu. Clear fish soup with wings of skate, mussels, shrimps, and penwinkle; Dutch fillet and guinea-fowl with Dutch vegetables; apple honey dessert with fruits of the season.

Menu néerlandais typique. Bouillon de poissons aux ailerons de raie, moules, crevettes et bigorneaux, filet hollandais et pintade aux légumes hollandais; dessert au miel et aux pommes, fruits de saison.

Auswahl aus dem Festmenü. Hummer mit grünem Salat, Kalbstournedos mit Schneckenmousse; „Quindim" mit Ingwersauce.

Selection from a Festive Menu. Lobster with green salad; tournedos of veal with snail mousse; "Quindim" with ginger sauce.

Extrait d'un menu de fête. Homard et salade verte, tournedos de veau à la mousse d'escargot; «Quindim» à la sauce au gingembre.

Menü aus Australien. Lachsfilet mit Austernfüllung und Auster; Rinderfilet mit Gemüsen, Trüffeln und Blattgold; Savarin mit Beereneis und Karamelsauce.

Menu from Australia. Fillet of salmon with oyster stuffing and oyster; fillet of beef with vegetables, truffles, and gold leaf; savarin with berry ice-cream and caramel sauce.

Menu australien. Filet de saumon farci d'huîtres et huître; filet de bœuf aux légumes, truffes; savarin à la glace de fruits rouges et sauce caramel.

Italienisches Menü aus der Lombardei. Röllchen von gerauchter Lachsforelle mit kleinem Gemüse und Ziegenkäse; Rindermedaillon im roten Zwiebelmantel mit Rotweinsauce (von Mantua D.O.C.); Parfait von Torrone nach Cremoneser Art.

Italian Menu from Lombardy. Paupiettes of smoked salmon trout with dainty vegetables and goat's cheese; medallion of beef with red-wine sauce wrapped in red onions; parfait of torrone Cremona style.

Menu italien de Lombardie. Paupiette de truite saumonée fumée aux petits légumes et fromage de chèvre; médaillon de bœuf à la sauce au vin rouge en habit d'oignons rouges; parfait de torrone à la manière de Crémone.

Aus einem Schweizer Festmenü. Salat von Meeresfrüchten; Brust und gefüllte Wachtelkeule „Christina", Maisschnitte; Variationen von roten Beeren.

Selection from a Swiss Festive Menu. Seafood salad; breast and stuffed leg of quail à la "Christina", corn slices; red berry variations.

Extrait d'un menu de fête suisse. Salade de fruits de mer; suprême de caille et cuisse farcie «Christina», tranches de maïs; variations de fruits rouges.

Menü aus Queensland. Gebeizter Lachs mit Krabbenfleisch, Wasabi-Mayonnaise; Geschmorter Schweinerücken mit Dörrpflaumen, Äpfeln und Ochsenzunge, Gemüse und Reistimbale; Rhabarber und Joghurtmousse im Apfelmantel mit Zimtsauce.

Menu from Queensland. Marinated salmon with prawns, Wasabi mayonnaise; braised saddle of pork with dried prunes, apples, and ox-tongue, vegetables and rice timbale; rhubarb and yogurt mousse in an apple coat with cinnamon sauce.

Menu de Queensland. Saumon mariné à la chair de crabe, mayonnaise Wasabi; selle de porc braisée aux pruneaux, pommes et petite langue de bœuf, légumes et timbale de riz; rhubarbe et mousse de yaourt en chemise de pommes à la sauce cannelle.

Drei-Gänge-Menü. Klare Suppe von Seefischen mit Buttermilchnocken; Heidschnuckenfilet, Dijon-Senf-Sauce, Marktgemüse und Buchweizentorte; Baumkuchencharlotte mit Beerencreme.

Three-Course Menu. Clear soup of saltwater fish with buttermilk gnocchi; fillet of moorland sheep with Dijon mustard sauce, fresh market vegetables, and buckwheat tartlets; pyramide layer cake charlotte with creamed berries.

Menu à trois plats. Bouillon de poissons de mer aux quenelles de petit-lait; filet de mouton des Landes de Lunebourg, légumes du marché et gâteau de sarrasin; charlotte de pièce montée à la crème de fruits rouges.

Nationalmenü. Angebratene gepfefferte Lachstournedos, Lauch und roter Chicorée; geräucherter Schinken mit Blutwurst, Kohlpäckchen und Kräuterklößen; süßes Meeresalgensoufflé, Kompott von roten und schwarzen Brombeeren.

National Menu. Seared peppered salmon tournedos, leek, and red chicory; smoked loin of bacon, with blood sausage, cabbage parcels, and herb dumplings; sweet seaweed souffle, compote of red and black brambles.

Menu national. Tournedos de saumon séché au poivre, accompagné de poireaux et de chicorée rouge; filet fumé de bacon à la sauce au sang, agrémenté de morceaux de choux et de croquettes aux fines herbes; soufflé sucré aux algues, compote de mûres rouges et noires.

Thomas Leonard USA

Kleines Menü. Geräucherter Coho-Lachs; geschmorte Kaninchenkeule mit leicht gebratener Lenden-Choplette; Schokoladentimbale.

Small Menu. Smoked Coho salmon; braised leg of rabbit with seared loin choplette; chocolate timbale.

Petit menu. Saumon Coho fumé, cuisse de lapin mijotée et filet sauté «choplette», timbale de chocolat.

Teile eines Festmenüs aus Michigan. Barbecue-Blaubeeren-Wachtel mit Kohl und Kräuterpolenta; Gepökelte Rehschulter mit Gemüsen und roten Kartoffeln; Kirschdessert mit Kirschen und Vanillesauce.

Extracts from a Festive Menu from Michigan. Barbecued blueberry quail with cabbage and herb polenta; marinated shoulder of venison with vegetables and red potatoes; cherry dessert with cherry and vanilla sauce.

Partie d'un menu de fête de Michigan. Caille aux myrtilles cuite sur barbecue, chou et polenta aux fines herbes; épaule de chevreuil salée aux légumes et pommes de terre rouges; dessert de cerises aux sauces vanille et cerise.

„Michigan"-Menü. Apfel-Trauben-Salat mit gewürzter Mayonnaise; Muschel und Garnelensuppe mit Tomatenkräcker; Schokoladenbrotpudding mit Rum-Rosinen-Sauce.

Michigan Menu. Apple and grape salad with spicy mayonnaise; mussels and prawn chowder with tomato crackers; chocolate bread pudding with rum and raisin sauce.

Menu «Michigan». Salade de pommes et de raisins à la mayonnaise épicée; soupe de moules et de crevettes aux crackers à la tomate; pudding au pain et au chocolat à la sauce au rhum et aux raisins secs.

Ungarisches Menü. Hecht in Lauch mit Gemüseragout; Fasan mit Gemüsen; Kleiner Kuchen mit Tokaier.

Hungarian Menu. Pike wrapped in leeks with vegetable ragout; pheasant with vegetables; tiny cakes with Tokay.

Menu hongrois. Brochet en feuille de poireau au ragoût de légumes; faisan aux légumes; petit gâteau au tokay.

Drei-Gänge-Menü. Meeresfrüchteteller mit grünem Spargel; Lammrücken mit Kräuterkruste, Gemüse im Kartoffelnest, Rosmarinjus; Mandelpudding mit Schlosserbuben.

Three-Course Menu. Seafood platter with green asparagus; saddle of lamb with herb crust, vegetables in a potato nest, rosemary jus; almond pudding with stuffed soufflé fritters.

Menu à trois plats. Assiette de fruits de mer aux asperges vertes; selle d'agneau en croûte de fines herbes, légumes en nid de pommes de terre, jus de romarin; pudding aux amandes et beignets soufflés en surprise.

Göttinger Tellergerichte. Poulardenbrust, mit Pistazien und Sonnenblumenkernen gefüllt, Senf-Basilikum-Sauce; Schweinefilet im Wirsingmantel; Gefüllte Seeteufeltasche im Mangoldblatt, Safransauce.

One-pot courses Göttingen style. Breast of poulard with pistachio and sunflower stuffing, mustard and basil sauce; fillet of pork wrapped in savoy cabbage; stuffed monkfish bag in a chard leaf, saffron sauce.

Mets sur assiettes de Göttingen. Suprême de poularde farci de pistaches et de graines de tournesol, sauce moutarde au basilic; filet de porc en feuille de chou frisé; sachet de lotte farci en feuille de bette, sauce safran.

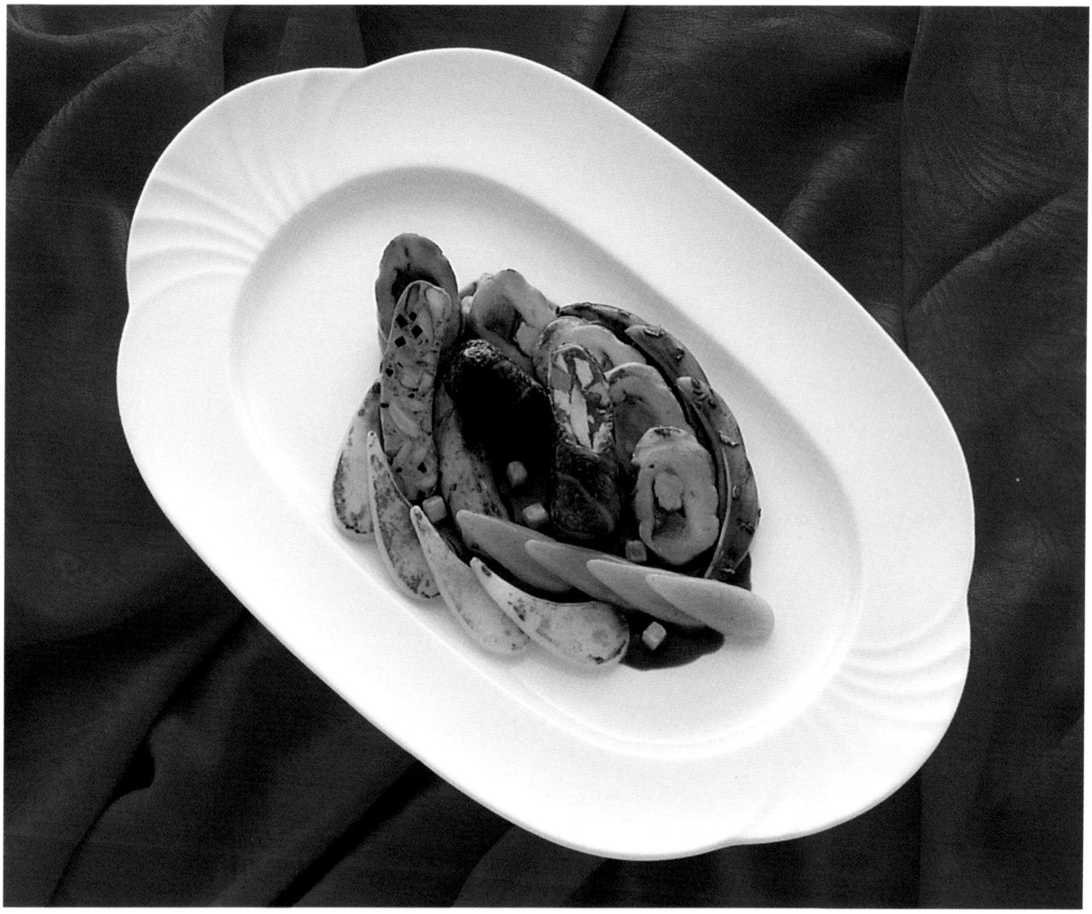

Gemischte Geflügelplatte. Geflügelbrust, Keule und Wurst mit Karotten, Zucchini und Polenta.

Mixed Poultry Platter. Breast, drumstick, and sausage with carrots, courgettes and polenta.

Assortiment de volailles. Suprême de volaille, cuisse et saucisse aux carottes, courgettes et polenta.

Medaillen- und Bewertungsspiegel der 58 Regionalmannschaften

Land	*Kochverband*	*Medaille/Punkte*
Schweiz	Amicale des Chefs de Cuisine de l'Engadine	Gold (338)
Kanada	Culinary Team Alberta	Gold (337)
Schweiz	Cercle des Chefs de Cuisine Berne	Gold (327,1)
Schweiz	Schweizer Gilde etablierter Köche	Gold (325,7)
USA	California Culinary Team North	Gold (322,6)
Italien	Regione Puglia	Silber (318,2)
Kanada	Student Team Alberta	Silber (312,8)
USA	Team West	Silber (311,66)
USA	Team Central	Silber (310,6)
Kanada	Manitoba Culinary Team	Silber (306,5)
Schweiz	Cercle de Chefs des Cuisine St. Gallen	Silber (305,9)
USA	California Culinary Team South	Silber (305,5)
Schweiz	Amicale des Chefs de Cuisine Glarus	Silber (304,5)
Schweiz	Cercle des Chefs de Cuisine Zürich	Silber (303,8)
Deutschland	Arbeitsgemeinschaft West	Silber (301,1)
Schweiz	Aargauer Koch-Gilde	Silber (296,73)
Kanada	Toronto Team	Silber (295,66)
Italien	Equipe Regione Veneto Italia	Silber (295,5)
Schweiz	L'Art Culinaire des Copains des Alpes-Suisses	Silber (293)
Österreich	Sektion Gastein	Silber (291,2)
Deutschland	Arbeitsgemeinschaft Bayern	Silber (291)
Kanada	Équipe Québec Olympiades Culinaires	Silber (290,1)
USA	Team Macomb	Silber (288)
Italien	Equipe Cucina Regione Toscana	Silber (287,9)
USA	New York Culinary Team 1996	Silber (287,8)
USA	United States Armed Forces	Bronze (283,1)
Italien	F.I.C. Unione Cuochi Regione Lombardia	Bronze (281,8)
USA	Maryland Culinary Team 96	Bronze (281,6)
Deutschland	Team Berlin-Brandenburg I	Bronze (280,6)

Land	*Kochverband*	*Medaille/Punkte*
Schweden	Stockholm Culinary Team	Bronze (280,6)
Deutschland	A.G. Speyer-Schifferstadt	Bronze (274,8)
USA	Marriot Marquis Chefs	Bronze (274,4)
Südkorea	City Team Seoul	Bronze (274,2)
United Kingdom	Sutcliffe Catering Group Ltd. Team A	Bronze (273,1)
Australien	Team Victoria	Bronze (272,3)
Japan	Ajca Fukui Japan	Bronze (271,53)
Kanada	Ontario Team	Bronze (270,3)
Finnland	Regionalmannschaft Finnland	Bronze (267,3)
Japan	Ajca Toyama Japan	Bronze (266,5)
Italien	Cuochi Stabiese Equana e Monti Lattar	Bronze (264,7)
United Kingdom	Welsh National Culinary Team I	Bronze (264,2)
Ungarn	Pannonia Hotels Regional Team	Bronze (259,6)
Tschechische Republik	Klub der Köche Südböhmen	Bronze (258,2)
Deutschland	Team Berlin-Brandenburg II	Bronze (253,9)
United Kingdom	Welsh National Culinary Team	Bronze (252,9)
Deutschland	Arbeitsgemeinschaft Niedersachsen	Bronze (250,8)
Australien	New South Wales Regional Team	Diplom (245,2)
Deutschland	Arbeitsgemeinschaft NRW	Diplom (243,6)
Luxemburg	Vatel Club Luxembourg	Diplom (242,2)
United Kingdom	Sutcliffe Catering Group Ltd. Team B	Diplom (231,66)
Rußland	Regionalteam Russia	Diplom (227,6)
Italien	Equipe Regione Veneto II	Diplom (221,5)
Rumänien	Intercontinental Hotel Bukarest	Diplom (219)
Italien	Valle d'Aosta	Diplom (208,2)

Patisserie
Patisserie
Pâtisserie

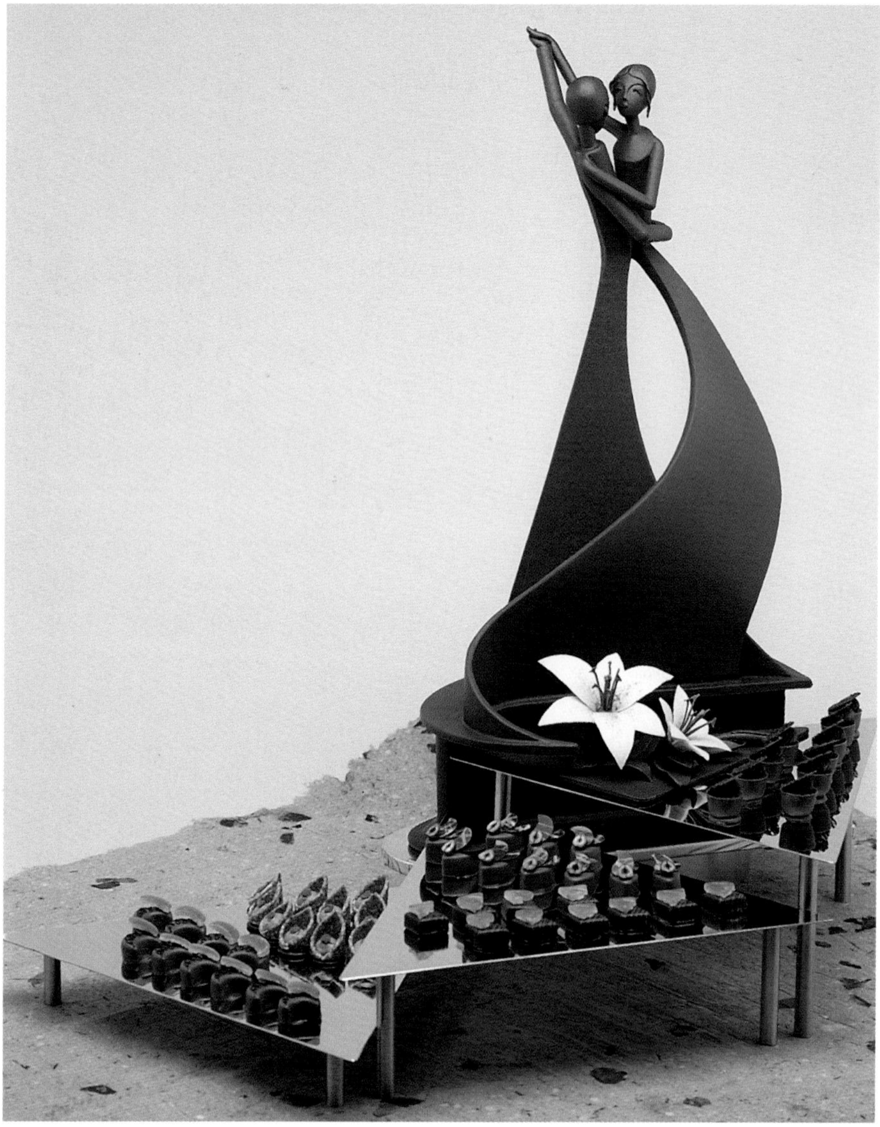

Feine Pralinenmischung mit moderner Schokoladenskulptur.

Assortment of Fine Chocolates with Modern Chocolate Sculpture.

Assortiment de chocolats fins et sculpture moderne en chocolat.

Schaustück mit Umlagen. Tragantzucker-Schaustück; Rosella-Beeren-Mousse mit Weihnachtskuchen.

Show-Piece with Garnish. Tragacanth show-piece; rosella berry mousse with Christmas cake.

Pièce de décoration et garnitures. Pièce de décoration en sucre à la gomme adragante; mousse de baies rosella et gâteau de Noël.

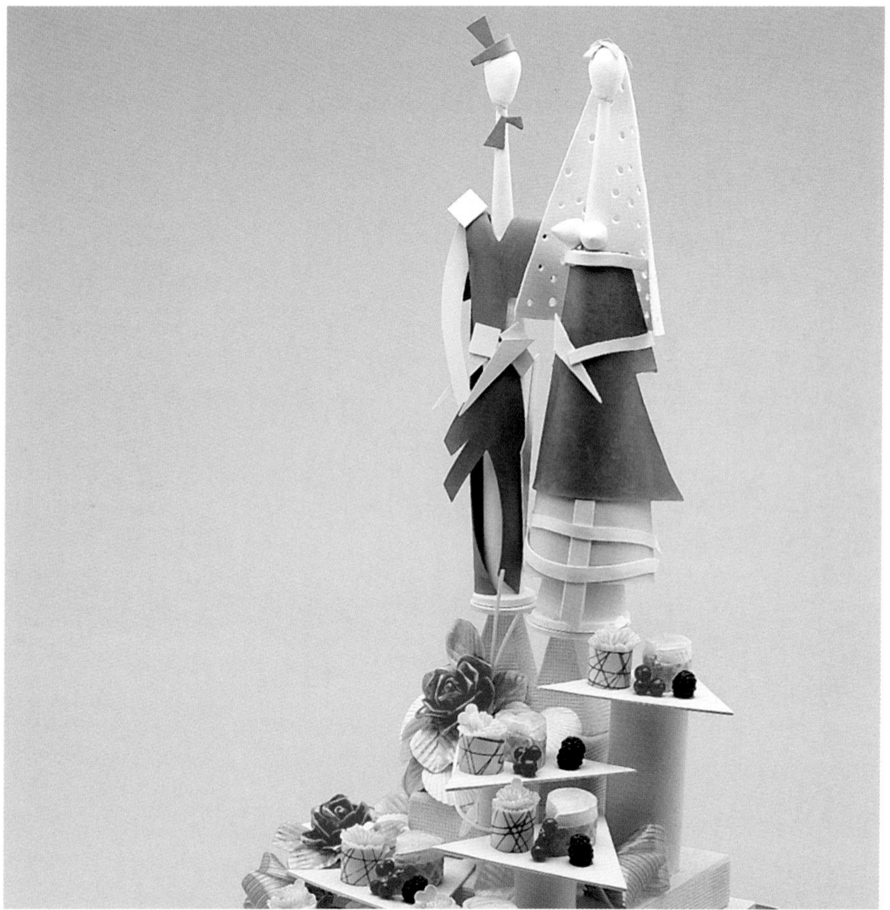

Hochzeit im 21. Jahrhundert.

21st Century Wedding.

Mariage au 21ème siècle.

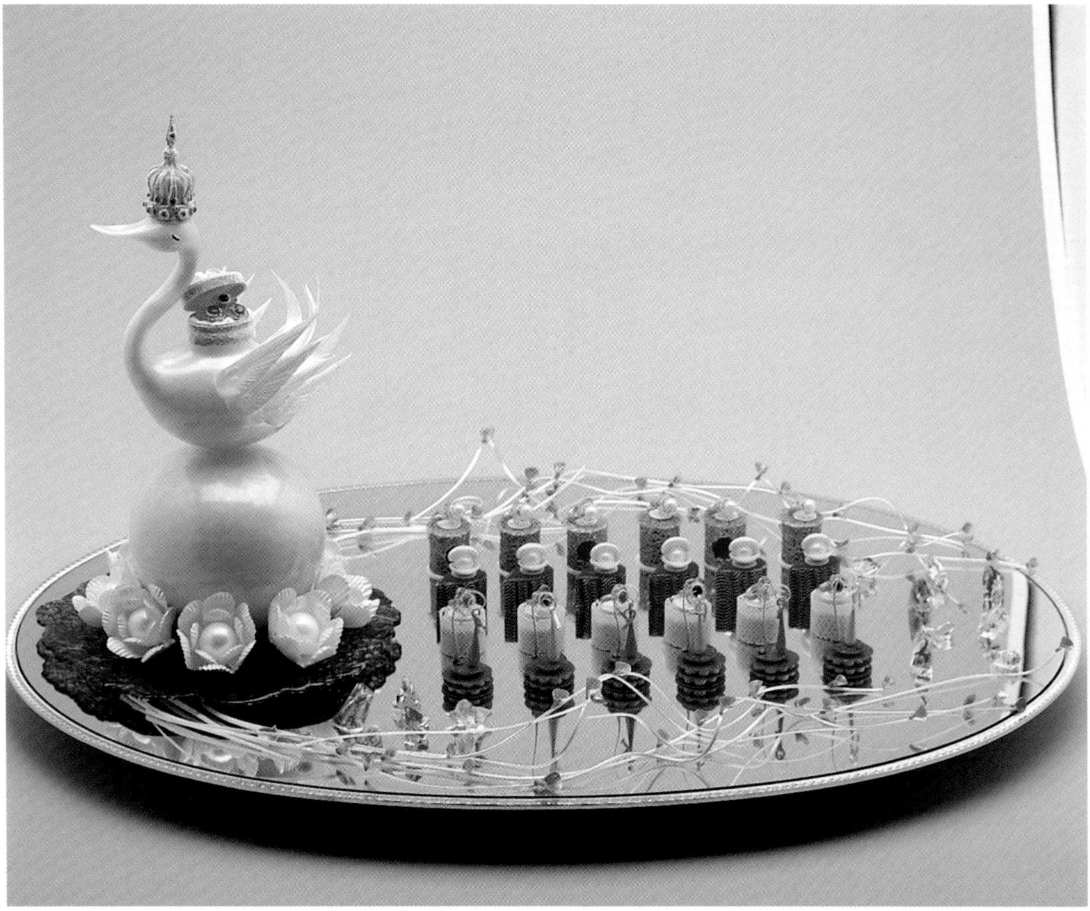

Erinnerungen an Berlin. Zuckerschaustück „Schwan" mit diversen Desserts.

Memories of Berlin. "Swan" sugar show-piece with various desserts.

Souvenirs de Berlin. «Le cygne», pièce de décoration en sucre et desserts variés.

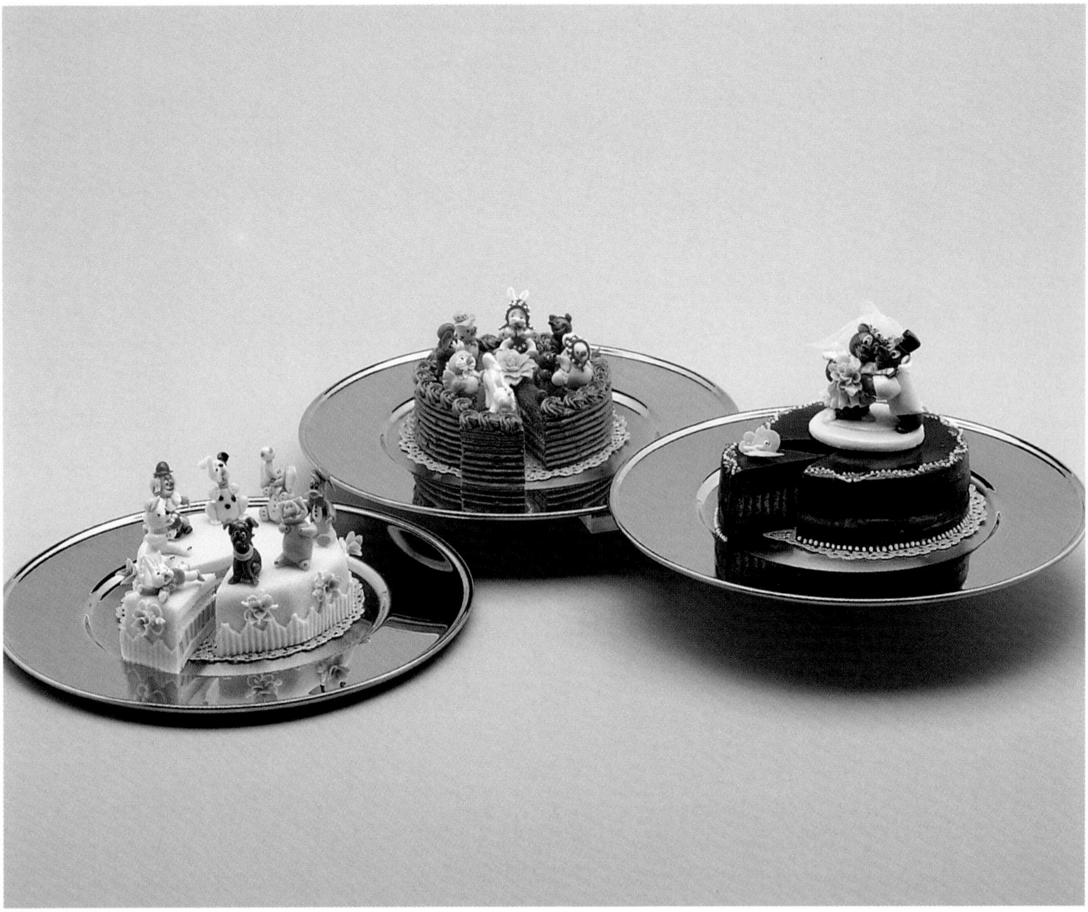

Kinderparty. Marzipantorte, Doboschtorte, Schokoladentorte.

Children's Party. Marzipan gateau, Doboz gateau, chocolate gateau.

Fête enfantine. Gâteau à la pâte d'amandes, gâteau Dobosch, gâteau au chocolat.

Variationen von Petits fours mit Schokoladenskulptur. Nach Wertung durch die Jury.

Petits Fours Variations with Chocolate Sculpture. After judging by the jury.

Petits fours variés et sculpture en chocolat. Après notation par le jury.

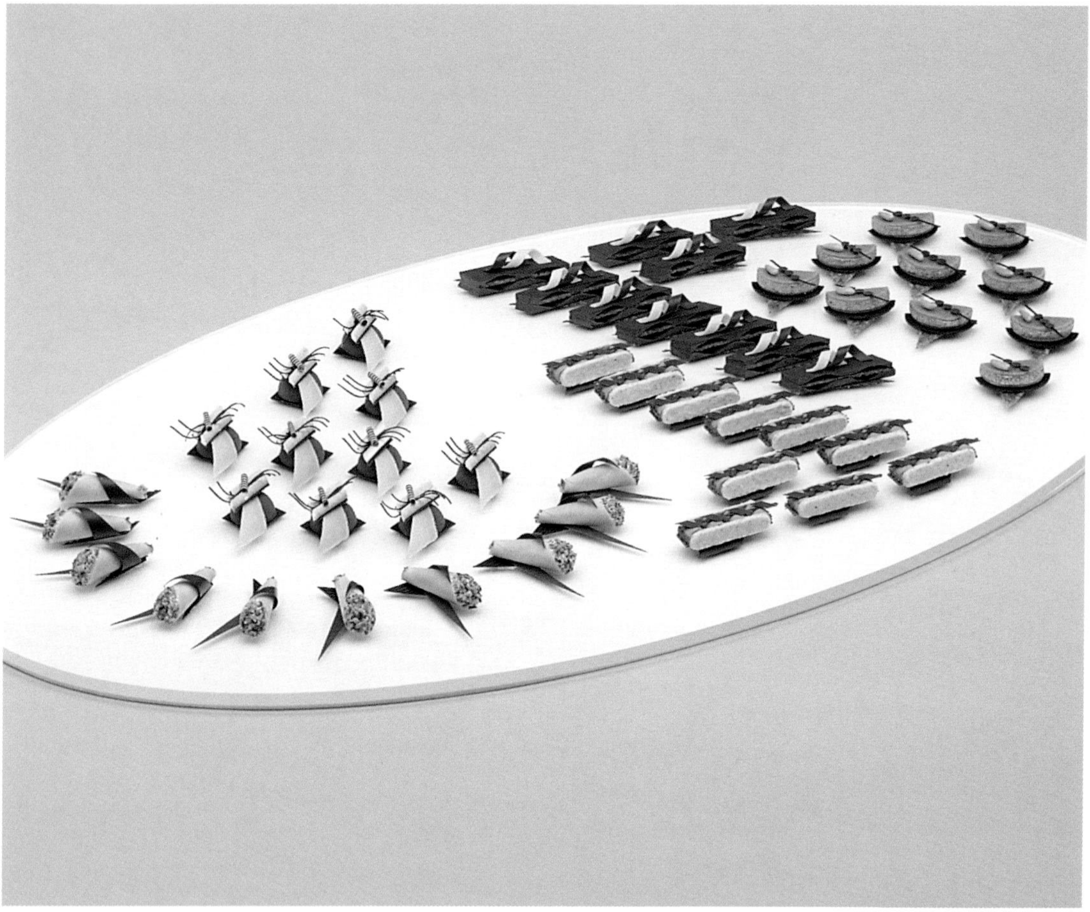

Filigran gearbeitete Friandises.

Filigree Titbits.

Friandises travaillées en filigrane.

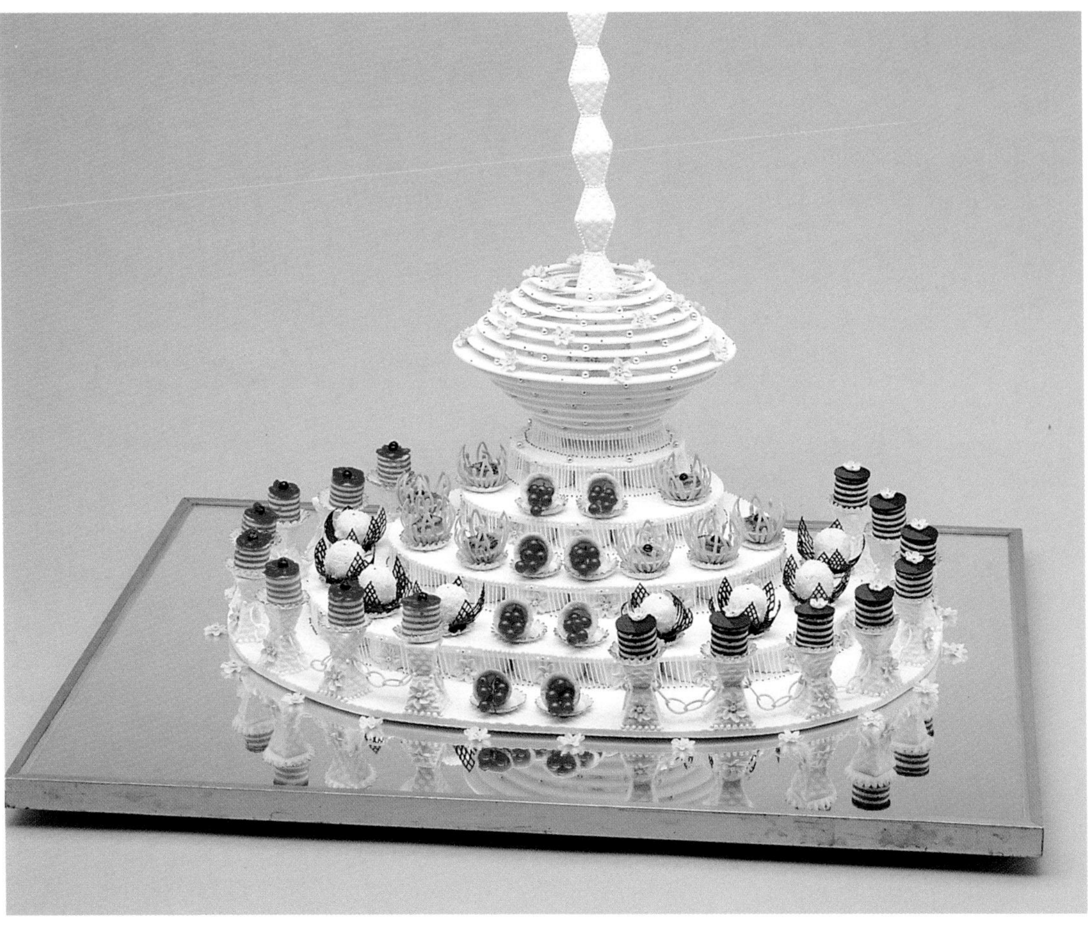

Zuckerschaustück „Brancusi" mit fünf Sorten Petits fours.

Brancusi Sugar Show-Piece with five types of petits fours.

Pièce de décoration en sucre «Brancusi» et cinq sortes de petits fours.

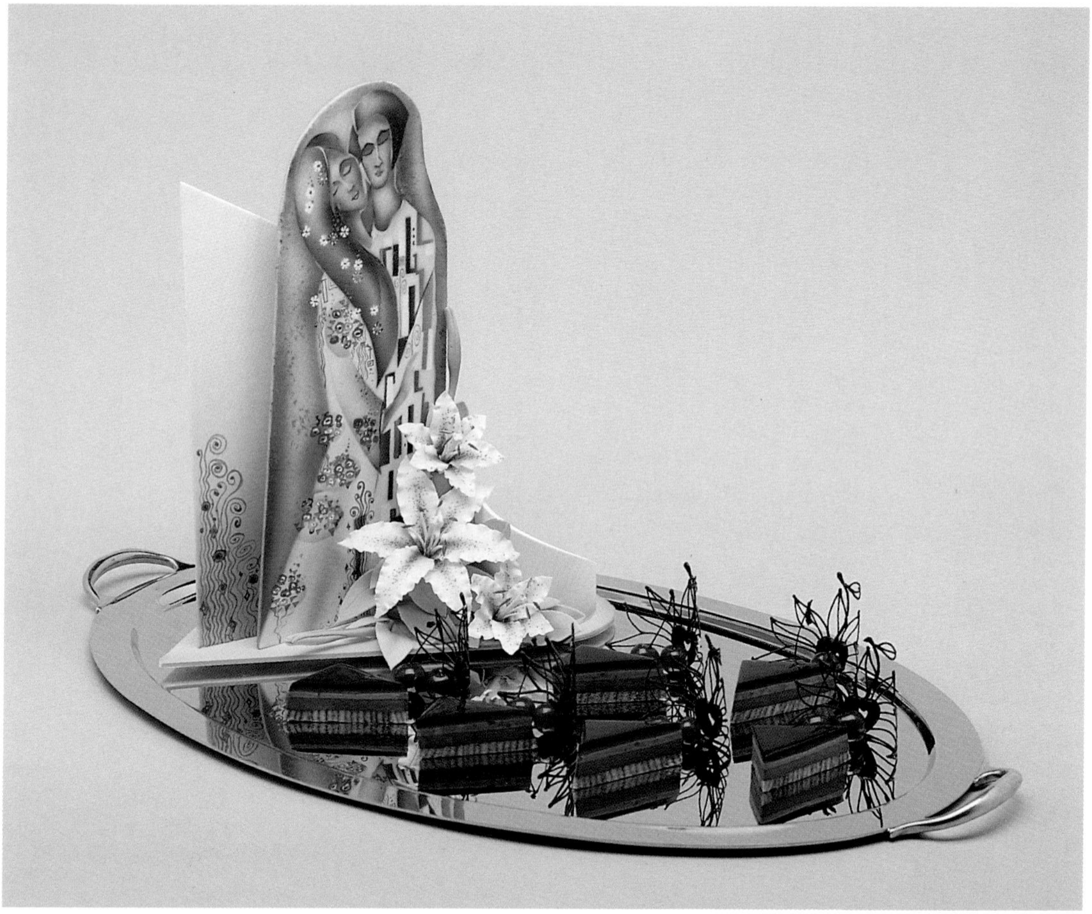

Österreichische Süßspeisenplatte. Homage an Gustav Klimt: Schaustück aus Gelatinezucker, mit Airbrushtechnik bearbeitet.

Austrian Dessert Platter. Homage to Gustav Klimt: show-piece of pastillage using airbrush technique.

Plateau de desserts autrichiens. Hommage à Gustav Klimt: Pièce de décoration en pastillage, réalisée à l'aide d'un aérographe.

Sechs verschiedene Marzipanfours mit Schaustück aus Zucker und Marzipan.

Six Different Marzipan Fours with show-piece of sugar and marzipan.

Six petits fours différents à la pâte d'amandes et pièce de décoration en sucre et en pâte d'amandes.

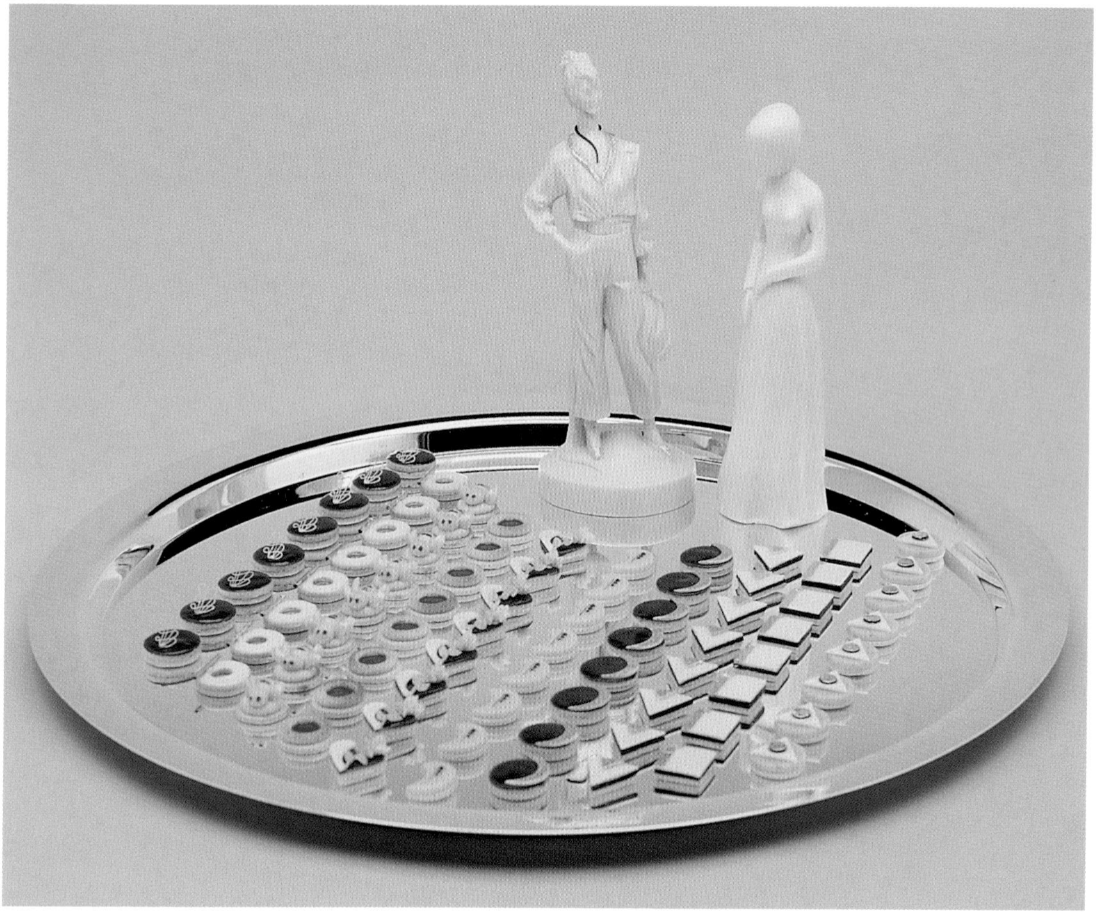

Süße Gegensätze. Weiße Schokoladenfiguren mit feinem buntem Teegebäck.

Sweet Contraste. White chocolate figures with dainty mixed biscuits.

Contraires sucrés. Figurines de chocolat blanc et petits gâteaux fins multicolores pour le thé.

Ajca Fukui Team Japan

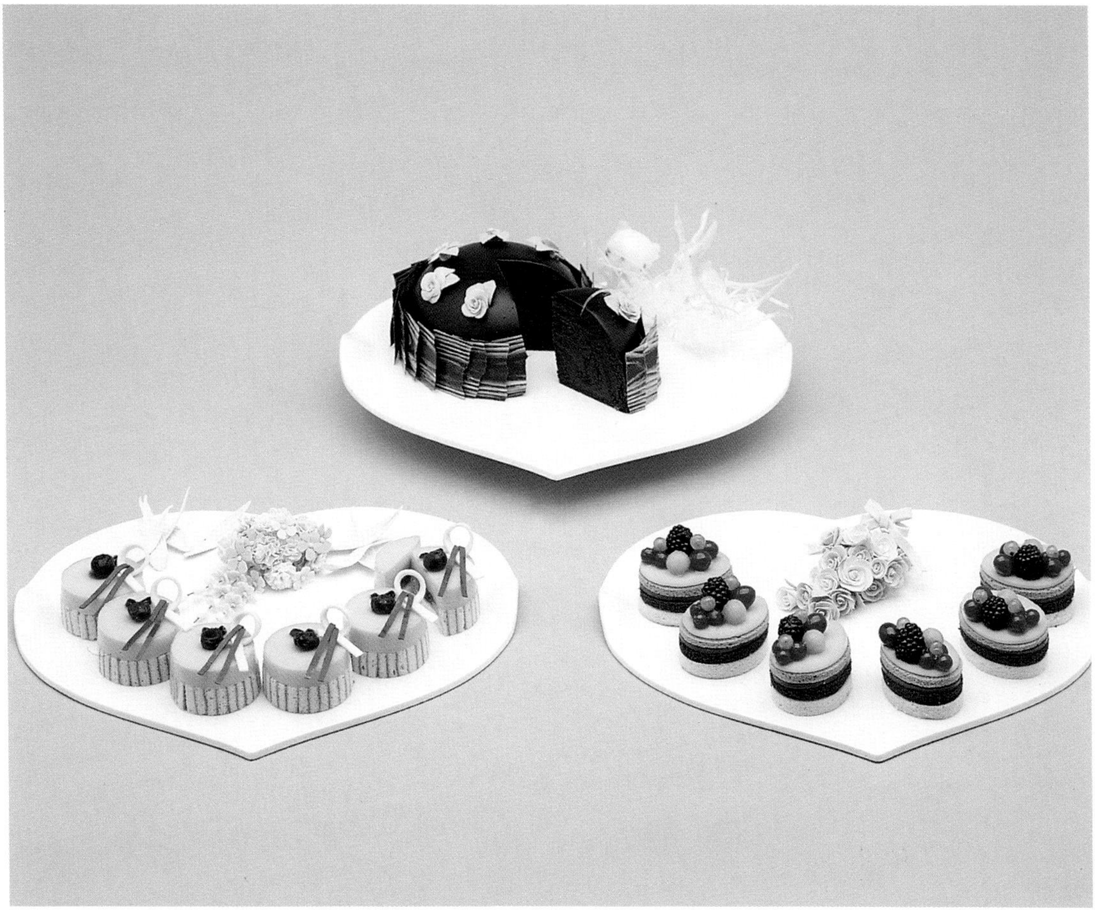

Süße Torten aus Japan. Kirschblüte in Japan; Fröhlicher Herbst (Schokoladentorte); Teeparty im Wald (Früchte auf Biskuit).

Sweet Gateaux from Japan. Cherry Blossom in Japan; Cheerful Autumn (chocolate cake); Forest Tea Party (fruit on sponge base).

Gâteau sucré japonais. Fleurs de cerisier au Japon; automne joyeux (gâteau au chocolat); thé dans la forêt (fruits sur biscuit).

Ungarische Lese. Mini-Folklore-Torten mit Dekor aus Spritzglasur und Zuckerschaustück.

Hungarian Rhapsody. Miniature folklore gateaux decorated with royal icing and sugar show-piece.

Endanges hongroises. Mini gâteaux folkloriques décorés de glace royale et pièce de décoration en sucre.

Festliche Patisserieplatte. Schokoladen-Schaustück mit Schokoladenmousse-Variationen.

Festive Patisserie Platter. Chocolate show-piece with variations of chocolate mousse.

Plateau de pâtisserie de fête. Pièce de décoration en chocolat et variations de mousse au chocolat.

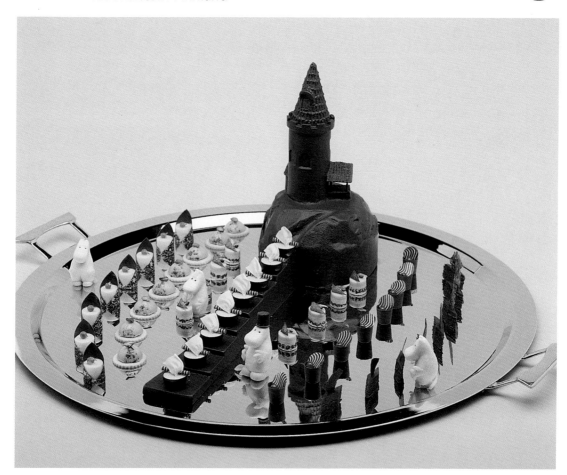

Verschiedene finnische Desserts. Orangen-, Pistazien-, Bananen-Bayrisch-Creme; Multbeerencanache; Rote-Johannisbeer-Trüffel; Blaubeeren-Schokoladen-Törtchen; Schokoladenschaustück.

Various Finnish Desserts. Orange, pistachio and banana bavarois; mulberry ganache; redcurrant truffles; blueberry and chocolate tartlets; chocolate show-piece.

Desserts variés de Finlande. Bavaroise à l'orange, à la pistache, à la banane; ganache aux fruits rouges; truffes aux groseilles rouges; petit gâteau au chocolat et aux myrtilles; pièce de décoration en chocolat.

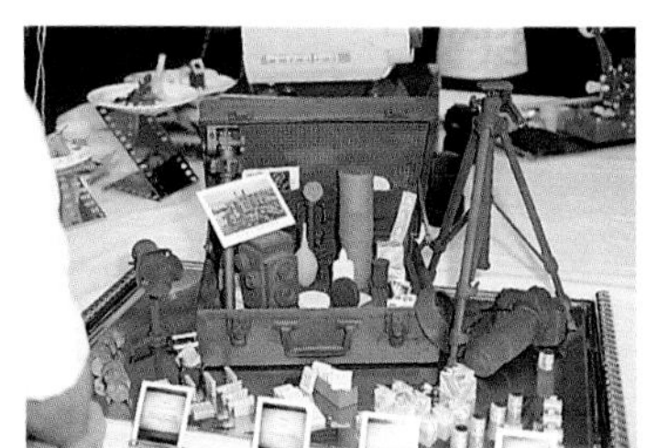

 *Team West USA* 

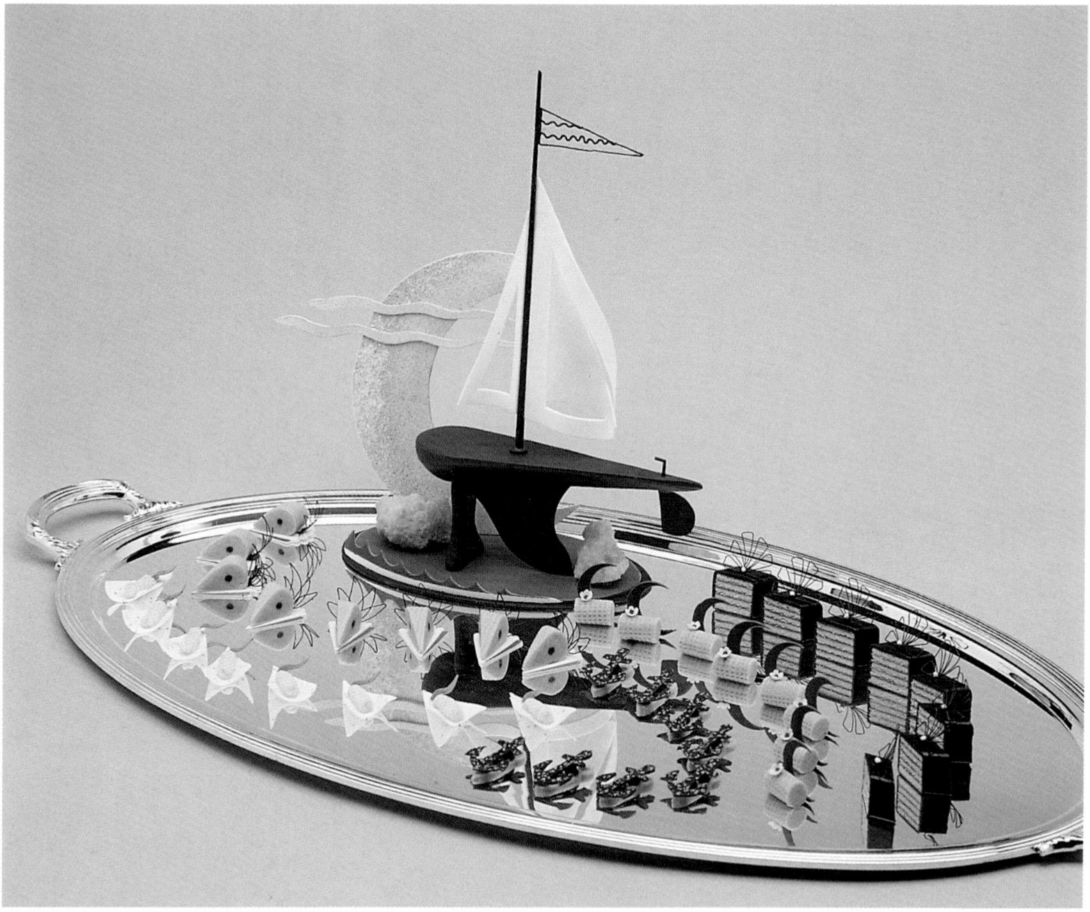

Petits fours „San Diego". Schaustück aus Gelatinezucker und Schokolade mit feinen Petits fours und Dessertstückchen.

Petits Fours à la San Diego. Show-piece of pastillage and chocolate with fine petits fours and dainty desserts.

Petits fours «San Diego». Pièce de décoration en pastillage et chocolat, petits fours fins et petites pâtisseries.

Drei Torten. Ostergrüße; Jahrestagsfeier; Alles Gute zum Geburtstag.

Three Gateaux. Easter Greetings; Anniversary Celebration; Happy birthday.

Trois gâteaux. Joyeuses Pâques; fête pour un anniversaire; bon anniversaire.

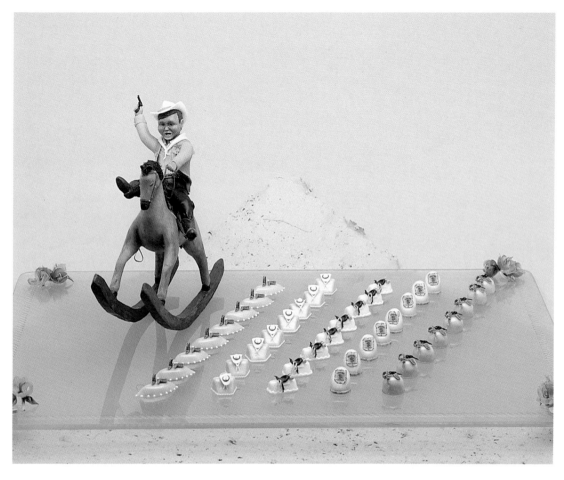

Auswahl von Petits fours. Erdbeerschildkröte; Orangenhaselnuß; Mohnkerne; Schokoladenkonfekt, Himbeeren.

A Selection of Petits Fours. Strawberry fruit leather; Orange hazelnut; Poppy seed; Chocolat fudge; Raspberry.

Une Sélection de petits fours. Assortiment de petits fours, tortues à la fraise, noisettes à l'orange, graines de pavot, fondant au chocolat, framboises.

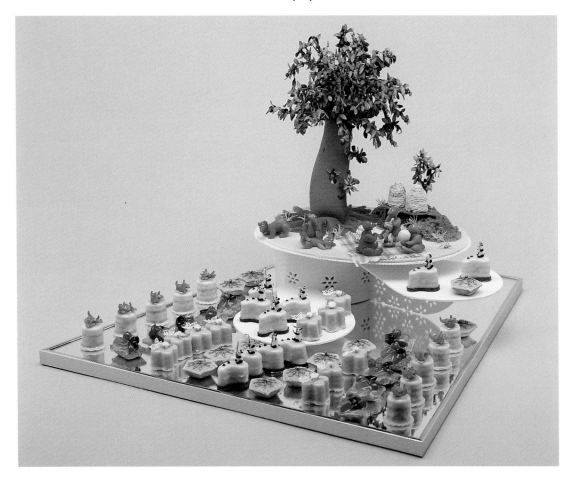

Petits-fours-Platte. Petits fours mit Schaustück „Bäriges Picknick".

Petits Fours Platter. Petits fours with "Teddy Bears' Picnic" show-piece.

Plateau de petits fours. Petits fours et pièce de décoration «pique-nique ours».

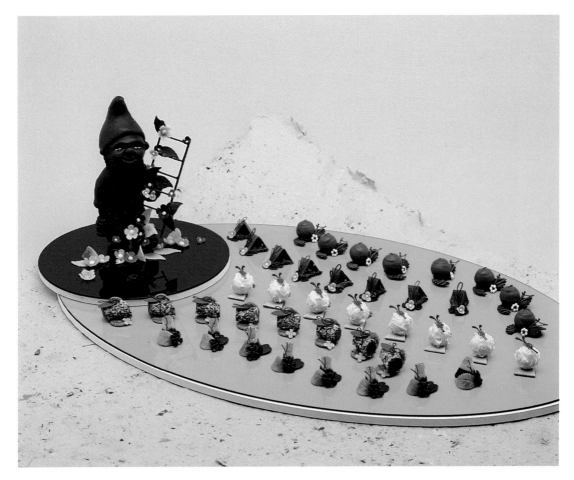

Neuzeitliche Pralinenplatte mit Gartenzwerg aus Schokolade.

Assortment of Modern Chocolates with Chocolate Garden Gnome.

Plateau de chocolats des temps modernes et nain de jardin en chocolat.

Platte der Unabhängigkeit. Apfelpudding mit karamelisierten Äpfeln.

Independence Platter. Apple pudding with caramelised apples.

Plateau de l'indépendance. Pudding aux pommes et pommes caramélisées.

Nationalteam Luxemburg

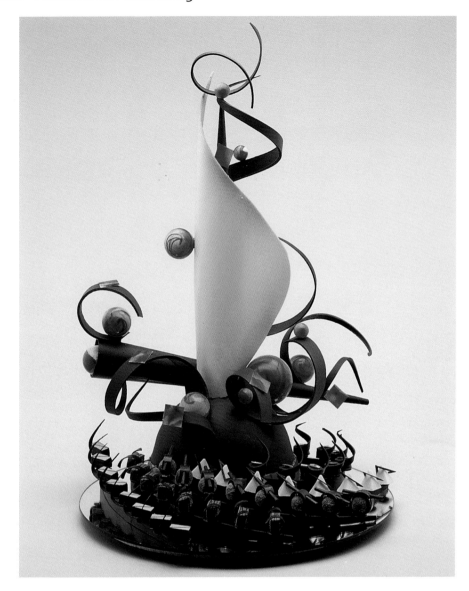

Rhapsodie aus drei Schokoladen. Modernes Schaustück aus Schokolade mit Hippenblatt; Nugat-Aprikose, Trüffel mit Orange, Praline Exquisit, Fantasie-Pistazien.

Triple Chocolate Rhapsody. Modern show-piece of chocolate with wafer; nougat apricots, truffle with orange, exquisite chocolates, fantasy pistachios.

Rhapsodie de trois chocolats. Pièce de décoration moderne en chocolat et pâte à tuiles; abricots au nougat, truffes à l'orange, chocolats exquis, pistaches fantaisie

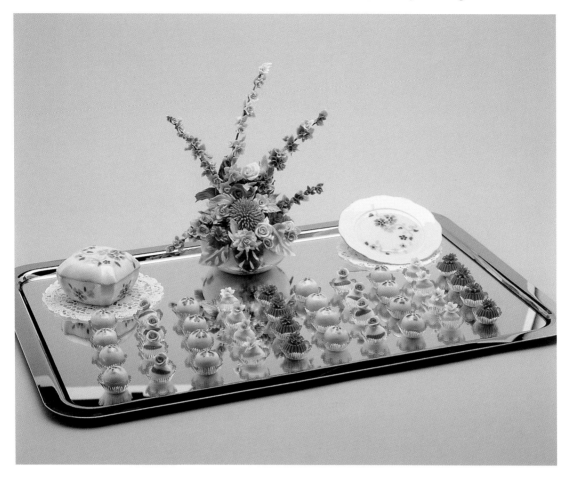

Traditionelles Schaustück. Petits fours mit Zuckerschaustück „Zsolnay Porzellan-Manufaktur".

Traditional Show-Piece. Petits fours with sugar show-piece "Zsolnay Porcelain Manufactory".

Pièce de décoration traditionnelle. Petits fours et pièce de décoration en sucre «manufacture de porcelaine de Zsolnay».

Festliche Schokolade. Pralinen mit Schaustück aus weißer Schokolade „Eisbär" mit Robben aus geblasenem Zucker. Tellerunterlage aus Felsenzucker.

Festive Chocolate. Chocolates with "Polar bear" show-piece of white chocolate and spun sugar seals. Plates made of loaf sugar.

Chocolat de fête. Chocolats et pièce de décoration en chocolat blanc «ours blanc» et phoques en sucre soufflé; dessous d'assiette en sucre.

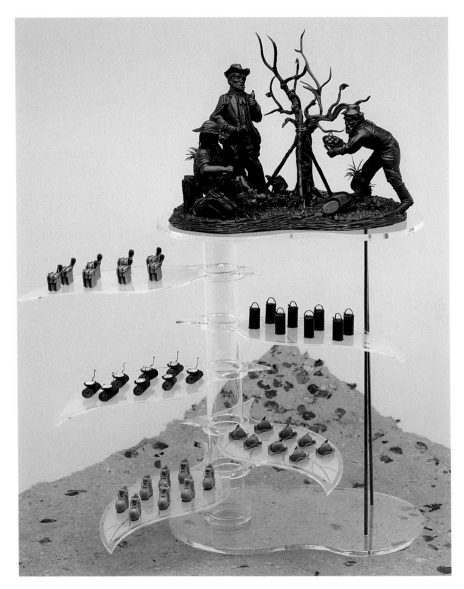

Australischer Busch. Pralinen: Teekessel, Seesack; Hut; Australischer Brotfladen; Buschstiefel.

Bush australien. Pralines: Billy can; Swag; Akuba Hat; Aussie Damper; Bush Boots.

Bush australien. Chocolats; bouilloire; sac de marin; chapeau; galette de pain australienne; bottes de bush.

Festliche Platte mit Gebäck. Mohnsamen, Pistazien und Kirsch, Pflaume und Zimt; Jasmintee; Mandarinorange.

Festive Platter with Biscuits. Poppy Seed; Pistachio and Kirsch; Plum and Cinnamon; Jasmine Tea; Mandarin Orange.

Petits gâteaux sur plateau de fête. Graines de pavot, pistaches et kirsch, prunes et cannelle, thé au jasmin, orange à la mandarine.

Italienische Süßspeisen-Auswahl. Arabischer Karneval, Haselnuß-Pistachio; Schokoladencreme, Kugel mit Kaffeelikör; Gianduja.

Assortiment de desserts italiens. Carnival Arabic Style; Hazelnut Pistachio; Chocolate Cream; Sphere with coffee Liqueur; Gianduja.

Choix d'entremets italiens. Carnaval arabe, pistaches aux noisettes; crème au chocolat, boule à liqueur au café Gianduja.

„Segeln mit den Gewürzpassaten der neuen Amerikas". Pralinen mit Schaustück.

"Navigating The spice Tradewinds of the new Americas". Chocolates with show-piece.

«La route des épices de Nouvelle Amérique». Présentation de chocolats pralinés.

„Pina-Ananas Amerikanische Entdeckung". Erkundung des Zuckerrohr-Rum-Handels.

"Pina-Ananas-American Discovery". Exploring the Sugarcane Rum Trade.

«Pina-Ananas-American Discovery». Exploration de la canne à sucre, commerce du rhum.

Team New South Wales Australien

Schokoladen-Musikkapelle. Schaustück zu Petits fours.

Chocolate Orchestra. Show-piece with petits fours.

Orchestre en chocolat. Pièce de décoration et petits fours.

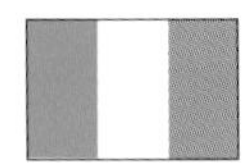

Schaustück mit Petits fours. Cappuccino-Schokoladentassen, gefüllt mit Canache; Trilogie: Schokoladenschichten mit Marzipanmitte; Gebäckkörbe, Marzipanmitte, mit frischen Früchten gefüllt; Haselnußdiamanten, Gebäckmuschel, mit Haselnußcreme gefüllt; Jaconde-Biskuitschale, gefüllt mit leichter Beerenmousse.

Show-Piece with Petits Fours. Cappuccino chocolate cups filled with ganache; Trilogy: layers of chocolate with marzipan centre; Pastry baskets, marzipan centre filled with fresh fruits; Hazelnuts diamonds, pastry shell filled with hazelnut cream; Jaconde sponge cup filled with light berry mousse.

Pièce de présentation avec petits fours. Coupes de chocolat cappuccino garnies de ganache; Trilogie: soucoupe en chocolat avec cœur de frangipane; barquettes, cœur en frangipane garnies de fruits frais; diamants de noisettes, coquilles remplies de crème de noisette; coupe Jaconde garnies de mousse légère de baies.

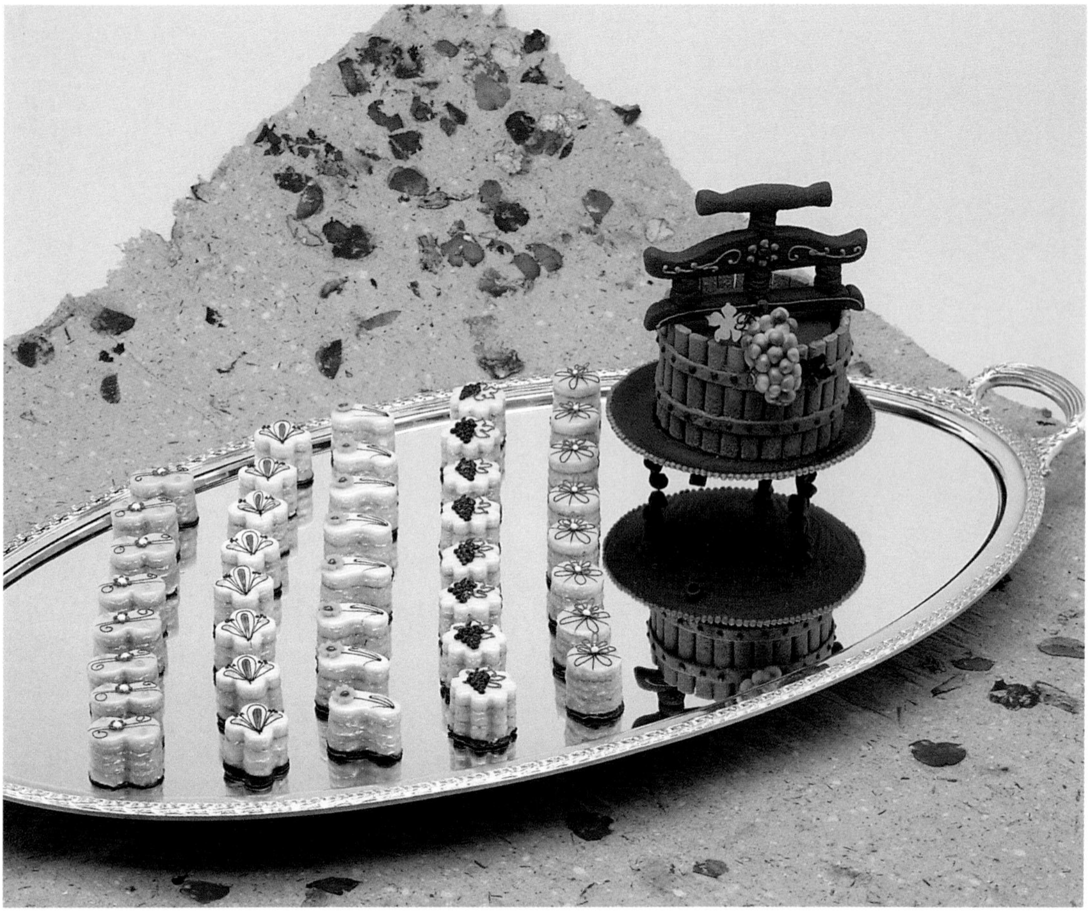

Team ARGE West Deutschland

Petits-fours-Auswahl mit Schaustück aus Schokolade. Moselländische Traubenpresse aus geformter und geschnittener Kuvertüre.

Selection of Petits Fours with Chocolate Show-Piece. Moselle winepress made of mouled and cut couverture.

Choix de petits fours et pièce de décoration en chocolat. Pressoir à raisins mosellan, modelé et sculpté dans un chocolat de couverture.

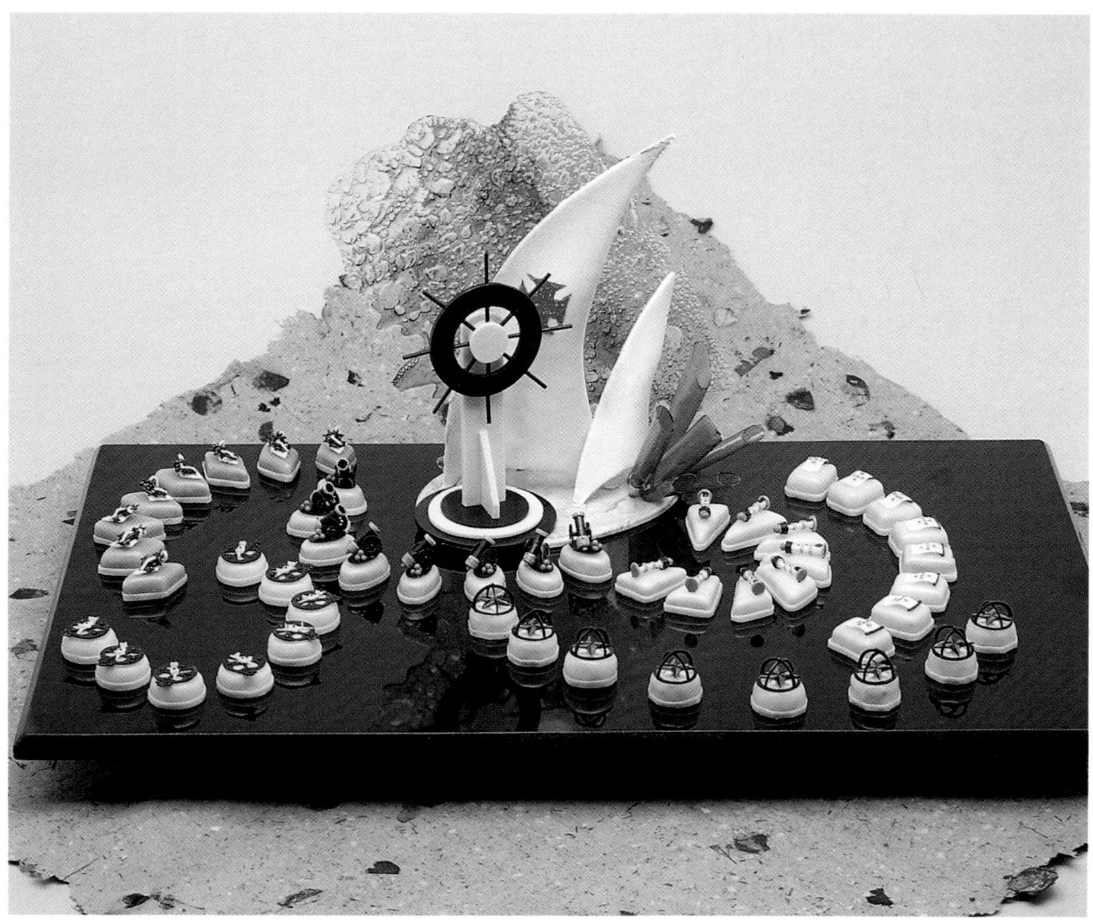

Petits fours mit Schaustück aus heller und dunkler Schokolade. Unter dem Titel „Zwischen Ost und West" wurde diese attraktive Platte mit Petits fours und Motiven der christlichen Seefahrt ausgestellt.

Petits Fours with Show-Piece of Light and Dark Chocolade. This attractive platter of petits fours and traditional seafaring motifs was exhibited under the title "Between East and West".

Petits fours et pièce de décoration en chocolat blanc et noir. Ce plateau attractif portant le titre «entre l'Est et l'Ouest» est composé de petits fours et de motifs de la bonne vieille marine.

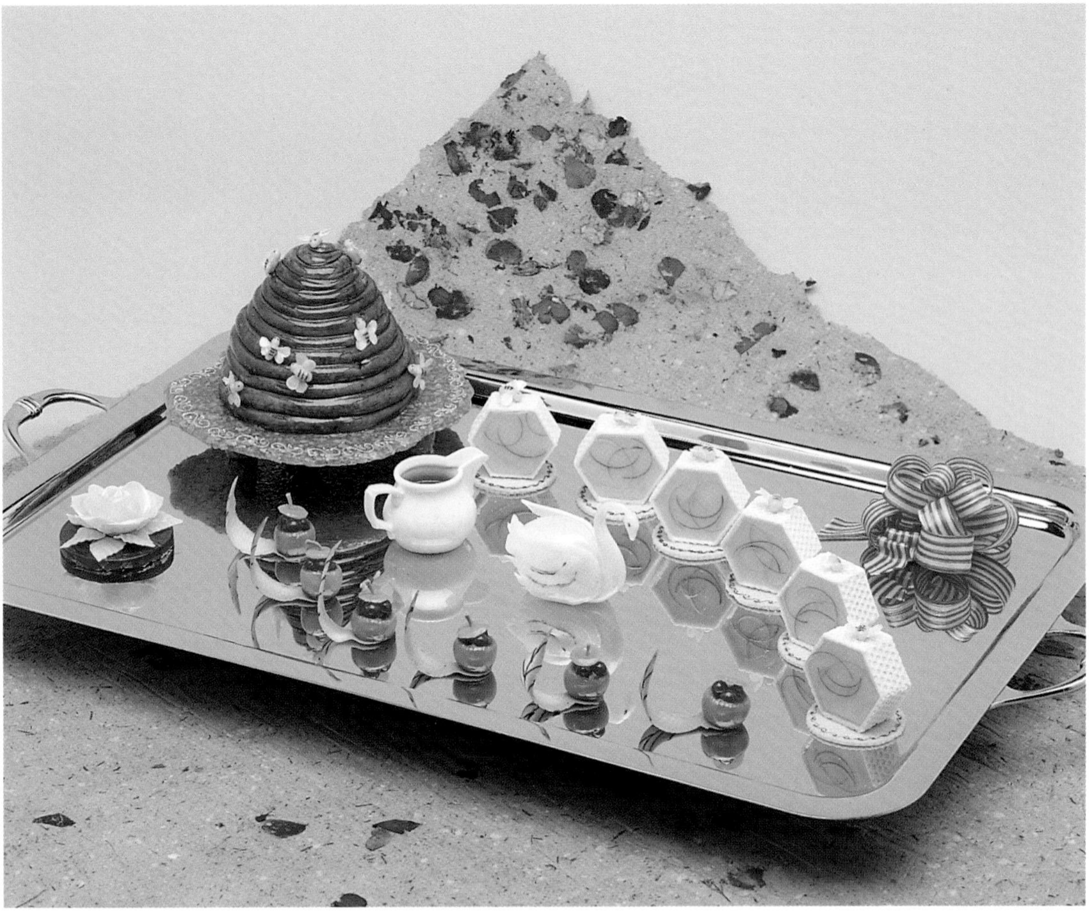

Dessertplatte „Honigbienen am Werk". Runder Sockel von Sandkuchen, Wabe aus weißer Schokolade, gefüllt mit Honigmet-Bavarois Jaconde (Bayerisch Creme) in Schichten, Bienen mit gezogenem Zucker, Garnitur von Tuille-Blättern mit kleinen Äpfeln, gefüllt mit Kompott von roten Johannisbeeren.

Dessert Platter "Honey-Bees at Work". Round base of sable paste; honeycomb of white chocolate filled with honey mead bavarois Jaconde in layers; Honey bees made with pulled sugar; Garnish of tuille leaves with baby apples filled with redcurrant compote.

Plateau de desserts «abeilles au travail». Socle rond en sablé, rayon de chocolat blanc fourré de bavarois au miel, abeilles en sucre tiré, garniture de feuilles en tuiles et de petites pommes fourrées de compote de groseilles rouges.

„Olympiade der Köche". Schaustück aus Gelatinezucker und Kuvertüre mit Dessert von Schokoladenmouse, gefüllt mit Mandelcreme.

"Culinary Olympics". Show-piece of pastillage and couverture, dessert of chocolate mousse filled with almond cream.

«Olympiade des cuisiniers». Pièce de décoration en pastillage et couverture, mousse au chocolat fourrée de crème aux amandes comme dessert.

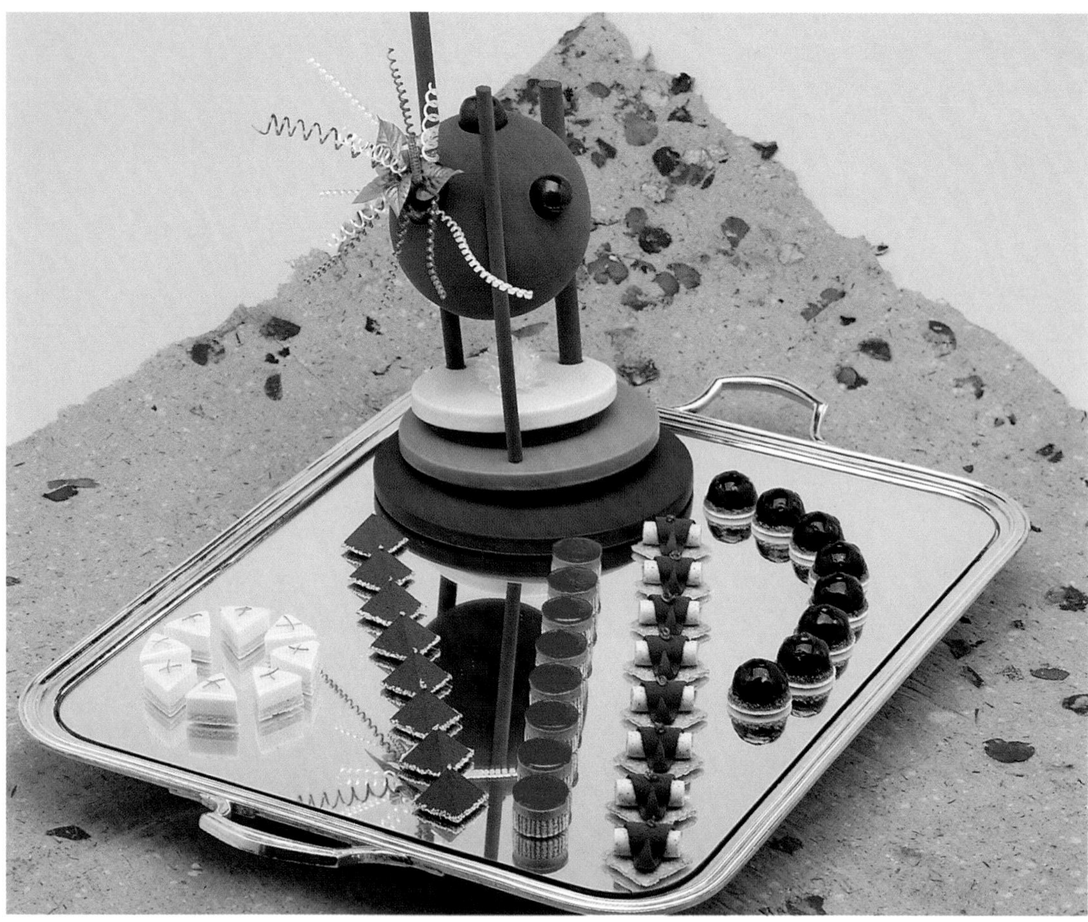

Elegante Petits-fours-Platte mit Schaustück „Jahr 2000". Eine Variation von Limone, Schokolade, Blaubeeren, Pistazien und Johannisbeeren.

Elegant Petits Fours Platter "Year 2000" Show-Piece. Variations of lime, chocolate, blueberries, pistachios, and redcurrants.

Elégant plateau de petits fours et pièce de décoration «an 2000». Variations de limons, chocolat, myrtilles, pistaches et groseilles.

Offizieller Sponsor

Gerhard Heym Deutschland

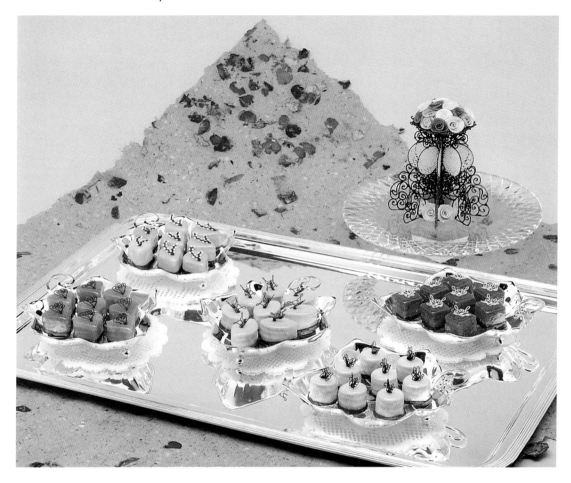

Fünf Sorten Petits fours mit Schauplatte. Filigraner Aufsatz aus weißer und dunkler Kuvertüre.

Five Types of Petits Four with Show-Platter. Filigree decoration of white and dark couverture.

Cinq sortes de petits fours et plateau de prestige. Surtout en filigrane réalisé en chocolat de couverture blanc et noir.

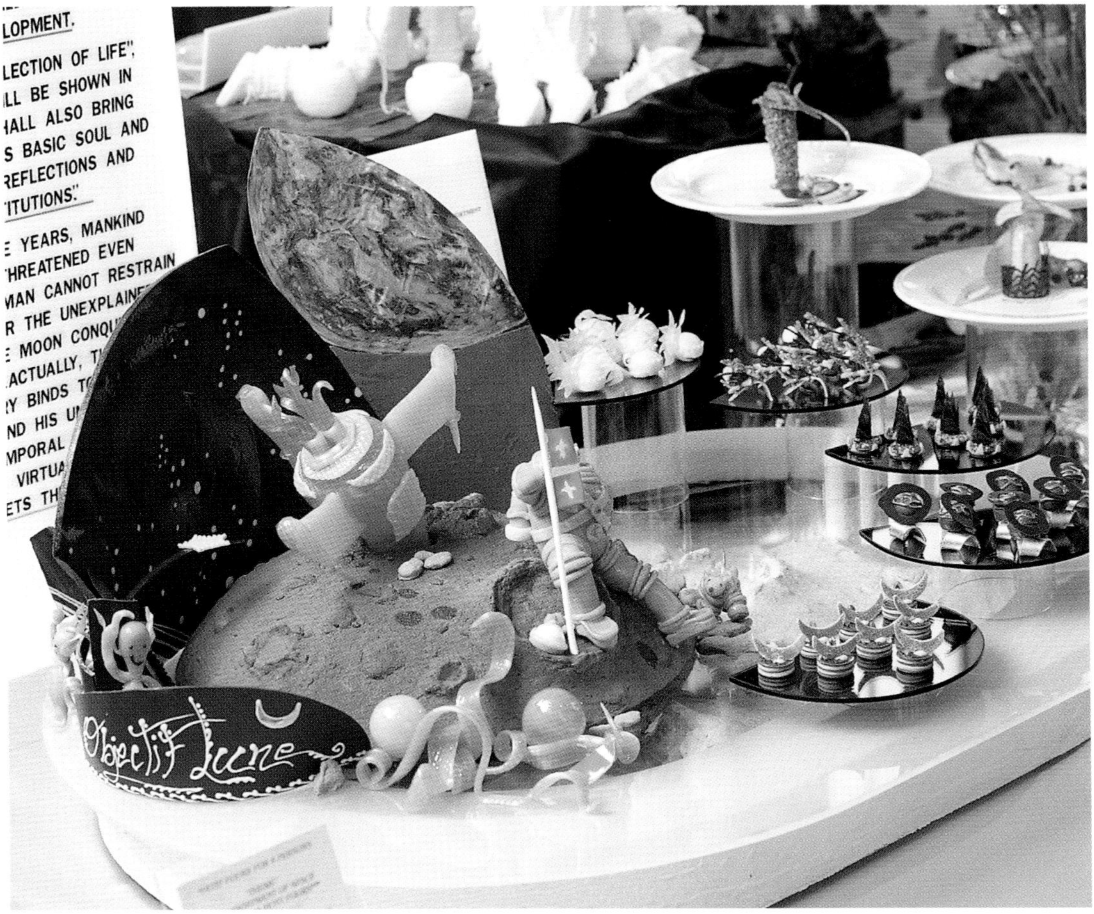

Pralinenplatte mit Schaustück aus dem Weltall.

Platter of Chocolates with Show-Piece from Outer Space.

Plateau de chocolats et pièce de décoration de l'univers.

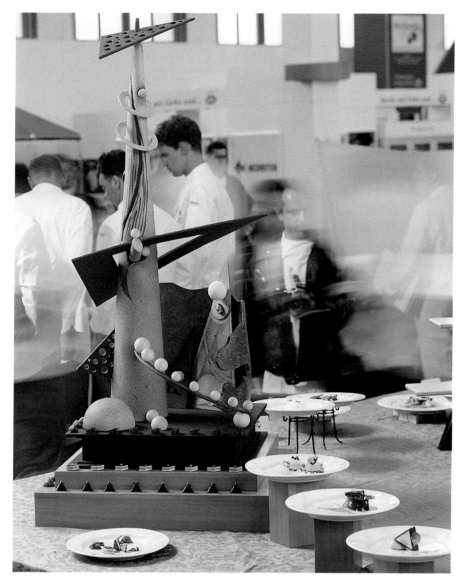

Pralinen aus Apulien. Modernes Schaustück aus Schokolade.

Dessert from Apulia. Modern chocolate show-piece.

Chocolats des Pouilles. Pièce de décoration moderne en chocolat.

Dessertauswahl. Honigcreme mit Walnußkern; Moussevariationen mit Mandarinenragout; Bayrische-Creme-Variationen mit Früchten; Weincharlotte mit Cassissauce und Früchten.

Choice of Desserts. Honey cream with walnut centre; mousse variations with mandarin ragout; bavarois variations with fruit; wine charlotte with cassis sauce and fruit.

Choix de desserts. Crème de miel aux noix; variations de mousses aux ragoût de mandarines; variations de bavarois aux fruits; charlotte au vin, coulis de cassis et fruits.

Drei Desserts aus Australien. Kokusnuß-Schnee-Eier auf moderne Art; frische Tropenfrüchte in süßer Ingwersuppe; Tod durch Schokolade.

Three Desserts from Australia. Coconut snow eggs modern style; fresh tropical fruits in sweet ginger soup; death by chocolate.

Trois dessserts d'Australie. Œufs en neige à la noix de coco, façon moderne; fruits tropicaux au jus de gingembre; la «mort» en chocolat.

Vier Süßspeisen. Kombination von tropischen Früchten mit Kokosnußeiscreme; Schokolade- und Ingwer-Kokosnuß-Mousse; Pyramide auf Coulis mit Orangengeschmack; Zuckerrohr- und Tongabohnen-Mousse mit Gelee von roten Pflaumen.

Four Desserts. Composition of tropical fruits with coconut ice cream; Chocolate and ginger coconut mousse; Pyramid on orange spiced coulis; Sugar cane and tonga bean mousse with red plum jelly.

Quatre mets sucrés. Composition de fruits tropicaux avec crème glacée à la noix de coco; pyramide de mousses au chocolat, à la noix de coco parfumée au gingembre sur un coulis d'orange épicée; mousse au sucre de canne et à la fève du Tonga accompagnée de gelée de prunes rouges.

Ontario Team Kanada

Vier feine Desserts. Nory-Schokoladen-Mousse; Pistazienterrine; Marmor-Schokoladentropfen; Fillokorb mit pochierten Äpfeln.

Four Exquisite Desserts. Nory chocolat mousse; Pistachio terrine; Marble chocolat teardrops; Filo basket with poached apples.

Quatre desserts raffinés. Mousse au chocolat Nory; terrine à la pistache; gouttes de chocolat marbrées; corbeille et pommes pochées.

Vier asiatische Desserts. Macadamia-Trüffel; Ananaseis, Lychee im Backteig mit Papaya-Chutney, Kürbis mit Brûléecreme; Birnensoufflé; Ricottakäsekuchen.

Four Asian Desserts. Macadamia truffles; pineapple ice cream, lychee in batter with papaya chutney, squash with crème brûlée; pear soufflé; ricotta cheesecake.

Quatre desserts asiatiques. Truffes de macadamia; glace à l'ananas, litchis en beignet au chutney de papayes, potiron à la crème brûlée; soufflé de poires; gâteau au Ricotta.

Nationalteam Japan

Moderne Dessert-Auswahl. Liebe, Blume, Schmetterling, Feuer.

Selection of Modern Desserts. Love; Flower; Butterfly; Fire.

Choix de desserts modernes. Amour; fleur; papillon; feu.

Vier englische Desserts. Ingwerparfait; Passionsfruchtcreme; Mandarinenmousse; Heckenbeerenmousse mit Orangenspiegel.

Four English Desserts. Ginger parfait; passion-fruit cream; mandarin mousse; hedgerow berry mousse with orange garnish.

Quatre desserts anglais. Parfait au gingembre; crème aux fruits de la passion; mousse à la mandarine; mousse de fruits de buisson et miroir d'orange.

Drei Desserts „Rund um die Welt aus Berlin". Modernes Australien; Vereintes Europa; Treffpunkt Berlin.

Three Desserts "Around the World from Berlin". Modern Australia; United Europe; Rendezvous Berlin.

Trois desserts «Tour du monde à partir de Berlin». Australie moderne, Europe unie; lieu de rencontre Berlin.

Drei Desserts „Rund um die Welt aus Berlin". Afrikanische Träumerei; Liebliches Asien; Weites Amerika.

Three Desserts "Around the World from Berlin". African dreams; delightful Asia; vast America.

Trois desserts «Tour du monde à partir de Berlin». Rêve africain; Asie suave; vaste Amérique.

Marshall Rosenthal USA

Desserts aus Maryland. Birne, in Safran pochiert; Kürbis-Käse-Küchlein; Schokoladen-Maronen-Terrine mit karamelisierten Bananen.

Desserts from Maryland. Pear poached in saffron; squash and cheese buns; chocolate and chestnut terrine with caramelised bananas.

Desserts du Maryland. Poire pochée au safran; petit gâteau de fromage et de potiron; terrine de chocolat et de marrons aux bananes caramélisées.

Schweizer Desserts. Quarktaschen mit Zimtreis; Aprikosen-Mascarpone-Süßspeise; Eisbissen St. Lucia mit Karamel-Rum-Sauce und Orangenfilets.

Swiss Desserts. Curd cheese turnovers with cinnamon rice; apricot and mascarpone dessert; St. Lucia ice with caramel & rum sauce and orange segments.

Desserts suisses. Chausson de fromage blanc au riz parfumé à la cannelle; dessert au mascarpone et aux abricots; glace St Lucia à la sauce rhum-caramel et filets d'oranges.

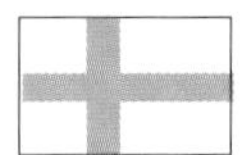

Dessertauswahl aus Finnland. Beeren- und Früchte-Bayrisch-Creme mit Pistaziensauce; Kirschpudding mit Kirschsauce; Früchte in Zitronenlikör mit weißer Schokoladenmousse; Birnen-Bayrisch-Creme mit Birnensauce.

Selection of Desserts from Finland. Berry and fruit bavarois with pistachio sauce; cherry pudding with cherry sauce; fruit in lemon liqueur with white chocolate mousse; pear bavarois with pear sauce.

Choix de desserts finlandais. Bavaroise aux fruits à la sauce pistache; pudding à la cerise au coulis de cerises; fruits à la liqueur de citron et mousse au chocolat blanc; bavarois à la poire et coulis de poires.

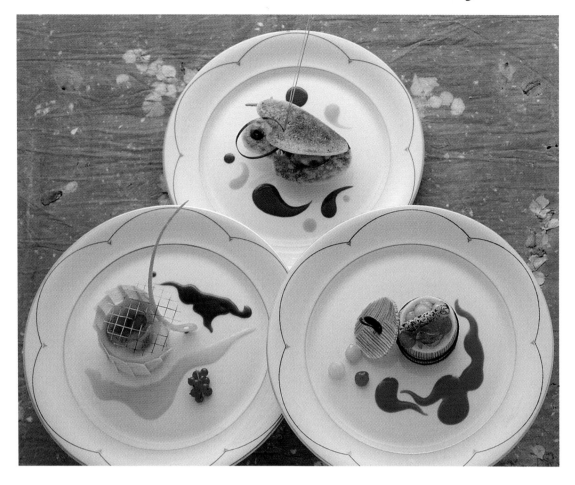

Norwegische feine Desserts. Passionsfruchtmousse; Palette mit Birne und Birnenparfait; Baumkuchenfäßchen mit Früchten.

Fine Norwegian Desserts. Passion-fruit mousse; palette of pear and pear parfait; layer cake barrels with fruit.

Dessert raffinés norvégiens. Mousse de fruits de la passion; palette de poires et parfait à la poire; petit tonneau de pièce montée aux fruits.

Süßspeisenauswahl. Passion der Liebe; Schokolade mit einer delikaten Praline; Schaumsahne mit Kiwi und Johannisbeeren; Soufflierter Bienennektar.

Selection of Desserts. Passion of love; chocolate with a dainty treat; whipped cream with kiwi and redcurrants; pear nectar soufflé.

Assortiment de desserts. Amour passion; chocolat et une succulente friandise; crème mousseuse aux kiwis et groseilles; nectar d'abeilles soufflé.

Drei-Desserts-Auswahl. Pudding von süßem Mais und warmem Wildreis, serviert in Teigkorb; Dattel- und Feigenbaklava; Parfait von grünem Tee und roten Bohnen.

Selection of Three Desserts. Sweetkorn and warm wild rice pudding, served in a pastry basket; date and fig baklava; parfait of green tea and red beans.

Trois desserts au choix. Pudding de maïs doux et riz sauvage chaud, servis en corbeille de pâte; baklava aux dattes et aux figues; thé vert et parfait de haricots rouges.

Tagesdessertauswahl. Heidelbeer-Joghurt-Terrine im Baumkuchenmantel mit Früchten; Haselnuß-Zimt-Parfait mit Armagnacpflaumen; Grand-Marnier-Pudding mit Orangen- und Schokoladensauce, Calvados-Bayrisch-Creme mit Riesling-sabayon.

Selection of Desserts of the Day. Bilberry & yoghurt terrine in a layer cake case with fruit; hazelnut & cinnamon parfait with Armagnac plums; Grand Marnier dessert with orange and chocolate sauce; Calvados bavarois with Riesling zabaglione.

Choix de desserts du jour. Terrine de yaourt aux myrtilles en gâteau monté et fruits; parfait de noisettes à la cannelle et prunes à l'armagnac; pudding au Grand-Marnier, oranges et sauce au chocolat; crème bavaroise au calvados avec un sabayon au Riesling.

Vier Tagesdesserts. Terrine von Apfelgelee; Crêpes „Tausend Blätter" mit Waldbeerencreme; Reispudding mit Fruchtsalat; Citrus-Karamel-Creme.

Four Desserts of the Day. Jellied Apple Terrine; Crepes Mille Feuille with Wild berry cream; Rice Pudding with Fruit Salad; Citrus caramelized Cream.

Quatre desserts du jour. Terrine de pommes en gelée; crêpes millefeuilles à la crème de fruits sauvages; gâteau de rize accompagné d'une salade de fruits; crème caramélisée au citron.

Dessertauswahl. Kumquatmousse mit Blutapfelsinensauce; Mango-Bayrisch-Creme mit Beeren und Früchten; Chartreuse-Parfait mit Walnußsauce und Nugat.

Selection of Desserts. Kumquat mousse with blood orange sauce; mango bavarois with berries and fruit; chartreuse parfait with walnut sauce and nougat.

Assortiment de desserts. Mousse de kumquats au coulis d'oranges sanguines; bavarois de mangues aux fruits; parfait à la Grande Chartreuse, sauce à la noix et nougat.

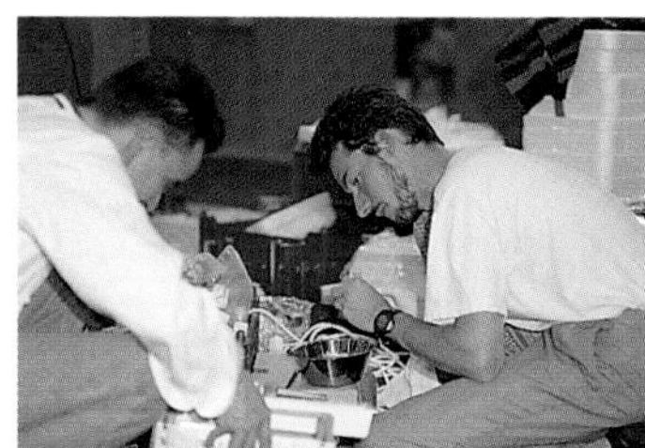

Nationalteam Hongkong

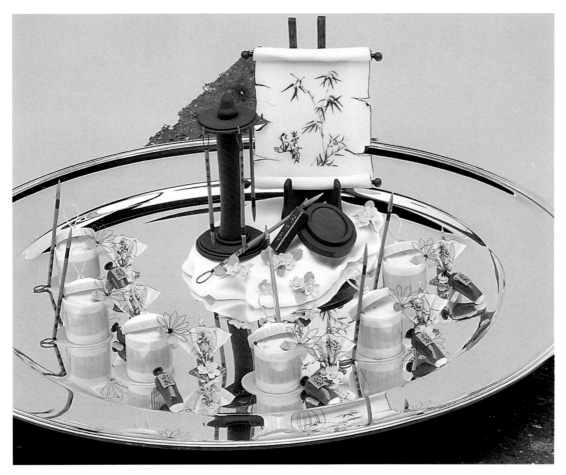

Asiatische Dessertplatte. Grüner Tee und Reis-Bananen-Mousse; Waffelfächer und Krokantbasis; Rolle mit Paste aus roten Bohnen und Mandeln; Kumquatkompott.

Asian Dessert Platter. Green Tea and rice banana mousse; Filodough Fan and Croquant Stand; Tube with red bean-almond paste; Kumquat Compot.

Plateau asiatique de desserts. Thé vert et mousse de riz et de banane; éventail Filodough et nougat; roulé de pâte aux amandes et de fève rouge; compote de Kumquat.

Süßspeisenauswahl. Lycheesorbet (Eis) mit Sesammeringen und roter Johannisbeerensauce; Nuß-Praliné mit Ingwer-Pfirsich-Sauce; Manostelle und Feigenkombination mit Zimteis; Rhabarber-Reis-Roulade mit Kumquats.

Assortiment de desserts. Lychee sherbet with sesam meringue and red currant sauce; Nut-Praline cream with ginger flavoured peach sauce; Manosteen and fig combination with cinnamon ice creame; Rhubarb rice roulade with Kumquats.

Choix d'entremets. Sorbet aux litchis, meringues au sésame et coulis de groseilles; praliné à la noix et coulis de pêches au gingembre; «manostelle», arrangement de figues et glace à la cannelle; roulade de riz à la rhubarbe et kumquats.

Amerikanische Süßspeisen. Savannah-Georgia-Pfirsich, Rocky-Mountain-Holunderblüten-Honig-Torte, Mount-Ranier-Kirschcreme; New-Mexico-Schokoladenschnitte „Sierra Madre".

American Desserts. Savannah georgia peachtree lane; Rocky mountain elderflower honey tart; Mount Ranier cherry cream; New mexican chocolate slice "Sierra Madre".

Entremets américains. Allée de pêches «Savannah Georgia», gâteau au miel et aux fleurs de sureau «Montagnes Rocheuses», crème à la cerise «Mont Ranier»; Tranches au chocolat New Mexico «Sierra Madre».

Dessertplatten-Auswahl. Bayrischer Vanilleapfel mit Apfelgeleekompott und Haselnußstaub; Grießsavarin mit frischen Früchten und Erdbeersauce; kleines Pfannkuchensäckchen mit Früchtegelee.

Selection of Dessert Platters. Bavarian vanilla apple with jellied apple compote and hazel dust; semolina savarian with fresh fruit and strawberry sauce; small bundle of pancake with fruit jelly.

Sélection de plateaux de desserts. Pomme à la vanille en bavarois, compote de gelée de pommes et poussière de noisettes; savarin à la semoule aux fruits frais et au coulis de fraise; petite montagne de crêpes à la gelée de fruits.

Süßspeisen aus Südafrika. Käsekuchen mit Rosinen und gebackener Apfel mit Glühweinsauce und Mohnsamen; dunkle Schokolade und Krokantmousse mit einer Beerensauce; Kap-Preiselbeeren und Weingelee von schwarzen Johannisbeeren.

South African Sweets. Raisin and baked apple cheesecake with a Glühwein sauce and poppy seed snap; Dark chocolate and croquant mousse with a berry sauce; Cape goosberry and blackcurrant wine jelly.

Entremets d'Afrique du Sud. Gâteau au fromage et raisins secs, pomme cuite au four à la sauce de vin chaud aromatisé et graines de pavot; mousse au chocolat et à la nougatine, coulis de fruits rouges; airelles du Cap et gelée de vin de cassis.

Drei Süßspeisen aus Holland. Schokoladenmousse mit Orangen-Bayrisch-Creme; Kombination von Pistazien und Passionsfrucht; Mokkamousse und Pralinencreme mit Karamelsauce.

Three Desserts from Holland. Chocolate mousse with orange bavarois; combination of pistachios and passion-fruit; mocha mousse and praline cream with caramel sauce.

Trois desserts de Hollande. Mousse au chocolat et bavarois à l'orange; harmonie de pistaches et de fruits de la passion; mousse au moka et crème pralinée à la sauce caramel.

Drei Süßspeisen aus Trier. Viezcreme mit Aprikosensauce; Beerenmousse im Baumkuchenmantel; Joghurtcharlotte mit Himbeermark.

Three Desserts from Trèves. Cream à la Viez with apricot sauce; berry mousse in a layer cake case; yoghurt charlotte with raspberry puree.

Trois desserts de Trèves. Crème au coulis d'abricots; mousse de fruits rouges en habit de gâteau monté; charlotte au yoghourt et pulpe de framboises.

Süßspeisen-Auswahl. Espresso-Mokka-Kuchen; Schokoladen-Sechseck, gefüllt mit weißer Schokolade und Baileys-Mousse; Kuchen Opéra.

Selection of Desserts. Espresso mocha gateau; chocolate hexagon filled with white chocolate and Baileys mousse; opera gateau.

Entremets sucrés au choix. Moka à l'espresso, hexagones de chocolat fourrés de chocolat blanc et de mousse au Bailey, gâteau opéra.

Dessert aus Tschechien. Tiramisu-Schnitte; Nektarliebhaber mit Gelee und Schmetterlingen.

Dessert from the Czech Republic. Tiramisu slices; nectar lover with jelly and butterflies.

Dessert de la République Tchèque. Tranches de tiramisu; amateur de nectar, gelée et papillons.

Schaustück „Koffer mit Foto-Zubehör" aus Schokolade.

Chocolate Show-Piece "Case and Photographic Equipment".

Pièce de décoration «valise et accessoires photo» réalisée en chocolat.

Schaustück „Filmprojektor" aus Schokolade.

Chocolate Show-Piece "Film Projector".

Pièce de décoration «projecteur de film» réalisé en chocolat.

Schaustück aus Schokolade zu einer Dessertplatte.

Chocolate Show-Piece for a Dessert Platter.

Pièce de décoration en chocolat accompagnant un plateau de desserts.

Schokoladenarbeit „Auto" zu einer Dessertplatte.

Chocolate Show-Piece "Car" for a Dessert Platter.

Travail du chocolat «automobile» pour accompagner un plateau de desserts.

Das Konzept der Wettbewerbsküche

Bereits zum zweiten Mal in der Geschichte der Olympiade der Köche war PALUX wiederum Alleinausstatter aller olympischer Wettkampfstätten. Das spricht für sich und für die Küchentechnik von PALUX. Durch dieses Engagement wird die Verbundenheit mit dem Verband der Köche Deutschlands und den Köchen in aller Welt demonstriert. Ziel war es dabei, alle Welt von den multifunktionellen Topline-Geräten zu begeistern und die konzeptionelle Gesamtlösung unter dem Slogan „Küchen mit Konzept" zu zeigen. Für PALUX steht hinter jeder Küche – und sei sie noch so klein – ein fundiertes Planungskonzept, das dem Koch ein Höchstmaß an Anwendungsnutzen und Wirtschaftlichkeit garantiert. Die mehrfach nutzbaren Küchenkomponenten in Kombination mit den PALUX-Heißluft-Dämpfern sollten allen Beteiligten eine völlig neue Art des Kochens schmackhaft machen und eindrucksvoll demonstrieren, wie man mit weniger Edelstahl und intelligenteren Lösungen wesentlich rationeller und flexibler arbeiten kann.

Die thermischen Komponenten der Topline-Serie und Heißluft-Dämpfer sind jeweils als Zeilenaufstellung an der Wand konzipiert. In der Mitte ist der Arbeitsbereich mit entsprechenden Kühlmöglichkeiten installiert. Die Desserts wurden jeweils an der publikumswirksamsten Seite zubereitet. Die Ausgabe ist mit großzügigen Anrichteflächen und überbauter Wärmebrücke ausgestattet.

Jeweils 3 von 6 PALUX-Küchen waren einander sternförmig zugeordnet und konnten vom Restaurant der Nationen als auch im Zuschauerbereich viel Einblick in die Wirkungsstätten geben. Die ergonomische Anordnung der Geräte war mit ein Garant für das gute Gelingen.

6 komplette Wettbewerbsküchen für die 30 Nationalteams aus 5 Kontinenten, 3 komplette Küchen und 3 extra Küchenzeilen für die Einzelwettbewerbe der 15 Jugendnationalteams, 1 Wettbewerbsküche für das „Andere Restaurant" und 1 Aktionskocheinheit für das Audimax-Aktionsforum.

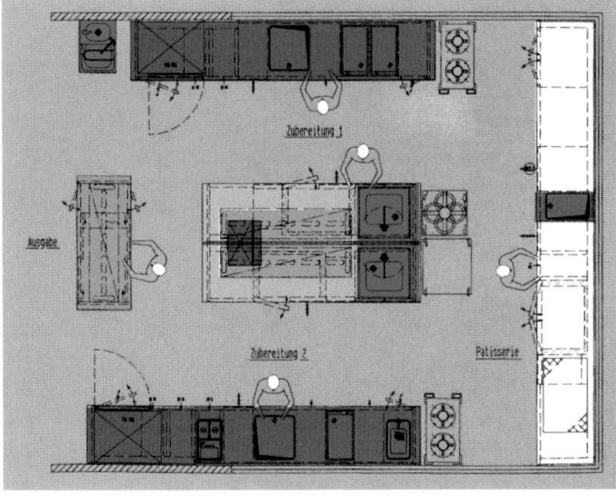

Zubereitung 1
1 PALUX Topline-Vario-Herd
1 PALUX Topline-Vario-Bräter
1 PALUXinjection-Heißluft-Dämpfer Typ 611 ECA

Zubereitung 2
1 PALUX-Topline-Friteuse
1 PALUX-Topline-Vario-Herd
1 PALUX-Topline-Vario-Bräter
1 PALUX-Topline-Vario-Kocher
1 PALUXinjection-Heißluft-Dämpfer Typ 611 ECA

ein Vorbereitungs- und Arbeitsbereich mit Kühlung, Spülen, Wärmebrücke, Salamander

Patisserie
Arbeitsflächen mit intergriertem Tiefkühlelement und ein Topline-Vario-Bräter

Ausgabe als Wärmeschrank mit Wärmebrücke

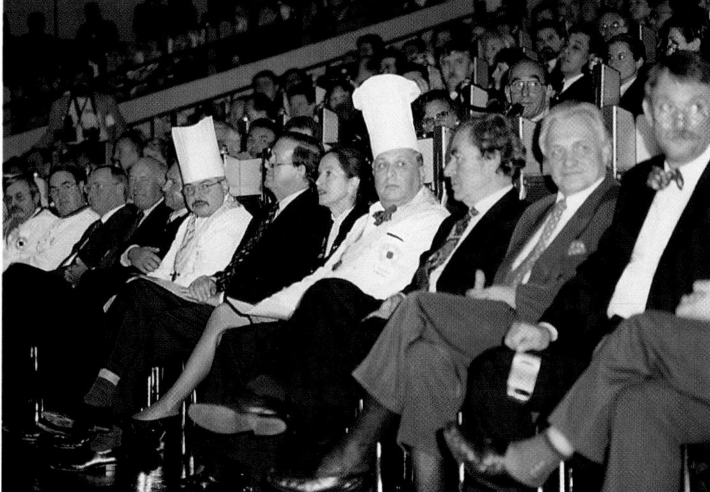

Berlin
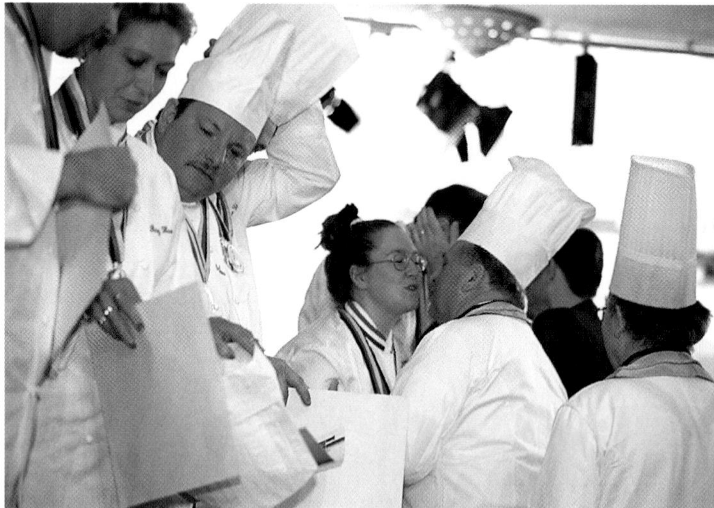

Berlin

Messe Berlin
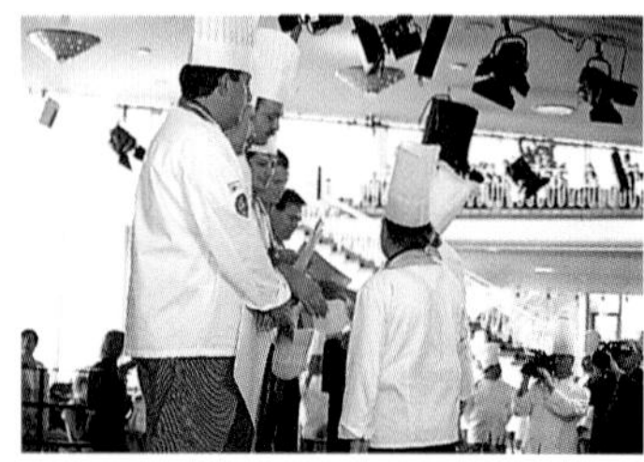

Schaustücke, Tafelaufsätze
Dekorationsstücke
Show-pieces, table decorations
decorative items
Pièces d'exposition, surtouts de table
pièces de décoration

Käseschnitzerei aus Italien.

Italian Cheese Carving.

Sculptures en fromage d'Italie.

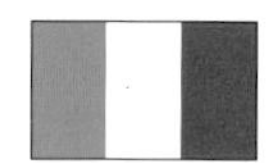

Arrangement aus Schokoladeneiern mit modellierten Tieren und Blumen.

Arrangement of Chocolate Eggs with Moulded Animals and Flowers.

Arrangement d'œufs en chocolat, animaux et fleurs modelés.

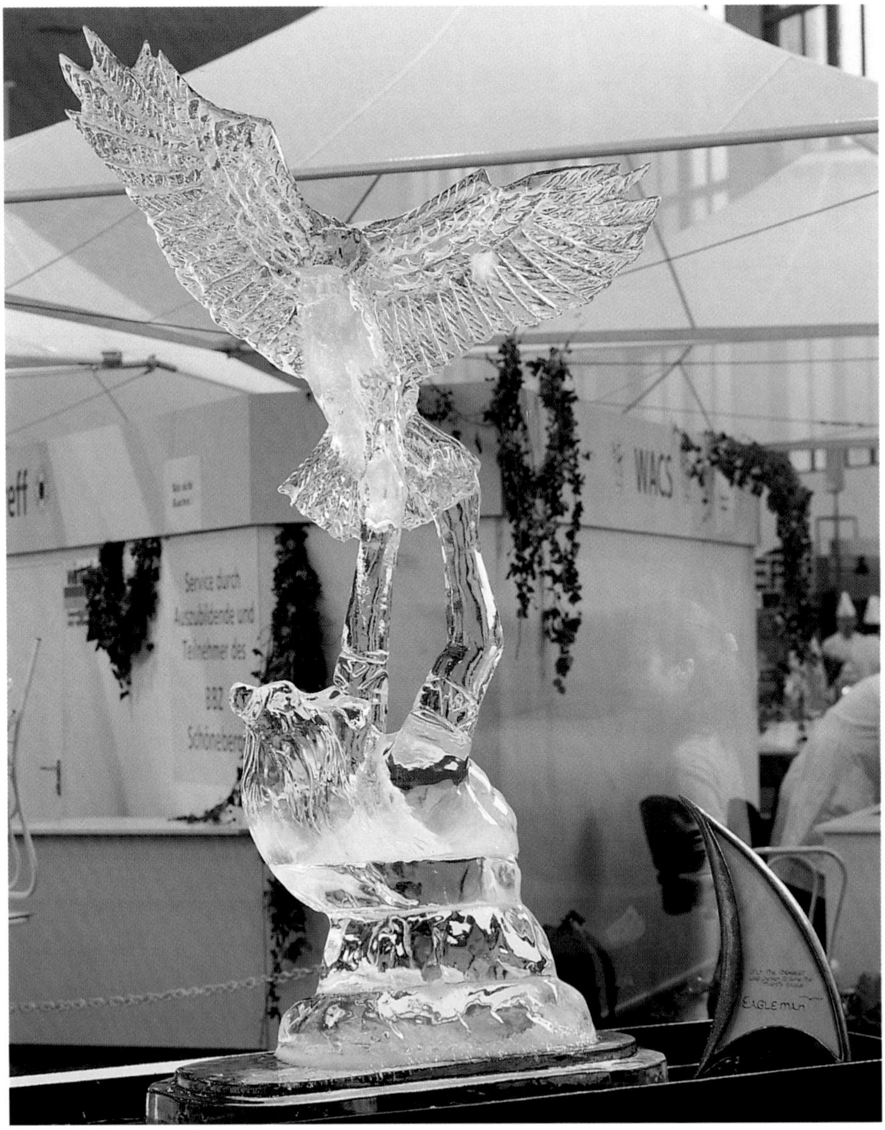

Falkner-Eismeißelarbeit.

Falconry Ice Sculpture.

Travail de la glace au burin «fauconnier».

Ingwerschnitzerei.

Carved Ginger.

Gingembre sculpté.

Schaustücke aus gezogenem und geblasenem Zucker.

Show-Pieces of Pulled and Blown Sugar.

Pièces de décoration en sucre tiré et soufflé.

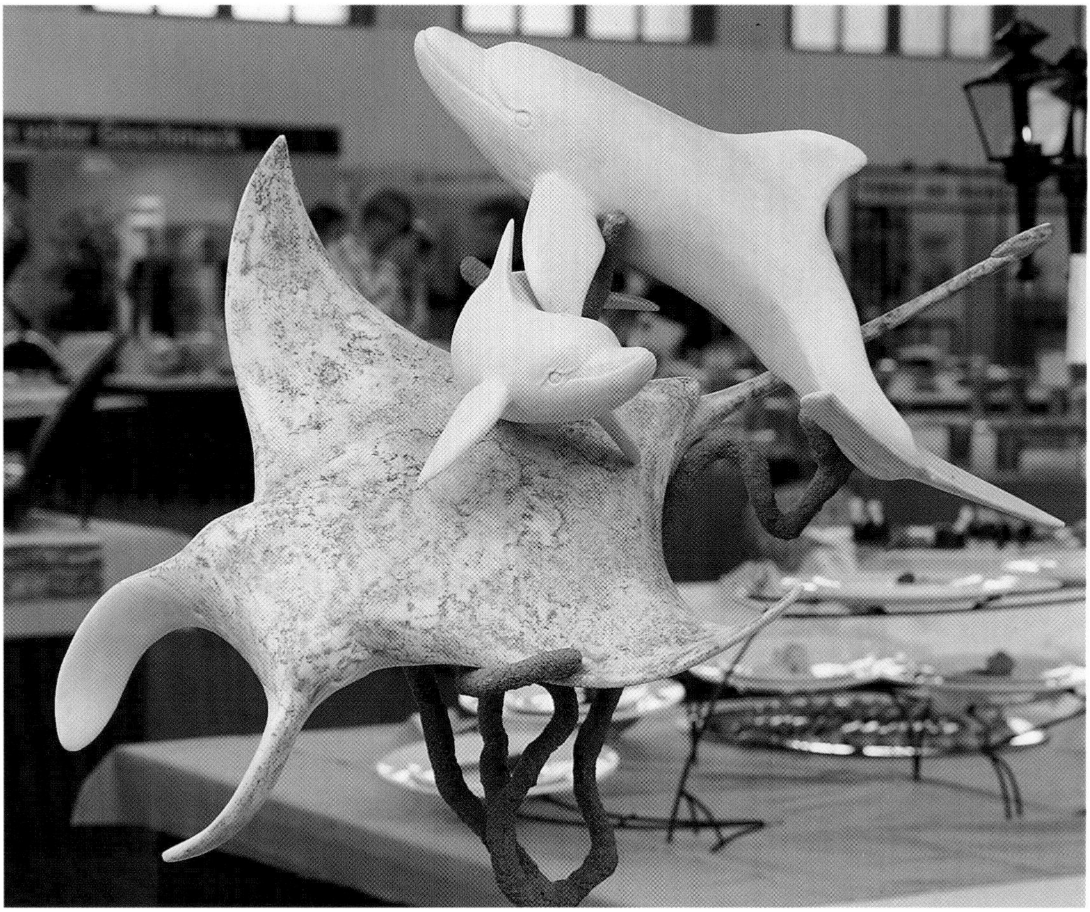

Aus Salz geschnitztes Schaustück.

Show-Piece Carved in Salt.

Pièce de décoration sculptée dans le sel.

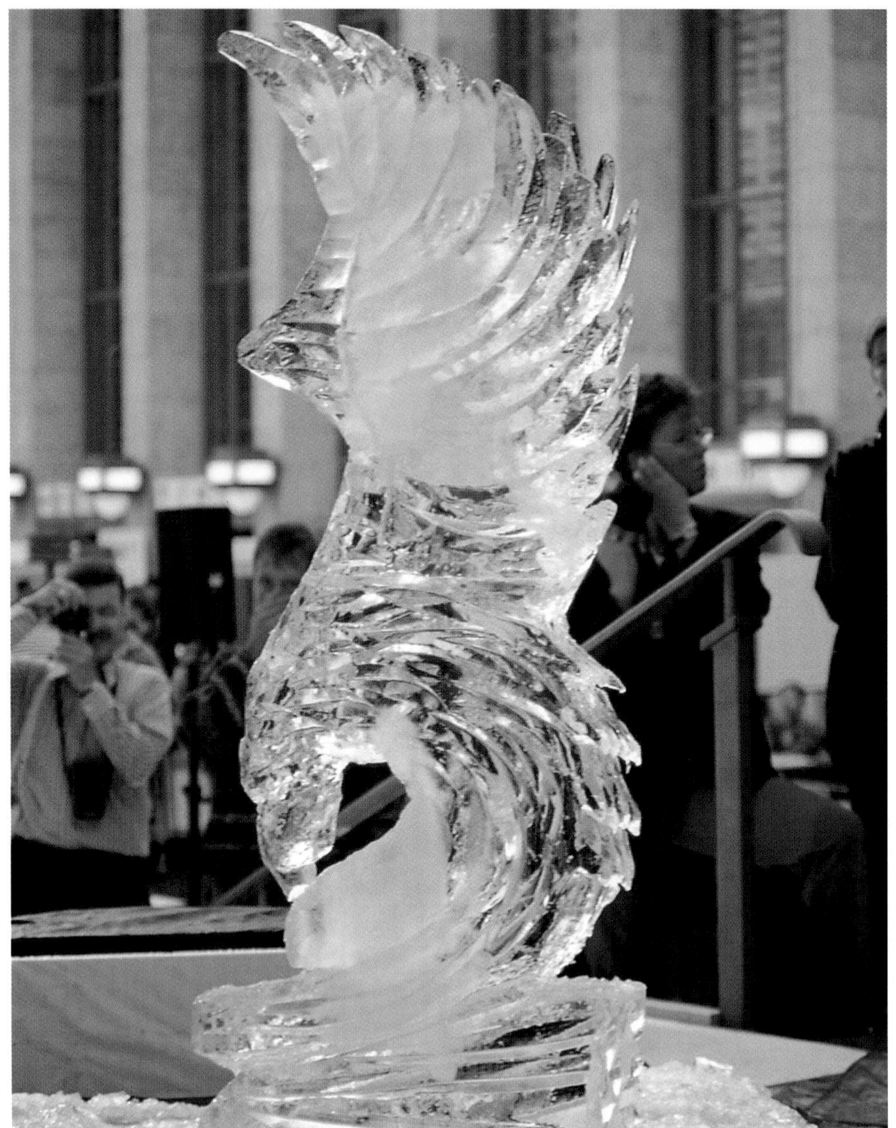

Eisskulptur „Seeadler".

"Sea Eagle" Ice Sculpture.

Sculpture en glace «aigle de mer».

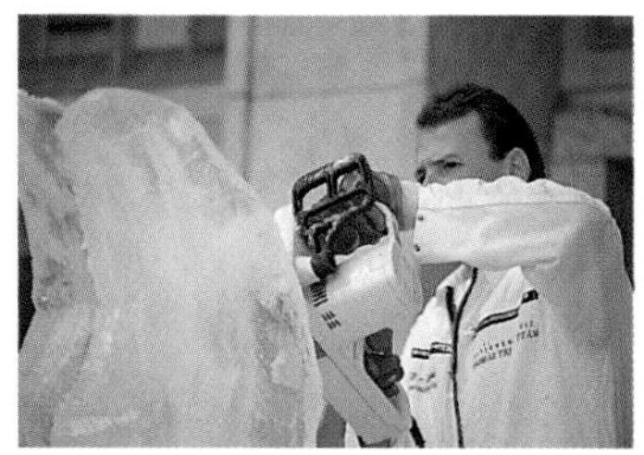

THOMAS
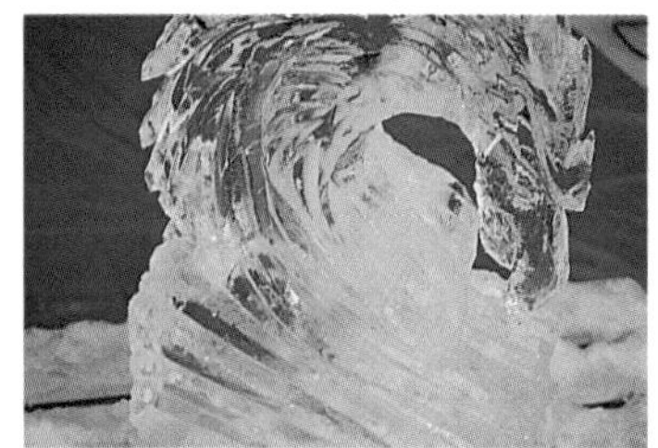

Gemüseschnitzerei.

Vegetable Carving.

Sculptures de légumes.

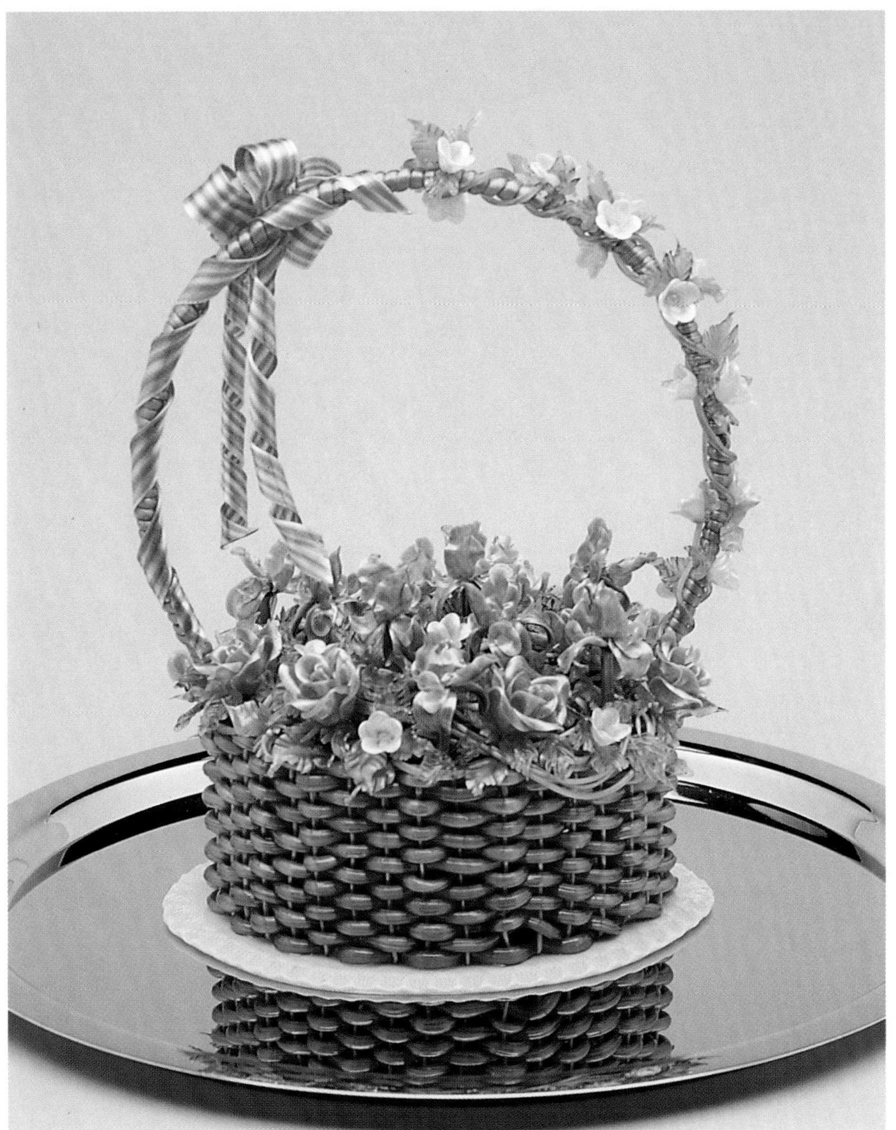

Zuckerkorb aus gezogenem Zucker mit Rosen.

Sugar Basket of Pulled Sugar with Roses.

Corbeille de roses en sucre tiré.

Schwan mit Jungen, aus Fett modelliert.

Swan with Cygnets, moulded in fat.

Cygne et ses petits, sculptés dans la graisse.

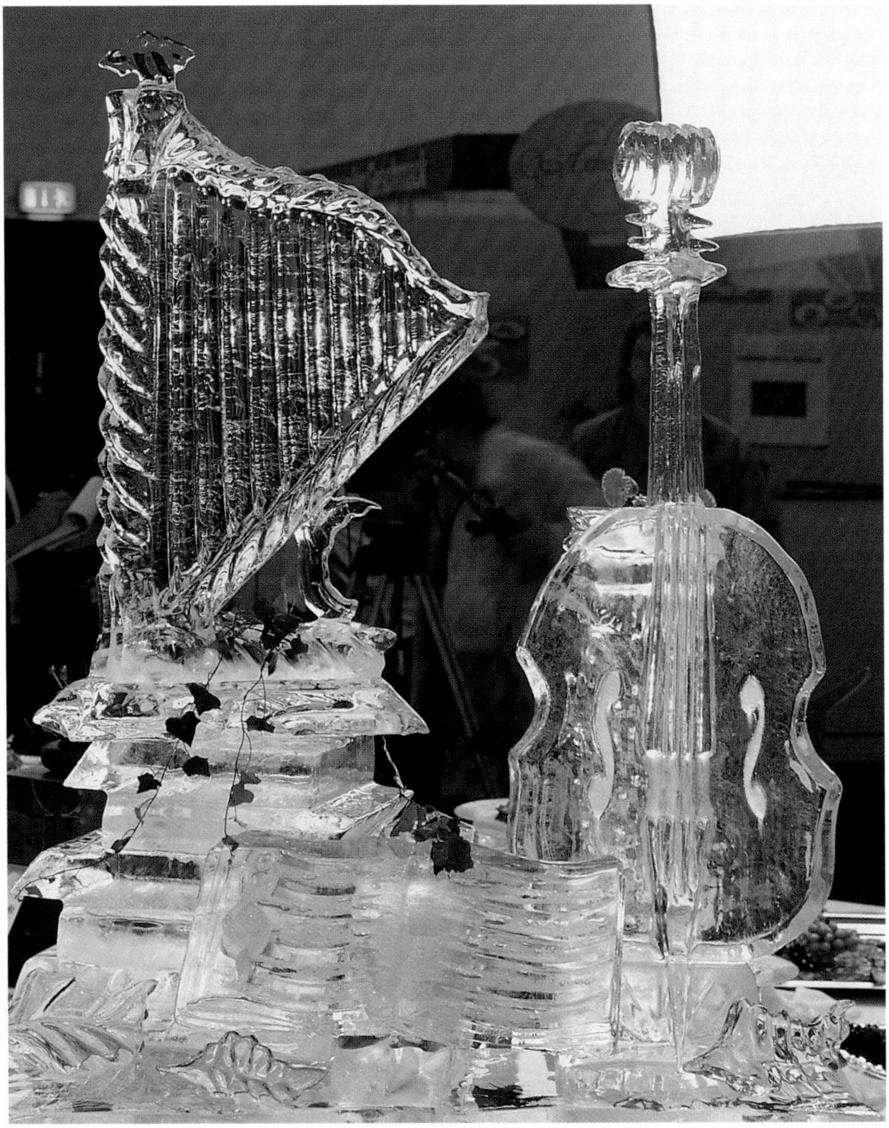

Eisskulptur „Herbstsymphonie".

Ice Sculpture "Autumn Symphony".

Sculpture en glace «symphonie automnale».

Claude Godbout Quebec Kanada

„Der Liebesspiegel des Lebens". Fettarbeit.

"Love, Mirror of Life". Fat Sculpture.

«Miroir amoureux de la vie». Travail de la graisse.

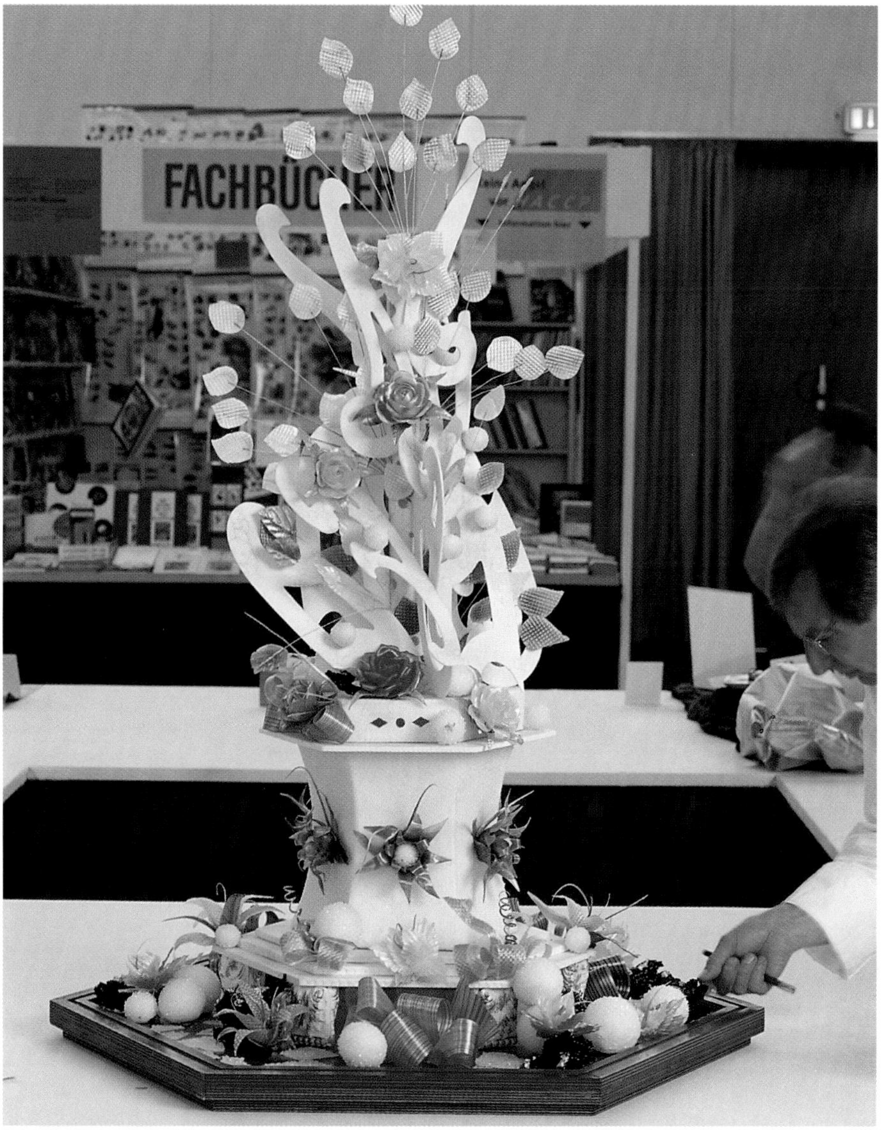

Phantasie aus Tragant, Kristall- und gezogenem Zucker.

Fantasy in Tragacanth, Crystal, and Pulled Sugar.

Fantaisie de gomme adragante, de sucre cristallisé et de sucre tiré.

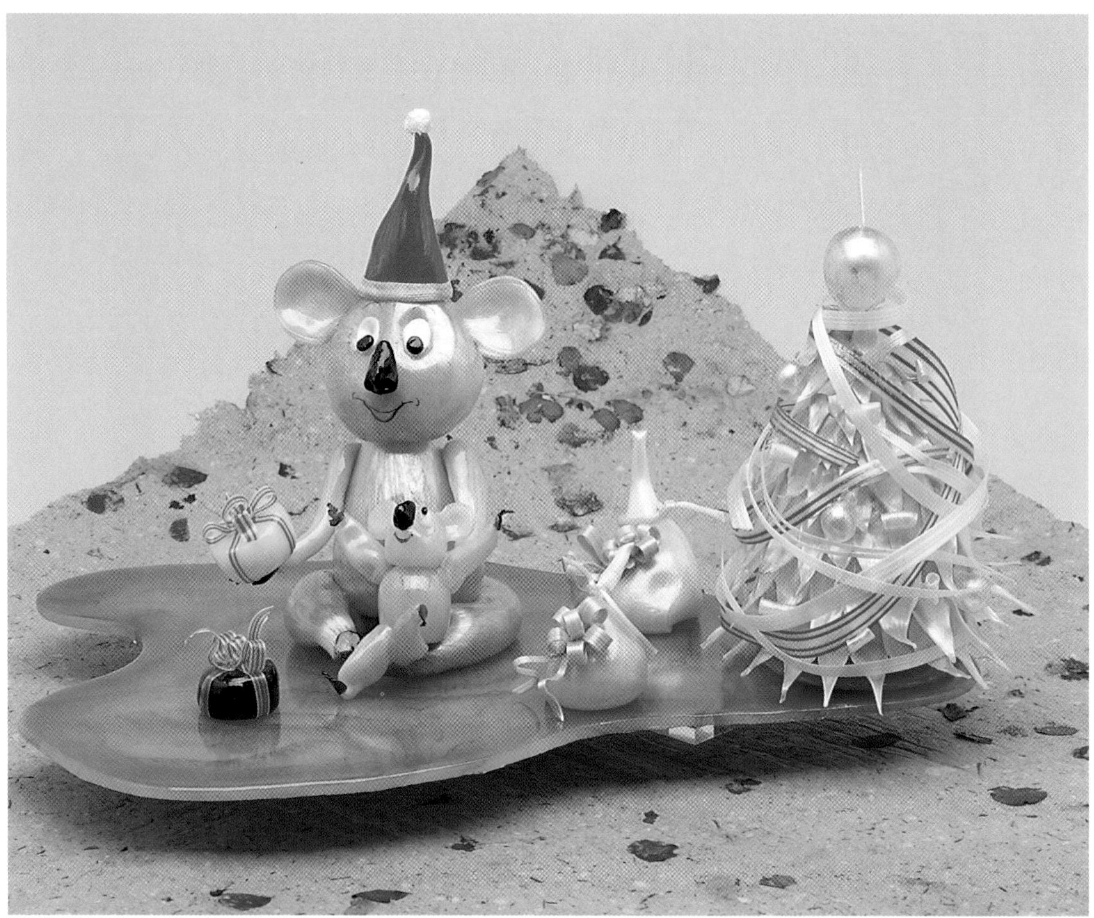

Weihnachten im australischen Busch. Arbeit aus gezogenem und geblasenem Zucker.

Christmas in the Australian Bush. Made of pulled and blown sugar.

Noël dans le bush australien. Travail réalisé en sucre tiré et soufflé.

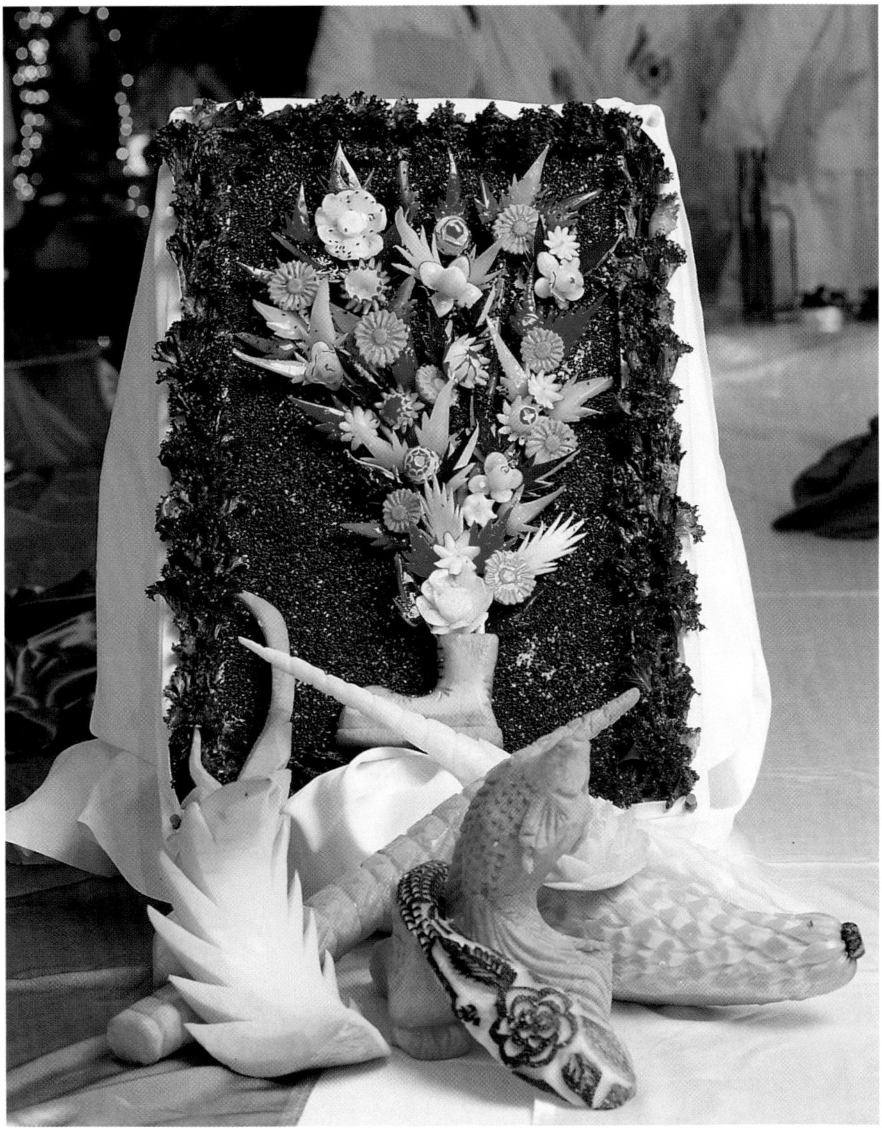

Gemüseschnitzerei.

Vegetable Carving.

Sculptures en légumes.

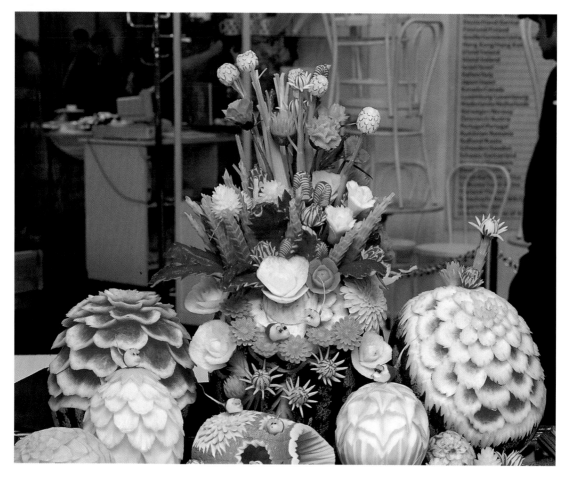

Gemüseschnitzereien.

Vegetable Carving.

Sculptures en légumes.

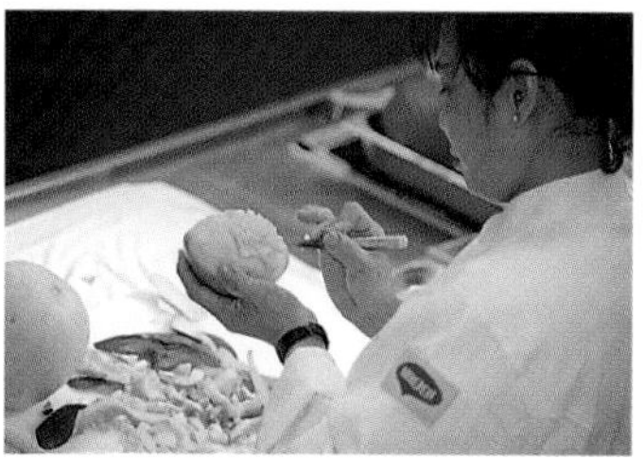

Leopold Forsthofer Österreich

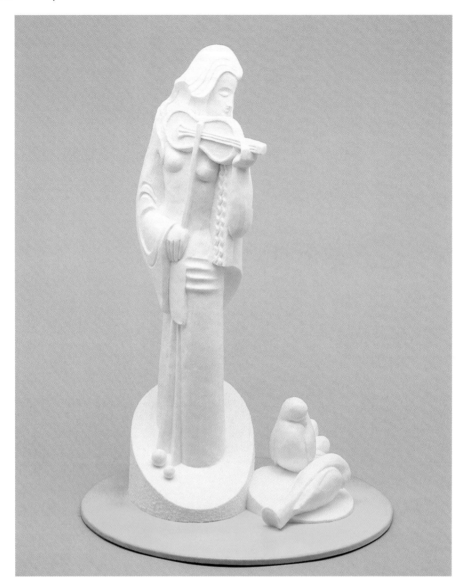

Butterskulptur „Geigerin".

"Violinist" Butter Sculpture.

Pièce de décoration modelée en graisse.

Geißenpeter.

Peter the Goat-Herd.

Pierre le chevrier.

Team ARGE Speyer-Schifferstadt Deutschland

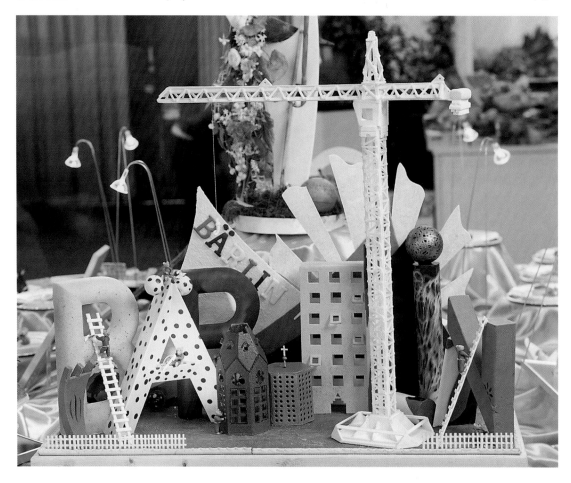

Schokoladenstück „Bärlin".

Chocolate Show-Piece "Bärlin".

Pièce de décoration en chocolat «Bærlin».

Verfertiger unbekannt

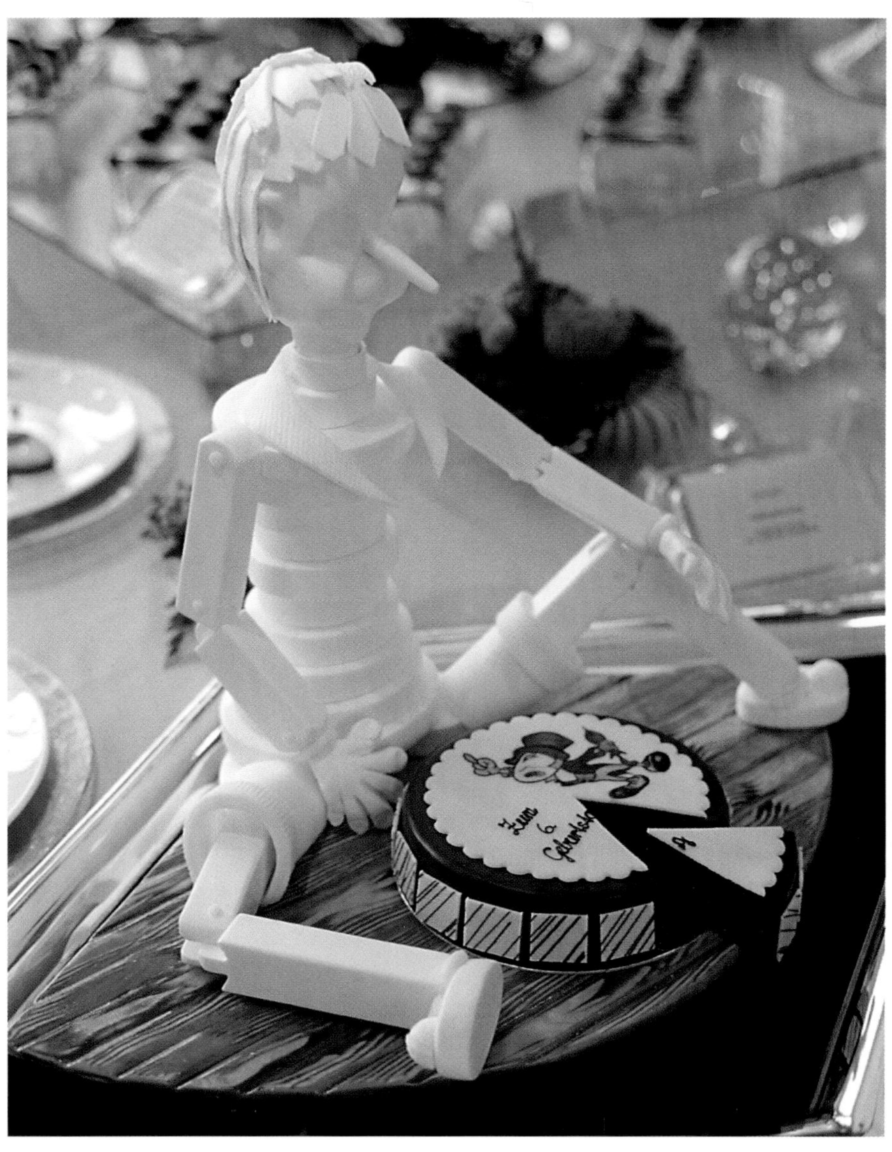

Kindergeburtstagstorte mit Schaustück aus Gelatinezucker „Pinocchio".

"Pinocchio" child's birthday cake with pastillage show-piece.

Gâteau pour un anniversaire d'enfant et pièce de décoration en pastillage «Pinocchio».

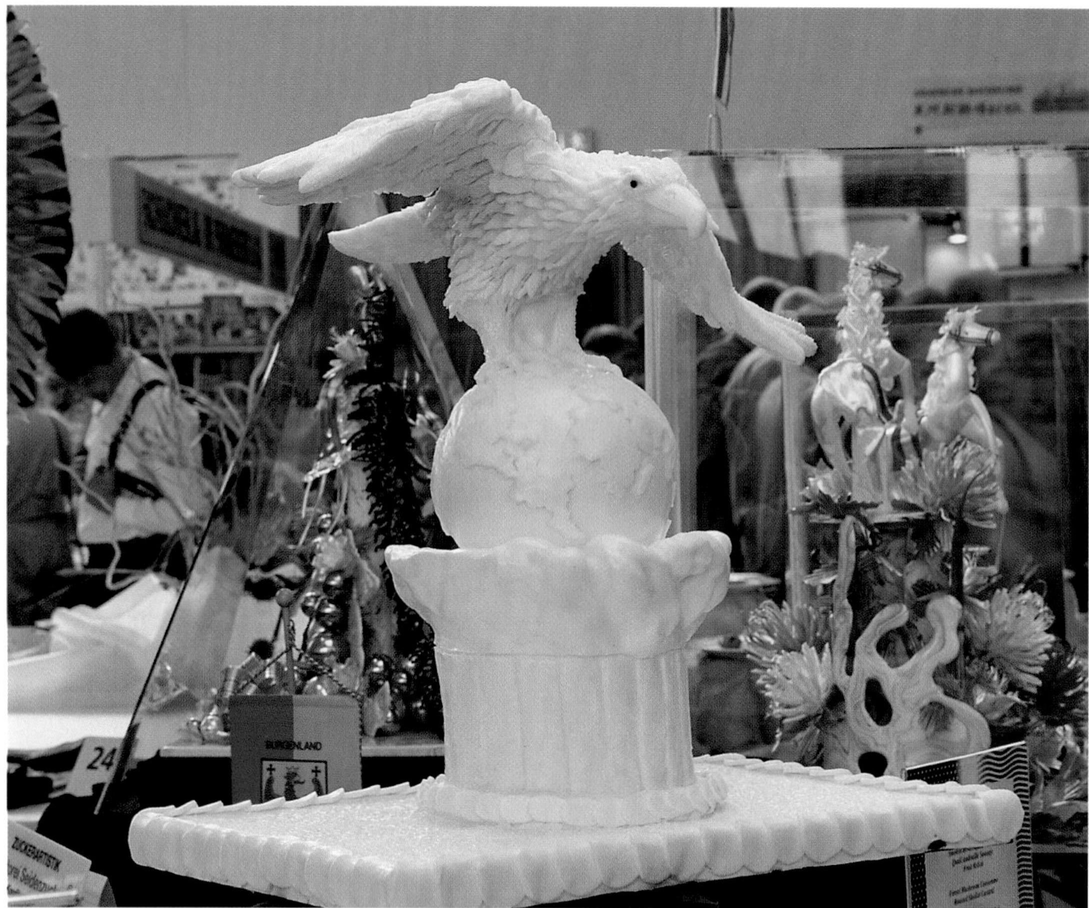

Fettarbeit. „Adler auf der Weltkugel".

Fat Sculpture. "Eagle on the Globe".

Travail de la graisse. «Aigle sur le globe terrestre».

Stilleben aus dem niederländischen „Goldenen Jahrhundert“ mit Rembrandts Augen.

Still Life from the Dutch "Golden Century" seen through Rembrandt's Eyes.

Nature morte du «siècle d'or» hollandais avec les yeux de Rembrandt.

WACS
WELTBUND
Messe

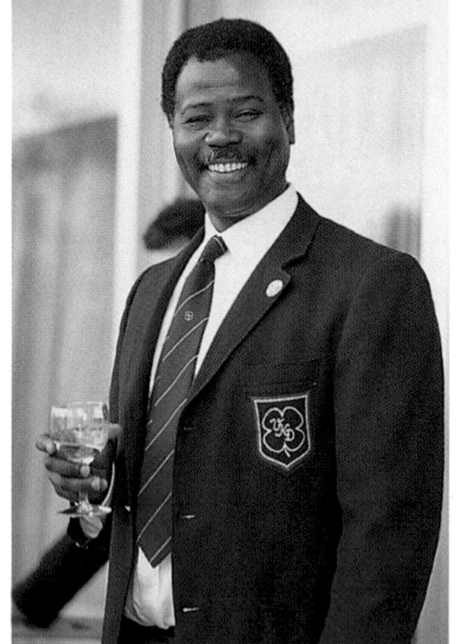

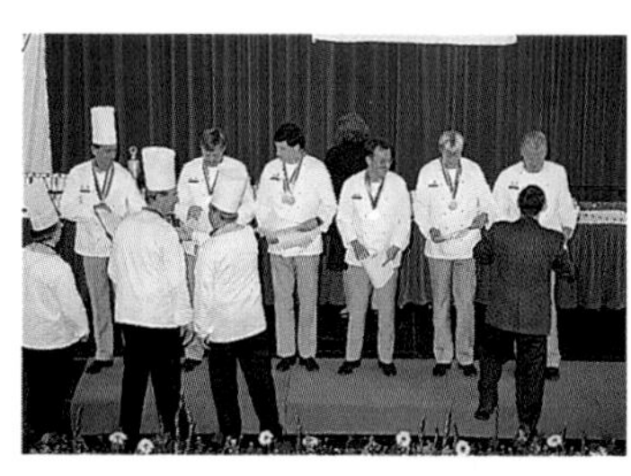

WACS
WELTBUND
KOCHVERBÄNDE
DEUTSCHLANDS e.V.

Schaustück, aus Fett modelliert.

Show-Piece moulded in Fat.

Pièce de décoration modelée en graisse.

Schlußwort

Der Verband der Köche Deutschlands e. V. beauftragte ein Autorenteam, den fünften Band „Kochkunst in Bildern" zu gestalten.

Nach den hervorragenden Werken der Autoren KM Karl Brunnengräber (Band 1–3) und KM Rudolf Decker (Band 4) sahen wir als Team in der Gestaltung dieses Werkes eine reizvolle, ansprechende und interessante Aufgabe.

Nach fast 100jähriger Tradition der IKA/Olympiade der Köche in Frankfurt am Main, dem Mekka der Köche, reizte uns besonders der historische Auftrag und Neubeginn in der attraktiven Weltstadt Berlin mit der im Vordergrund stehenden Frage, wie der neue Standort Berlin von der weißen Zunft angenommen würde. Man darf mit Stolz sagen, sie kamen alle aus der weiten Welt. Die Zusammengehörigkeit und Solidarität unseres Berufsstandes machten es möglich.

Das Motto „Kochen verbindet die Welt" und das Wissen um den fachlichen Wert der IKA/Olympiade der Köche ermöglichte trotz wirtschaftlicher Einschränkungen die Beteiligung der Fachleute aus aller Welt und die damit verbundene Weiterbildung: die Mannschaften der verschiedenen Nationen, vieler Regionen, der Streitkräfte, der Jugend, die Kollegen für die Gemeinschaftsverpflegung und die Diätbrigade des VKD im „das andere Restaurant".

Die große Anzahl von Einzelausstellern mit ihren Exponaten der kalten und der warmen Küche, der Patisserie mit Schaustücken verschiedenster Art, wie Eismeißeln, Gemüseschnitzen, Zuckerarbeiten, Fett modellieren, sie alle legten den Beweis über den gegenwärtigen Stand der Kochkunst, über die praxisgerechte Anrichteweise und über den Geist, der sie beseelt, ab.

Ihnen und den zahlreich erschienenen, interessierten Besuchern ist es zu verdanken, daß dieses Werk, diese Dokumentation zustande kam. Wie man erkennen kann, handelt es sich auch bei dieser Ausgabe nicht um ein Fachbuch üblicher Prägung mit präzisen Rezepten und Herstellungsbeschreibungen, sondern um eine lebhafte Illustration über die einzigartigen, individuellen Möglichkeiten, die ein Koch hat, seine Visionen, künstlerischen Ideen, seine Kreativität und Fähigkeiten in kulinarische Kostbarkeiten umzusetzen.

Die Devise lautet: Machbar, der Zeit entsprechend und doch vollendet.

Die Jugendmannschaften, sich der Ehre bewußt, die Farben ihrer Nationen zu vertreten, bereiteten mit großem Einsatz die Speisen ihres Landes und ernteten viel Lob und Anerkennung ihrer Gäste. Die Kochdemonstrationen und Pokalwettbewerbe begeisterten gleichermaßen die Zuschauer wie Fachleute.

Die Diätbrigade des VKD praktizierte in ihrem Restaurant in vorbildlicher Weise, daß andere Speisen und Kostformen nicht nur der Gesundheit dienen, sondern auch bekömmlich und äußerst schmackhaft sind.

Hier wurden gesundheitsbewußte Aspekte und die neuesten Erkenntnisse in der Ernährungslehre unmittelbar und meisterhaft in die Tat umgesetzt.

Im internationalen Wettbewerb standen einmal mehr die Vertreter der nationalen Streitkräfte im friedlichen Wettstreit. Es war beeindruckend, welche breite Palette an ausgezeichneten Menüs heute dargeboten wird.

Im Restaurant für Gemeinschaftsverpflegung standen sich täglich zwei Köcheteams im Wettstreit gegenüber. Wie wichtig eine bekömmliche und ausgewogene Ernährung für die Gemeinschaft ist, zeigten die Kollegen in sehr eindrucksvoller Weise.

Das Können der internationalen Kollegen in der warmen und kalten Küche war Demonstration und Lehrbuch zugleich. Die Köstlichkeiten, von Könnern der verschiedenen Länder dargeboten, boten ein breites Spektrum von Spezialitäten in exzellenter Form auf höchstem Niveau.

Spektakuläre und höchst interessante Fachvorführungen im Lichthof des Palais hatten eine besondere Publikumswirksamkeit. Die täglichen Darbietungen von Spezialisten im Eismeißeln, Zuckerblasen, Gemüseschnitzen, Fett- und Schokoladearbeiten sowie diverse praktische Fachvorträge begeisterten das Publikum gleichermaßen und quittierten diese Live-Aktionen mit dankbarem und stürmischem Beifall.

Wir versuchten, möglichst alle Teilnehmergruppen zu erfassen, soweit es bei dieser Vielfalt und in der kurzen Zeit der Ausstellung überhaupt möglich war. Nicht alle, aber viele Kolleginnen und Kollegen werden sich oder ihre Arbeit im Buch wiederfinden und feststellen, daß sich ihr Einsatz und Engagement für die Kochkunst und den Beruf gelohnt haben.

Wenn kulinarische Ausstellungen dieser Art als Gradmesser der Leistungsfähigkeit eines Berufsstandes dienen und Ideen und Anregungen vermitteln sollen, für den eigenen Bedarf einerseits wie auch als Motivation für Jugend und Nachwuchs andererseits, dann ist diese Olympiade der Köche richtungweisend. Wir sind der Meinung, daß unser Berufsstand auch im nächsten Jahrtausend den ihm gebührenden Platz einnehmen wird.

Norbert P. Gillmayr, Hansjoachim Mackes, Kurt Matheis

Messe

Messe

WACS
WELTBUND DER

Berlin

Epilogue

The German Chef's Association commissioned a team of authors to produce the fifth volume of "Illustrated Cuisine".

In view of the excellent works produced by authors Karl Brunnengräber (Vol. 1–3) and Rudolf Decker (Vol. 4), we in the team regarded the production of this work as a challenging, appealing and interesting task.

After almost 100 years of celebrating the IKA/Culinary Olympics in Frankfurt-on-Main, the Mecca of haute cuisine, we were particularly keen to tackle this historic task of establishing the IKA/Culinary Olympics in the cosmopolitan city of Berlin, and above all, to see how this new venue would be accepted by the culinary world. We are proud to say that the event indeed attracted participants from all over the world, thanks to the solidarity and fraternity that is characteristic of our profession.

The motto "Cooking unites the world" and an appreciation of the high professional standing of the Culinary Olympics encouraged experts from all over the world to participate and further their knowledge, despite economic constraints: teams representing the various nations and countless regions, the armed forces, the junior teams, the colleagues from communal catering and the dietary team of the German Chef's Association in "the alternative restaurant".

The great number of individual contestants and their exhibits of hot and cold cuisine, the patisserie section with an endless selection of show-pieces, such as ice sculptures, vegetable carvings, spun sugar, moulded fats, they produced undeniable evidence of state-of-the-art culinary techniques, practical ways of serving and of the spirit that moved them.

We owe it to these entrants and the vast numbers of interested visitors who attended the event that this work, this documentation could be produced. It is obvious at first glance that this is not an ordinary reference work with detailed recipes and descriptions of methods, but a vivid illustration of the unique, individual scope available to a chef to translate his visions, his artistic ideas, his creativity and skills into culinary treasures.

The maxim is "Feasible, appropriate to the times and yet perfect".

The junior teams, conscious of the honour of representing their countries, showed great dedication in preparing typical national dishes and earned much praise and appreciation from their guests. The cookery demonstrations and contests for the cups were equally popular with spectators and experts.

The restaurant run by the dietary team of the German Chef's Association demonstrated perfectly that other dishes and forms of diet need not only be good for one's health, but can also be nutritious and extremely tasty.

In that particular sector, medical progress and the latest findings from nutritional research were directly and expertly translated into practical applications.

Once again, representatives of armed forces from various nations faced each other in peaceful international contest, resulting in a highly impressive selection showing the extensive and excellent variety of menus available nowadays.

Two teams competed daily in the restaurant for communal catering, effectively demonstrating just how important a healthy, balanced diet is for the community.

The skills presented by our international colleagues in the sections of hot and cold cuisine was both a demonstration and a teaching manual. The delicacies created by experts from the different countries offered a vast spectrum of specialities in excellent form and at top level.

Spectacular and highly interesting expert demonstrations were given in the Palais patio, where they attracted large audiences. The daily presentations by specialists in ice sculpting, sugar spinning, vegetable carving, fat and chocolate moulding as well as various practical lectures were very popular with the vast numbers of spectators, who rewarded these live happenings with appreciative and resounding applause.

As far as possible, we have attempted to include all groups of contestants, despite the great variety and the brief duration of the exhibition. Not all colleagues, but nevertheless many of them, will find themselves or their work featured in the book and realise that their dedication and commitment to culinary art and their profession was worthwhile.

If culinary exhibitions of this kind are intended to serve as a gauge for the efficiency and standards of a profession, to spread ideas and suggestions, not only for the profession's own requirements but as motivation for the young generation of up-and-coming talent, these Culinary Olympics are indeed trendsetting. We firmly believe that our profession will continue to enjoy its duly earned position into the next millennium.

We look forward to seeing you at the IKA/Culinary Olympics 2000.

Norbert P. Gillmayr, Hansjoachim Mackes, Kurt Matheis

Épilogue

La Fédération des Cuisiniers d'Allemagne a chargé une équipe d'auteurs de créer le 5e volume de l'art culinaire en images.

Karl Brunnengräber et Rudolf Decker qui ont écrit respectivement les œuvres remarquables que sont les volumes 1 à 3 pour le premier et le volume 4 pour le deuxième auteur, ont réuni leurs talents pour réaliser ce livre intéressant, attirant et plein de charme.

Après avoir assuré une présence traditionnelle presque centenaire à Francfort sur le Main, la Mecque des cuisiniers, la mission historique et le nouveau début de l'IKA/Olympiades des cuisiniers à Berlin, capitale à l'attrait assuré, il nous importait au premierplan de savoir comment le nouveau site de Berlin serait accepté par la corporation aux toques blanches. Nous devons dire avec fierté qu'ils sont venus du monde entier. La solidarité qui règne dans notre profession a permis une telle réalisation.

Malgré les restrictions économiques le slogan «la cuisine crée un lien à travers le monde» et la reconnaissance de la valeur professionnelle de l'IKA/Olympiades des cuisiniers ont permis la participation des spécialistes du monde entier – les équipes de différentes nations, de nombreuses régions, des forces nationales, de jeunesse, des collègues chargés de restauration collective et les équipes chargées de la cuisine de régime de la Fédération des Cuisiniers de l'Allemagne dans «l'autre restaurant» – et la formation complémentaire qui lui est liée.

Cette manifestation a réuni un grand nombre d'exposants individuels qui ont présenté des plats chauds et froids, de la pâtisserie.

Les pièces exposées, qui ont fait apparaître la plus grande diversité, telles que les décorations réalisées avec les blocs de glace, les légumes, les œuvres en sucre, le modelage des corps gras, ont permis de faire le point sur l'état actuel de l'art culinaire, le côté pratique des modes de préparation et l'esprit qui les anime.

Notre ouvrage est né du travail accompli par les participants et de l'intérêt porté par les nombreux visiteurs. Nous leur devons la réalisation de notre documentation. Comme on pourra le reconnaître, nous avons voulu que ce livre spécialisé soit non seulement marqué de l'empreinte habituelle des livres culinaires offrant des recettes bien précises et la description de leur réalisation, mais soit surtout l'illustration vivante des possibilités uniques et individuelles pour le cuisinier de transposer ses visions, ses idées artistiques, sa créativité et ses capacités dans des préparations culinaires exquises.

La devise suivante prévalait: réalisable, actuel et cependant achevé.

Les équipes de jeunes, conscientes de l'honneur de représenter les couleurs de leurs nations, se sont investies dans la préparation des plats de leur pays; elles ont reçu de nombreuses félicitations et la reconnaissance de leurs invités.

Les démonstrations de cuisine ont enthousiasmé aussi bien les spectateurs que les professionnels. L'équipe chargée de la cuisine de régime de la Fédération des Cuisiniers de l'Allemagne a montré de manière ostentatoire que les mets pouvaient à la fois répondre judicieusement à des objectifs de santé tout en étant savoureux et digestes.

C'est dans ce domaine que progrès médicaux et connaissances nutritionnelles les plus récentes sont directement transposés et concrétisés avec brio.

Les représentants des «forces nationales» en présence se sont affrontés une fois de plus dans un combat pacifique. Nous avons été vivement impressionnés par la vaste palette de menus excellents qui a été présentée.

Deux équipes de cuisiniers étaient en lice au restaurant chargé de la cuisine pour collectivités. Des collègues nous ont montré, de manière fort convaincante, combien une alimentation équilibrée et digeste était importante pour la collectivité.

Le savoir de nos collègues internationaux en matière de plats froids et chauds a constitué à la fois une démonstration et un manuel. Les plats délicats réalisés par les exécutants des différents pays offraient un large spectre de spécialités, présentées de façon excellente, au plus haut niveau.

Nous avons assisté à des présentations spectaculaires et hautement intéressantes qui ont eu un impact particulier sur le public. Les prestations quotidiennes de spécialités, telles que les décorations réalisées dans les blocs de glace, les bulles au sucre, les découpes décoratives de légumes, les œuvres effectuées en chocolat et en corps gras ainsi que les divers exposés pratiques sur la spécialité ont enthousiasmé le public qui largement applaudit ces actions en direct avec un enthousiasme débordant.

Nous avons essayé de recenser au mieux tous les groupes de participants, dans la mesure où nous avons pu y parvenir étant données les circonstances: brièveté du temps et variété des aspects du salon. De très nombreux collègues se retrouveront dans ce livre ou retrouveront leur travail et constateront que leur engagement pour l'art culinaire et cette profession ont été récompensés.

Si des expositions culinaires de cette nature servent de baromètre à la capacité d'une profession et permettent de susciter des idées et des initiatives tant pour soi-même que pour motiver la jeunesse et la génération suivante, alors nous sommes sûrs que ces olympiades des cuisiniers ouvriront la voie. Nous sommes d'avis que notre profession occupera dans le prochain millénaire la place qui lui revient.

Nous vous disons à bientôt, en l'an 2000, lors de la prochaine IKA/Olympiades des cuisiniers!

Norbert P. Gillmayr, Hansjoachim Mackes, Kurt Matheis

Sichern Sie sich die Kontinuität dieses Werkes!

Selbst der beruflich versierte und kulinarisch geübte Betrachter steht einer IKA – einer „Olympiade der Köche" – beinahe ohnmächtig gegenüber.
Das fachliche Können und die meisterliche Kreativität überzeugen fast jeden und beeindrucken alle. Freilich wird in der Hektik einer solchen „Live-Veranstaltung" vieles nur am Rande wahrgenommen, deshalb drängt sich die Idee einer publizistischen Nachschau förmlich auf.

Schon vor Jahren entschloß sich der Verband der Köche Deutschlands e. V., einen Band herauszugeben, in dem diese Anregungen fotografisch festgehalten wurden.
Der Erfolg des ersten Bandes ermutigte zur Herausgabe des zweiten, des dritten, vierten und jetzt des fünften Bandes.

Sollte Ihnen noch eine der vorhergehenden Ausgaben fehlen, können Sie nachbestellen:

Band 1: leider vergriffen, keine Neuauflage
Band 2: 500 Seiten, 215 Farbabbildungen
Band 3: 560 Seiten, 500 Farbabbildungen
Band 4: 320 Seiten, über 300 Farbabbildungen

HUGO MATTHAES DRUCKEREI UND VERLAG GMBH & CO. KG
Stuttgart – München – Frankfurt – Hamburg